colección **biografías y documentos**

GALERNA

Av. Santa Fé 3331
Tel.:4821-9816
librogasant@hq.com.ar

Por qué cayó la Argentina

JULIO SEVARES

Por qué cayó la Argentina

Imposición, crisis y reciclaje del
orden neoliberal

Prólogo de MARIO RAPOPORT

Grupo Editorial Norma
Buenos Aires, Barcelona, Bogotá, Caracas, Guatemala, Lima, México,
Panamá, Quito, San José, San Juan, San Salvador, Santiago

©2002. De esta edición:
Grupo Editorial Norma
San José 831 (C1076AAQ) Buenos Aires
República Argentina
Empresa adherida a la Cámara Argentina del Libro
Diseño de tapa: Ariana Jenik

Impreso en Argentina
Printed in Argentina

Primera edición: junio de 2002

CC: 20636
ISBN: 987-545-059-6

Hecho el depósito que marca la ley 11.723
Libro de edición argentina

ÍNDICE

A Viviana, Mercedes e Ignacio

Agradezco los aportes y comentarios que, sobre diferentes capítulos del libro, realizaron Jorge Schvarzer, Marta Bekerman, Mabel Thwaites Rey, Ismael Bermúdez, Norberto Sessano y Fabián Bosoer. Todo lo aquí publicado es, por supuesto, de mi exclusiva responsabilidad.

PRÓLOGO

Tan ameno y cautivante como una novela policial, este libro de Julio Sevares se lee de un trago, aunque éste tenga sabor amargo. Es que en la Argentina se ha cometido un crimen, pero no al estilo de las novelas clásicas de Agatha Christie sino en el más descarnado de las historias "negras" de Hammett y Chandler. En este caso no es un individuo sino un país el que yace agonizante y desangrado y una oscura conspiración de intereses, propios y ajenos, es la que ha apretado el gatillo de su desgracia.

El autor plantea con acierto que lo que se ha derrumbado en el país no es la política económica de un gobierno o de varios sino un modelo económico impuesto a sangre y fuego por la dictadura militar que se transformó, luego del retorno de la democracia y especialmente a partir de Menem y de la instauración de la convertibilidad, en un espejismo que ahora se disipa dejando un panorama de desolación y hambre. La angustia del *corralito*, que dejó sin ahorros a vastos sectores de la población, comienza a vincularse así, en la conciencia de la gente, al índice de desocupación más alto de la historia argentina, a la existencia de más de quince millones de pobres y, con la inevitable devaluación de una moneda que ya no se sostenía, a la caída de los salarios reales de aquellos afortunados que todavía conservan sus empleos.

Pero los costos de este modelo rentístico-financiero tienen la contracara de sus beneficiarios: nunca se produjo una desigualdad tan grande en la distribución del ingreso nacional a favor de una pequeña minoría, en la que se hayan mezclados sectores locales y empresas transnacionales. Pero la gran paradoja es que ni ellos mismos tenían confianza en el modelo, que más que un proceso de acumulación representó un saqueo: ni esas empresas transnacionales reinvirtieron mayormente en el país, transfiriendo el grueso de sus ganancias al exterior; ni los beneficiarios locales perdieron la oportunidad de fugar sus capitales a puertos más seguros.

La otra gran paradoja fue que el intento de convertirse en el mejor alumno de un neoliberalismo a ultranza, siguiendo en lo económico los consejos de economistas del Norte y de organismos internacionales (o dando por válidos falsos "consensos" que tenían en cuenta sólo la opinión de unos pocos) y sujetando en lo político nuestra conducta internacional a las estrategias y dictados de la potencia de turno, no tuvo ningún premio cuando el fracaso se hizo evidente, a pesar del canto de sirena de ideólogos locales que decían que la Argentina había sido castigada en el pasado por su actitud controversial frente a los grandes poderes.

El gigantesco endeudamiento externo, la quiebra del aparato productivo, la concentración y extranjerización del poder económico, la apertura indiscriminada de la economía, el predominio del sector financiero y el desguace del Estado y de sus instituciones, son sólo distintas facetas de un mismo diamante falso cuyos filos cortaron de distinta manera el tejido económico y social del país y crearon una dirigencia política hecha a medida. La dictadura militar destrozó con éxito una alianza político-social que se había radicalizado y que pertenecía a una etapa de nuestro desarrollo económico en la que crecimiento y exclusión no eran incompatibles y que hoy incluso miramos con nostalgia. En cambio, en vez de retomar, mejorándolo, el sendero perdido, la clase política posterior compró el modelo y con ello inició el camino de su propia deslegitimación. La corrupción resultante tiene dos caras, como el dios Jano: el propio modelo secreta corrupción desde sus beneficiarios y la dirigencia política corrupta no hizo más que tomar la parte que según ella le correspondía. La corrupción es estructural, interna al modelo, y no basta con echar a políticos para deshacernos de ella, es necesario, ante todo, cambiar el modelo.

El libro de Sevares, nos cuenta, con elegancia y rigurosidad, los avatares de esta historia. Pero no es sólo un libro para especialistas. Su mérito consiste, justamente, en combinar el análisis económico con el político, en introducir ejemplos, en hacer entendible una realidad que muchos falsos economistas y politólogos han querido ocultar durante años detrás de un lenguaje cuyo esoterismo sólo escondía ignorancia e intereses creados. Leamos pacientemente las páginas que siguen para entendernos mejor a nosotros mismos y recrear la esperanza de un país mejor y más justo.

MARIO RAPOPORT

Introducción: una síntesis
y algunas conclusiones

En el año 2001, el orden económico y social neoliberal iniciado en 1975 entró en una crisis profunda pero no terminal. La convertibilidad se derrumbó por sus propias contradicciones y fue sustituida por otro régimen cambiario. Pero el nuevo sistema no modificó ningún aspecto esencial del orden imperante desde hace más de veinticinco años, como lo demuestra la distribución de los costos de la transformación, la distribución de beneficios entre los grupos económicos locales y extranjeros, las alianzas tejidas para administrar el cambio y, finalmente, pero no menos importante, el alineamiento externo del Gobierno interino.

Las fuerzas que sostienen el orden han demostrado en esta ocasión una notable capacidad para reciclarlo, aun sobre las ruinas de la economía y el rechazo generalizado de la población a los políticos encargados de administrarlo.

Esto no debería causar sorpresa. Si algo muestra el recorrido por veinticinco años de política económica es que el bloque dominante, compuesto por las cúpulas empresarias, políticas, militares y, en buena medida, sindicales, ha logrado sostener a través de los años, con gobiernos civiles o militares, con tipo de cambio fijo o variable, un sistema basado en la acumulación de rentas, la apropiación de bienes públicos, la especulación y la distribución regresiva del ingreso.

El tránsito del orden neoliberal no fue, precisamente, ordenado. Estuvo signado por masacres, hiperinflaciones, crisis sociales y productivas y quiebras reiteradas de las finanzas públicas.

La imposición de este orden tiene varias etapas. Un primer intento de terminar con el orden basado en la industrialización, la protección y la regulación estatal fue protagonizado, a partir de 1966, por el dictador Juan Carlos Onganía. El Gobierno abrió las puertas al capital extranjero y trató de insertar a la Argentina en el mundo occidental y su cruzada anticomunista. Su programa fue destrozado por una explosión popular.

A mediados de 1975, el gobierno de Isabel Perón-López Rega, acosado por las demandas sociales y las exigencias del *establishment*, trató de imponer el programa liberal. Con ese propósito dio un golpe de mercado que marcó el inicio del ataque contra la rebelión social, la organización gremial y las regulaciones estatales. Pero la resistencia popular y gremial le impidió concretar sus aspiraciones y fue volteado por la fuerza militar.

En marzo de 1976, las Fuerzas Armadas, con el apoyo de la cúpula empresaria inició el ataque orgánico y sistemático contra el pasado mediante el disciplinamiento de los trabajadores a sangre y fuego, la apertura financiera y comercial, la instauración de una cultura de especulación y obtención de rentas financieras.

La imposición del orden neoliberal abrió una nueva etapa económica, social y política en la historia argentina. Inició el camino de la desindustrialización y generó un endeudamiento externo que, de ahí en más, teñiría toda la vida económica y social del país y terminó en el colapso cambiario e inflacionario.

A pesar del desastre, la clase dirigente empresaria y política mantuvo, con diferencias de detalles según el sector y el momento, su adhesión al modelo impuesto. Durante el gobierno democrático que sucedió a la dictadura, se vivió un interregno de tironeos y negociaciones entre una administración radical moderada e indecisa que fue cediendo paulatinamente a las presiones del *establishment* interno y externo.

La situación se definió nuevamente en 1989, con la llegada del gobierno de Carlos Menem y Eduardo Duhalde, que, traicionando las tradiciones populares del peronismo y las promesas electorales, comenzó a trabajar por la privatización, la desregulación y la liberalización en la economía y por la instauración de la cultura del individualismo y la rapiña. Esa nueva cultura es un elemento indispensable para el establecimiento y legitimación del capitalismo salvaje.

El Gobierno llevó adelante ese plan basándose en el fracaso del Gobierno anterior, en el hartazgo de la población con la ineficiencia estatal. Esa ineficiencia, que realmente existía, no se debía a un rasgo intrínseco del sistema público, sino a la explotación que el Estado había sufrido durante décadas por parte de grupos económicos, mafias sindicales y corrupción política.

En los primeros tiempos, el menemismo fracasó en su intento de controlar el principal desorden de la economía en ese momento: la inflación desaforada. Lo logró en 1991 con la instauración de un nuevo sistema cambiario y monetario: la convertibilidad. La convertibilidad frenó la inflación, dio inicio a un período de reactivación basado fundamentalmente en el consumo y a un ingreso de capitales atraídos por las privatizaciones. Esto le dio al

Gobierno el apoyo y la legitimidad que necesitaba para llevar adelante su plan de transformaciones.

La ambición de poder de la cúpula política gobernante y del *establishment* económico llegó incluso a impulsar una reforma constitucional destinada a prolongar el gobierno de Carlos Menem.

Sólo el inicio del declive del modelo evitó que esa conjunción de poderes volviera a manipular el sistema institucional para mantener al Presidente en la Casa Rosada por un tercer mandato.

En 1994, el agotamiento de la liquidación de bienes públicos y del *boom* del consumo frenó la economía. En 1995, cuando la desocupación llegaba al nivel, histórico para ese momento, del 18%, la onda expansiva de la *crisis del tequila* aceleró la caída. Posteriormente la economía volvió a recuperarse pero ya no fue lo mismo.

En ese momento, aparecieron a la luz del sol las contradicciones internas de la convertibilidad y la imposibilidad de mantener el sistema indefinidamente, al menos en las condiciones en que se la estaba aplicando.

Un sistema de convertibilidad necesita, para permitir el crecimiento de la economía, un ingreso permanente de divisas. El sector externo no proveyó esas divisas porque, si bien las exportaciones aumentaron, las importaciones y los pagos de intereses de la deuda y otros rubros, aumentaron mucho más. El sector público compensó ese déficit ingresando divisas mediante el endeudamiento. Pero este procedimiento no podía sostenerse indefinidamente, salvo que el dinero tomado se dedicara a promover la capacidad exportadora, lo que no sucedió.

La evolución fiscal es una pieza clave del análisis del funcionamiento de la convertibilidad y su crisis. Si bien la ortodoxia protesta por el aumento del gasto público, ese gasto en términos reales aumentó muy poco y, fundamentalmente, por el pago de intereses de la deuda externa. El déficit fiscal se acumuló también por la caída en los ingresos debidos a las exenciones impositivas otorgadas a las empresas, la baja imposición a las ganancias y la tolerancia a la evasión impositiva, previsional y aduanera. La privatización del sistema jubilatorio fue también una de las principales causas del desequilibrio en las cuentas públicas.

A fines de los noventa, la conjunción de crisis económica, desocupación, corrupción y manipulación política del sistema institucional a favor de las cúpulas gobernantes generó un creciente malestar contra el régimen menemista.

Este estado de ánimo fue capitalizado por la Alianza formada por el FREPASO y el radicalismo, que prometió cambios en algunos aspectos del sistema imperante y honestidad en su administración. En 1999 esta fuerza ganó las elecciones, llevando al Gobierno a Fernando de la Rúa. El nuevo Presidente y su ministro de Economía, José Luis Machinea, siguiendo el rumbo menemista, traicionaron sus promesas electorales. Ante el déficit fiscal aplicaron una política de ajuste ortodoxa que sólo contribuyó a profundizar la recesión y reducir los ingresos públicos. Ante el fracaso de su orientación, el ministro de Economía José Luis Machinea debió abandonar el cargo, pero el Gobierno intentó reforzar el ajuste bajo la conducción del superortodoxo López Murphy. El repudio de la sociedad expulsó al fugaz Ministro y abrió el camino a la vuelta de Domingo Cavallo.

El multifuncionario prometió una salida heterodoxa que volvió a generar expectativas de cambio, pero también traicionó a quienes habían creído en él. Ante las presiones del *establishment* y respondiendo a sus convicciones primarias, profundizó el ajuste, repartió beneficios en el mundo empresario y permitió una gigantesca huida de capitales. Su respuesta final, el *corralito*, la retención de los depósitos bancarios, lo convirtió en objeto de la ira de la clase media.

La imposición del *corralito* fue un suceso clave: por una parte, demostró que el país no sólo no atraía nuevos capitales sino que no podía retener los que ya tenía, lo cual significaba que era imposible mantener el sistema de libre convertibilidad de cada peso a un dólar. Por otra parte, contribuyó a profundizar la recesión y la crisis fiscal, acelerando la muerte del sistema cambiario vigente.

La combinación de fracaso de la política económica, rechazo de la población y pérdida de apoyo en el poder económico interno y externo, provocó la caída del Ministro, primero, y del Presidente después.

No sólo el Gobierno, sino la cúpula política cayó en un profundo desprestigio, dando lugar a nuevas formas de manifestación popular que constituyen el único elemento esperanzador en el sombrío paisaje nacional.

Luego de una vertiginosa rotación de tres presidentes provisionales en el curso de diez días, en el inicio de 2002 asumió la presidencia Eduardo Duhalde.

¿Por qué se derrumbó la convertibilidad arrastrando con ella el conjunto de la economía? ¿Por la porfía en mantener el tipo de cambio fijo? ¿Por el déficit fiscal? ¿Por la incompetencia del Gobierno y la clase política? ¿Por la deuda externa? ¿Porque la dejaron caer el FMI y el gobierno estadounidense?

La crisis de la convertibilidad no es consecuencia del déficit fiscal, ni del tipo de cambio fijo, ni del endeudamiento externo, ni de errores de política económica, en forma aislada. Es la crisis de una conjunción de factores que incluye el sistema cambiario, la apertura indiscriminada, la ausencia de políticas de industrialización y exportación, la concesión de beneficios extraordinarios a las empresas sin exigencia de contrapartida en términos de producción, exportación o empleo y la entrega del patrimonio público y el sistema jubilatorio.

A pesar de todo no se trata de una crisis terminal del orden neoliberal porque las fuerzas que lo sostienen se coaligaron rápidamente para reciclarlo.

El Gobierno que recibió las ruinas de la convertibilidad anunció que cambiaría el orden existente, que abandonaría la alianza del Estado con la especulación y forjaría otra con la producción. Inmediatamente comenzó a sufrir las previsibles presiones de los grupos económicos locales y externos y de los acreedores, para que el Gobierno descargara los costos de la crisis sobre el Estado y la población. En pocos días el Gobierno comenzó a adaptarse a esas exigencias. Siguiendo el reclamo del FMI liberó el tipo de cambio aún sabiendo que el organismo no aportaría fondos para compensar los costos de semejante decisión. La devaluación creó una inflación que redujo los ingresos de la población y el mercado interno. El Gobierno anunció medidas para limitar los aumentos de precios que nunca llevó a cabo y anunció acuerdos con supermercados y productores que estos incumplieron sin recibir ninguna sanción.

Paralelamente licuó los ahorros depositados en el sistema financiero y las deudas de los grupos económicos, incluyendo los de capital extranjero, los que habían realizado enormes remesas de utilidades al exterior y de los que tienen ingresos en dólares por ser exportadores. Como contrapartida impuso un impuesto a las exportaciones, pero en un nivel mínimo en relación a la enorme renta generada por la devaluación y la licuación de deudas.

En esta tarea el Gobierno contó con el apoyo del partido oficialista, del radicalismo y de la cúpula sindical, que reafirmaron su voluntad de mantenerse integrados en la coalición de poderes y de colaborar, más allá de diferencias circunstanciales, en el sostenimiento del orden establecido.

Los primeros meses de 2001 muestran en forma concentrada y dramática uno de los rasgos más perversos de la evolución institucional de los últimos años: por una parte, las empresas se desentienden de la suerte del mercado interno privilegiando la obtención de rentas inmediatas y, en última instancia, descansando en la posibilidad de llevar su capital al exterior. Al mismo tiempo, los partidos tradicionales prefieren ejercer el poder respondiendo a los intereses del poder económico y desconociendo las necesidades y aspiraciones de la gente a la que pretenden representar, a pesar del enorme desprestigio en que han caído. Esta conducta sólo puede deberse a que la estrategia central de los dirigentes es mantener sus fuentes de financiamiento para su actividad política y, en el caso de los técnicos que operan en el Gobierno, sus posibilidades de trabajo en el sector privado.

Este fenómeno plantea, indudablemente, perspectivas inquietantes para el futuro productivo y la evolución del sistema político e institucional del país.

Capítulo 1

Imposición de un nuevo orden a sangre y fuego

La historia de la imposición del orden neoliberal registra varias instancias decisivas: el intento fallido de la dictadura de Juan Carlos Onganía, en 1966; el "golpe de mercado" del gobierno justicialista a mediados de 1975; el impulso sangriento y decisivo de la dictadura militar iniciada en 1976 y, finalmente, la aplicación del programa menemista. En este tránsito, el drama argentino se articuló con las transformaciones mundiales que empujaban la economía y la sociedad hacia el reinado del mercado, el individualismo y el darwinismo social.

La "gran transformación" del siglo XX[1]

A partir de la segunda posguerra se instauró en casi todo el mundo capitalista un modelo basado en la expansión industrial y el desarrollo de instituciones destinadas

---

1 *La gran transformación* es el título del libro imprescindible de Karl Polanyi, que analiza la imposición del liberalismo en el siglo XIX. Una tesis central de Polanyi es que el orden liberal no es un producto de las tendencias naturales del mercado sino la obra de los poderes económicos y políticos y del Estado que los representaba.

a garantizar el poder de compra y la provisión de servicios a las poblaciones.

En los años sesenta el modelo de industrialización y Estado de Bienestar entró en crisis en los países centrales por razones varias. La principal economía del mundo y su moneda se estaban debilitando; el menor crecimiento económico, el financiamiento del Estado de Bienestar y el gasto bélico provocaban el incremento de los déficit fiscales; la capacidad de negociación de los sindicatos permitía que las remuneraciones aumentaran por encima de la productividad; las economías eran corroídas por una inflación en aumento. Las rebeliones sociales de fines de los sesenta, la crisis monetaria de 1971 y el aumento de los precios del petróleo a partir de 1973 fueron, a la vez, consecuencias y causas de la crisis del modelo iniciado en los cuarenta.

En este contexto el *establishment* económico y político, dio un golpe de timón. En la academia estadounidense los ortodoxos de origen keynesiano fueron desplazados del escenario de las ideas por los ortodoxos del monetarismo y el extremismo liberal. En los últimos tramos del gobierno de James Carter, la Reserva Federal, comandada por Paul Volker, comenzó un incremento de tasas de interés con el propósito de combatir frontalmente la inflación. Este movimiento tendría consecuencias históricas: provocaría una recesión en los EE.UU. y en el resto del mundo, crearía una gigantesca transferencia de recursos hacia el sistema financiero y gatillaría la crisis de la deuda externa en los países periféricos. El aumento de la renta financiera, en el contexto de una creciente liberalización de los flujos de capital y de los mercados nacionales de dinero, daría un gigantesco estímulo a la instauración de una lógica de funcionamiento de los mercados y las empresas basada en la búsqueda de rentas financieras.

En los ochenta, Ronald Reagan y Margaret Thatcher iniciaron una cruzada contra las instituciones y la cultura del estatismo y la regulación, que sería seguida, en mayor o menor medida, en casi todas las economías, capitalistas y socialistas.

Los gobiernos centrales y los organismos internacionales redoblaron sus presiones para que los países de la periferia liberalizaran sus economías y las adaptaran a los nuevos patrones del libre comercio y la privatización, en lo que comenzó a llamarse la economía globalizada. Las recomendaciones de los organismos fueron sintetizadas en un documento redactado por el economista John Willamson, titulado "El Consenso de Washington".

En la segunda mitad del siglo XX muchos países de la periferia crecieron y avanzaron en el camino de la industrialización y mejoraron sus condiciones de vida, siguiendo un camino diferente y en ocasiones opuesto al de las recomendaciones del Consenso. Esas experiencias se caracterizaron por una importante intervención regulacionista e inversora de los Estados, que compensaron la incipiencia y debilidad de las burguesías industriales locales. El modelo sirvió de base para la constitución de alianzas entre sectores de las burguesías y fuerzas políticas nacionales en las cuales participaban, incluso, sectores del capital extranjero que crecían al amparo de los regímenes proteccionistas. En la Argentina la expresión máxima de esta alianza era el peronismo.

Los modelos industrialistas de la periferia generaron zonas de modernización y aportaron mejoras sociales. Pero también acumularon distorsiones en las estructuras productivas y abrieron las puertas al ingreso y la acumulación de poder del capital extranjero. Sufrieron también crisis de estrangulamiento del sector externo, inflación y choques entre las aspiraciones de la población y los límites determinados por las deficiencias del crecimiento y la voracidad de las burguesías locales y los inversores extranjeros. En los años setenta la alianza, tácita o explícita, entre sectores de la burguesía nacional y sectores populares ya estaba en crisis profunda. En América Latina, el orden social y productivo fue reestablecido a sangre y fuego por las fuerzas armadas, apoyadas por las burguesías locales, el capital extranjero y no pocas fracciones de los partidos de base popular y del movimiento sindical.

La transformación argentina

En la Argentina, en 1966 la dictadura del general Juan Carlos Onganía y su ministro de Economía Adalbert Krieger Vasena hicieron un primer intento de disciplinar la sociedad, terminar con el modelo sustitutivo, insertar la economía en el orden mundial capitalista y alinear al país con los EE.UU. en su cruzada anticomunista. Pero el experimento terminó rápidamente por las fallas de su programa económico y por el estallido de una enorme rebelión popular.

El régimen militar y el sistema político lograron reencauzar el conflicto transitoriamente mediante un proceso eleccionario que, en 1973, llevó al gobierno, por tercera vez, al peronismo.

El nuevo Gobierno, presidido primero brevemente por Héctor Cámpora y luego por Juan Domingo Perón, realizó un último intento de instauración de un modelo de capitalismo nacional basado en una alianza de clases y la sustitución de importaciones. Pero no tuvo éxito. A diferencia de lo que había sucedido durante la primera presidencia de Perón, las Fuerzas Armadas no se sumaron a la entente y la burguesía nacional más concentrada resistió a pie firme los avances regulacionistas del ministro de Economía José Ber Gelbard. El propio partido gobernante estaba dividido en fracciones que se combatían a mano armada. Por otra parte, los sindicatos y amplios sectores populares aspiraban a que el regreso del peronismo satisficiera grandes reivindicaciones sociales y trataba de lograrlo con una vigorosa movilización. En esos años la Argentina fue el escenario de una combinación de lucha de clases, en su más clásica acepción, con lucha de aparatos político-militares y terrorismo practicado por grupos insurgentes y por el propio Estado.

En 1974 el presidente Perón murió y fue sucedido por su vice y esposa, Isabel. Ésta heredó una economía en declive, una inflación galopante y un creciente déficit fiscal. El nuevo Gobierno se vio inmediatamente tironeado por su base, que reclamaba mejoras sociales, y por el *establishment* que, respaldado por las Fuerzas Armadas, pedía orden y desestatización.

En 1975 el gobierno de Isabel Perón, cada vez más apoyado en lo más siniestro de la derecha peronista, tomó partido: decidió llevar a cabo el programa liberal.

A mediados de ese año Isabel nombró como ministro de Economía a Celestino Rodrigo, un liberal asesorado por Ricardo Zinn, un ultraliberal. El nuevo Ministro hizo el trabajo sucio: abolió el control estatal de precios, devaluó un 160% el tipo de cambio comercial y un 100% el financiero y aumentó un 80% las tarifas públicas.

Las medidas provocaron una inmediata reacción popular, incluso entre los sindicatos más adictos al Gobierno. La política de *shock* disparó la inflación (180% durante 1975), estimuló el mercado negro de divisas y agravó el déficit fiscal, que llegó al 15% del PBI. El Ministro cayó pero el Gobierno siguió adelante. Flexibilizó la legislación laboral y aceptó un acuerdo *stand by* con el FMI para recibir ayuda financiera a cambio de hacer un programa de estabilización.

La estrategia no dio resultado. Las agrupaciones empresarias, la derecha política, incluyendo la de la Unión Cívica Radical, comprendieron que el peronismo ya no era capaz de disciplinar a los trabajadores para reducir los salarios y deshacer el andamiaje intervensionista y regulatorio.

A sangre y fuego

En marzo de 1976 lo más concentrado del poder económico agropecuario e industrial y las Fuerzas Armadas tomaron el poder, apoyados por el capital extranjero y los Estados Unidos, y dieron inicio al "Proceso de Reorganización Nacional". El régimen contaría incluso con la tolerancia de la Unión Soviética, que tenía buenas relaciones comerciales con el país.[2] La clase obrera y el movimiento popular no reaccionaron. Una parte, quizá sustancial, de la clase media, dio la bienvenida al restablecimiento del orden.

Como afirma Horowicz en *Los cuatro peronismos*: "El 24 de marzo de 1976, el general Jorge Rafael Videla pudo decir que se iniciaba en la Argentina una 'nueva etapa histórica'; por una vez, el tono y el norte de un discurso oficial y los de la realidad se confundieron en un reaccionario abrazo".[3]

José Alfredo Martínez de Hoz, miembro de más de diez directorios de empresas agropecuarias e industriales, fue nombrado ministro de Economía y puso en marcha un programa que meses antes había elaborado un grupo de grandes empresarios que conspiraban para el golpe.

---

2 La actitud soviética se debió, también, a razones geopolíticas. China Popular, rival de la URSS, apoyaba a la dictadura chilena de Augusto Pinochet y la Argentina tenía un conflicto fronterizo con Chile con perspectivas de enfrentamiento bélico.

3 Alejandro Horowicz, *Los cuatro peronismos*, Legasa, Buenos Aires, 1985, p. 262.

El Gobierno completó la liberación de precios, devaluó y congeló salarios, redujo los aranceles aduaneros, eliminó los reintegros a la exportación industrial y liberalizó el régimen de inversión extranjera otorgándole iguales derechos que al capital nacional. En un documento elevado al Departamento de Estado, el embajador estadounidense Robert Hill ponderó el propósito de abrir y liberalizar la economía del nuevo Gobierno. El documento estimaba que esa política era propicia a los intereses norteamericanos y proponía el apoyo del Eximbank y ayuda para la reprogramación de la deuda externa. El FMI, que había negado financiamiento al gobierno de Isabel, concedió rápidamente un crédito que contribuyó a mejorar la situación del sector externo argentino.

Una de las piezas cruciales del programa de Martínez de Hoz fue la Reforma Financiera de 1977 que abolió los controles de tasas de interés, eliminó regulaciones destinadas a orientar la distribución del crédito en zonas geográficas y sectores económicos y creó un sistema de garantía de depósitos.

La reforma provocó un inmediato aumento en las tasas de interés que, además de aumentar los costos de las actividades económicas, dio impulso a la cultura de la inversión financiera y la especulación.

La garantía de los depósitos permitía que entidades financieras desconocidas tomaran dinero del público ofreciendo altos rendimientos. Bajo el paraguas del sistema de garantías, el número de entidades aumentó en forma explosiva: entre el inicio de la reforma y fines de 1981, año de la crisis del sistema, el número de entidades financieras no bancarias aumentó un 50%, mientras las sociedades de crédito para consumo, cajas de crédito y sociedades de ahorro y préstamo se redujeron a la cuarta parte.

La reforma incluyó, además, un sistema por el cual el Banco Central cobraba a los bancos un cargo por los depósitos que mantenían en cuenta corriente, que las entidades utilizaban sin pagar intereses y los compensaba por los depósitos por los que pagaban intereses. Los flujos del sistema se registraban en la denominada Cuenta de Regulación Monetaria. Debido al fuerte aumento de las tasas de interés el sistema provocó una fuerte transferencia de recursos hacia los bancos y se transformó en la principal causa de déficit fiscal.

La apertura comercial tenía dos propósitos básicos: estimular la especialización de la economía en las actividades en las que tenía más ventajas por sus costos o dotación de factores y reducir los precios de los bienes importados para contener los precios de los producidos localmente, es decir, reducir la inflación.

El Gobierno no tuvo el éxito que esperaba y en 1977 la inflación llegó al 176%.

Considerando que el principal estímulo de la inflación era el aumento del precio del dólar, el Gobierno instauró un sistema de evolución pautada de la cotización de la divisa, cuyo objetivo era crear certidumbre sobre el tipo de cambio futuro, el cual recibió la denominación de "tablita cambiaria".

La fijación del tipo de cambio estaba inspirada en las proposiciones del Enfoque Monetario de la Balanza de Pagos, ideado por Roland McKinnon, de Stanford, y se contraponía con la recomendación monetarista de controlar el aumento de la emisión monetaria y dejar flotar el tipo de cambio.

El nuevo sistema tampoco logró doblegar la inflación por lo cual, dado que el precio del dólar aumentaba menos que el índice de precios, la moneda nacional comenzó a apreciarse. En otros términos, el dólar se abarató facilitando la compra de importados y el turismo en el exterior, dando lugar a lo que se dio en llamar la "plata dulce".

La articulación de liberalización comercial, apertura financiera y seguro de cambio con un dólar cada día más barato se constituyó en un cóctel explosivo.

La reducción de aranceles estimuló el ingreso de bienes importados y la rapidez de esa apertura no dejó tiempo a la industria nacional para su adaptación a los nuevos tiempos. La reducción de los beneficios en las actividades reales estimuló, a su vez, la búsqueda de ganancias en las actividades financieras y la huida de capitales.

La liberalización financiera permitía ingresar libremente al país y garantizaba su salida. La fijación del tipo de cambio eliminaba la incertidumbre cambiaria. En este contexto los capitales de corto plazo ingresaban al país, invertían en la bolsa o en el sistema financiero que ofrecía intereses elevados, y volvían a salir.

"Estos cambios alentaban rápidos desplazamientos del capital financiero a medida que los inversores ejercitaban su aprendizaje en un período de alta inflación. El dinero saltaba de un mercado a otro, protagonizando ganancias apreciables mediante el arbitraje entre distintos beneficios y costos posibles. Cada una de esta sucesivas oleadas del dinero demostraba que el mercado financiero sólo podía operar en condiciones meramente especulativas frente al elevado ritmo inflacionario; nada de eso anuló la voluntad del equipo económico de proseguir con sus ensayos de liberación cortoplacista del sistema."[4]

El Gobierno militar creó una nueva fuente de rentas para las empresas con el régimen de promoción industrial. El sistema establecía exenciones impositivas para las empresas que se instalaran en una serie de provincias y en

---

4 Jorge Schvarzer, *Martínez de Hoz: la lógica política de la política económica*, CISEA, Buenos Aires, 1983, pp. 46 y 47.

Tierra del Fuego y su objetivo era promover la creación de trabajo en zonas postergadas.

Del sistema se beneficiaron grandes empresas de los sectores cemento, papel, química básica, siderurgia y las armadoras de productos electrónicos de consumo.

La forma discrecional en que se otorgaron los permisos y la falta de control provincial y nacional permitió numerosos fraudes que, en muchos casos ni se ocultaban. El primer problema del régimen fue que permitió que muchas empresas se acogieran a los beneficios fiscales trasladando sus plantas de sus lugares originales hacia las zonas promocionadas. Este procedimiento, al que se denominó "fábricas con rueditas", en lugar de crear nuevos puestos de trabajo desplazaba los ya existentes. Además, en muchos casos ni siquiera se instalaron fábricas sino galpones en los que se terminaban o sólo se facturaban productos que se fabricaban en otro lado.

A comienzos de 1980 se estaba produciendo la convergencia entre tipo de cambio y precios internos al costo de una creciente recesión y un deterioro en la cuenta corriente por el aumento de las inversiones. Por otra parte, la reducción de los precios internos no fue acompañada por la baja en los intereses, lo cual complicaba la situación de las empresas y de los bancos que les habían prestado.

La elevada tasa de interés reflejaba el riesgo cambiario existente: a pesar de la convergencia entre precios y tipo de cambio, se había acumulado un fuerte atraso cambiario y un importante déficit comercial, por lo que el sostenimiento del tipo de cambio pautado parecía insostenible. La única forma de atraer capitales y de evitar que los existentes se convirtieran en dólares era ofrecerles intereses cada vez más elevados. Como sucedería veinte años más tarde durante la convertibilidad, el Estado cumplió el papel de abastecedor de divisas de la economía, ingresando dólares mediante el endeudamiento externo.

"De no haber sido por el fuerte endeudamiento externo del sector público asumido a lo largo de 1980, sostienen Feldman y Sommer, no se habría podido sostener la política financiera."[5] Efectivamente, si se hubiera realizado una política de crédito fácil para el sector privado, sin recurrir al endeudamiento del sector público, se hubieran agotado las reservas; si se hubiera mantenido una política monetaria dura para sostener las reservas, el aumento de las tasas de interés hubiera profundizado la crisis recesiva.

También en este momento, como luego durante el menemismo, los organismos financieros internacionales contribuyeron, con financiamiento y apoyo político, al sostenimiento de un sistema cambiario insustentable, por razones puramente políticas.

"¿Cómo se explica –se preguntan los autores citados– que un país con un déficit en la cuenta corriente que prácticamente equivalía al 50% del valor de las exportaciones de bienes y servicios y con precios relativos como los que entonces regían en la Argentina tuviera tan fácil acceso a los mercados financieros internacionales? Es cierto que, en algunos aspectos, la deuda externa argentina, particularmente la del sector público, presentaba condiciones relativas favorables, comparada con las de otros países. En ese sentido, hasta 1979, la tasa de crecimiento de la deuda externa había sido baja y además gran parte del aumento que se registró tenía como contrapartida una acumulación de reservas. Pero también es cierto que el gobierno argentino obtuvo el apoyo del sistema financiero internacional

---

5 Ernesto Feldman y Juan Sommer, *Crisis financiera y endeudamiento externo en la Argentina*, CEAL/CET, Buenos Aires, 1986, p.154.

siempre que lo pidió para poder continuar con la política económica y recibió ese apoyo a un costo relativamente bajo. Obviamente, la liquidez internacional actuó favorablemente, pero lo que se trasluce ese año y el siguiente es que la banca internacional puede actuar en determinadas circunstancias –posiblemente relacionadas con las políticas económicas que se adopten y con sus vínculos con el régimen político– como factor retardador de la crisis, mientras que en otros momentos puede actuar como factor acelerador de la misma."[6]

Pero, como inevitablemente sucede, los altos intereses atraían capitales al costo del deterioro de los demandantes de crédito. El elevado costo financiero se convirtió en uno de los principales motivos de preocupación del mundo empresario y sus efectos se hicieron sentir en los bancos.

"El aumento del grado de incobrabilidad y/o la quiebra de numerosas empresas, explican los autores ya citados, afectaron automáticamente la rentabilidad y la solvencia de las entidades financieras. La inmovilización e incobrabilidad de sus carteras activas, que se producía simultáneamente con el fuerte crecimiento de las carteras pasivas, provocó graves pérdidas patrimoniales en bancos e instituciones financieras no bancarias. Tal proceso se agudiza y conduce a una crisis generalizada del sistema con la quiebra del Banco de Intercambio Regional."[7]

Además de las condiciones estructurales, la crisis bancaria fue también consecuencia del aventurerismo financiero estimulado por el programa económico y la falta de controles oficiales y la práctica del autopréstamo. Algunos grupos económicos habían creado bancos que utilizaban

---

6 Ibídem.

7 Ernesto Feldman y Juan Sommer, op. cit., p. 130.

para financiar a sus propias empresas sin tener en cuenta la solvencia de las mismas.

El programa de Martínez de Hoz incluía el proyecto de privatizar. Sin embargo sólo avanzó en las denominadas "privatizaciones periféricas" consistentes en la privatización de algunas actividades realizadas por las empresas públicas, como la provisión de materiales o servicios. Algunas versiones de la época indican que, contrariando la voluntad de la conducción económica, los jefes militares se negaban a abandonar empresas que les servían como base de poder y, seguramente, como fuente de beneficios. La privatización periférica se transformó, no obstante, en una nueva fuente de rentas para las grandes empresas que participaron en el nuevo régimen.

Como parte de su limitada política de privatización, el Gobierno permitió la creación de correos privados, dando lugar a la creación de empresas como OCA y OCASA de Alfredo Yabrán. En este momento comenzó la carrera de un hombre sospechado de actividades mafiosas que estaba vinculado con hombres de la Armada, luego se vinculó con el radicalismo (Fernando de la Rúa fue abogado en sus empresas) y más tarde con la cúpula menemista.

Licuación de deudas

En 1981, cuando se venció el período de cuatro años que el Gobierno había establecido para la permanencia de los tres comandantes que habían dado el golpe y con el recambio de cúpula militar cambió el titular del Ministerio de Economía.

La brecha cambiaria y la salida de Martínez de Hoz precipitó el fin del sistema. En marzo de 1981, el ministro de Economía Lorenzo Sigaut devaluó afirmando que sería por única vez y pronunció una frase que se haría famosa: "el que apuesta al dólar pierde".

Por supuesto, perdió quien no apostó al dólar, porque sobrevino una carrera devaluatoria que, salvo contados respiros, se mantendría hasta el inicio de otra aventura cambiaria: la convertibilidad.

El endeudamiento del Gobierno destinado a sostener el sistema con ingreso de capitales y el endeudamiento privado facilitado por la apertura, contribuyeron a la acumulación de una deuda externa que se convertiría en uno de los principales factores de vulnerabilidad externa e interna, económica y política en las décadas siguientes.

• Entre 1975 y 1983 la deuda externa aumentó de 7.800 millones de dólares a 45.000 millones. En 1975 la mitad de la deuda era pública, en 1983 el 70% privada.

• Hasta fines de 1979 el sector público se endeudó poco. El grueso de las divisas ingresadas se incorporaban a las reservas, hasta el punto que en ese momento las reservas (10.500 millones de dólares) eran superiores a un año de importaciones.

• A partir de 1979 el endeudamiento causó una sangría de divisas en un país que cada vez recibía menos dólares. Desde 1981 y hasta la vuelta de las inversiones externas en la década del noventa, el pago de utilidades e intereses comienza a ser superior al ingreso de capitales. Más aún, la liberalización financiera permitió la fuga de capitales en una escala desconocida hasta entonces:

• En 1984 el Banco Mundial estimó que 44% de la deuda externa correspondía a evasión de capitales por parte de agentes privados, nacionales y extranjeros; el 33% al pago de intereses y el 25% destinados a la compra de armas y de importaciones no registradas.

• Una evaluación realizada en 1985 por el *Morgan Guaranty Trust* concluye que la evasión de capitales es igual a la deuda externa existente en ese momento. La misma evaluación indica que en Brasil la fuga de capitales llegaba a sólo el 14% de la deuda.[8]

La devaluación de 1981 encontró a muchas empresas con un fuerte endeudamiento externo, que en su casi totalidad era fraguado. Por una parte, las empresas cancelan sus deudas con los acreedores externos pero no lo informan al Banco Central a la espera de un plan de salvataje. Por otra, sacaban capitales del país y los reingresaban como préstamos externos que, en rigor, eran autopréstamos.

Según el propio Martínez de Hoz, "podría reducirse la deuda externa en 4.000 millones de dólares correspondientes, según estimación oficial de setiembre de 1981, a deudas canceladas pero no informadas como tales al Banco Central".[9] Más tarde, cuando la deuda privada ya había sido asumida por el Estado, el ministro de Economía Jorge Whebe reconoció que el Gobierno buscaba una solución para una deuda "inexistente".

El Gobierno autoproclamado liberal y privatista convalidó esas operaciones trasladando a la sociedad buena parte de la deuda empresaria.

El subsidio comenzó por la deuda externa. A partir de 1981 el ministro Lorenzo Sigaut implementó un seguro de cambio que se otorgó a quienes renovaban sus créditos en el exterior por un plazo mínimo de un año y medio y que abarcó obligaciones por 6.000 millones de dólares, casi la mitad de la deuda externa privada.

En julio de 1982 le llegó el turno a la deuda interna. Ese año el presidente del Banco Central, Domingo Cavallo, puso topes a las tasas de interés de todas las operaciones

---

8 Citado por Alfredo Eric Calcagno y Eric Calcagno, en *La deuda externa explicada a todos*, Catálogos, Buenos Aires, 1999.

9 Ibídem.

del sistema financiero, los cuales, gracias al fuerte aumento inflacionario licuaron las deudas empresarias. El costo fue pagado por el Estado (es decir los contribuyentes) y, como sucedió con el *corralito* también dispuesto por Cavallo, por quienes tenían dinero en el sistema financiero.

La economía de acumulación financiera tuvo un efecto desastroso sobre la economía real: entre 1976 y 1983 el PBI creció un promedio anual del 1,4%.

Paralelamente la inflación mantenía sus fueros. En 1977 los precios aumentaron 176% y en todos los años hasta 1983 siguió teniendo tres dígitos excepto en 1980, cuando fue de 87,6%.

Según muchas opiniones el triunfo de la inflación significó el fracaso de la política de Martínez de Hoz. Un autor da una versión diferente y con más perspectiva histórica. "Martínez de Hoz, sostiene Schvarzer, había fracasado en términos de los objetivos explícitos que él mismo había difundido (y que otros tomaron como ciertos), pero había logrado transformar de tal modo el funcionamiento de la economía argentina que el país encontraría ya difícil volver al antiguo régimen aun cuando se lo propusiera."[10]

La adaptación radical

El retorno de la democracia no cambió el modelo reinante. El gobierno de Raúl Alfonsín no pudo, no quiso o no supo desarmar el sistema basado en la renta financiera, la desindustrialización y el retroceso del Estado.

En sus primeros dos años el Gobierno mantuvo arduas negociaciones con acreedores y el gran capital, además de

---

10 Jorge Schvarzer, *Implantación de un modelo económico*, A-Z, Buenos Aires, 1998, p. 34.

soportar los embates de la oposición justicialista, emban-
derada con consignas nacionales y estatistas que echaría
por la borda apenas instalada en la Casa Rosada, en 1989.

Por una parte, la cancillería procuraría tejer una alianza
de deudores y lazos con Europa para contrapesar la presión de los acreedores, en su mayor parte organismos financieros dominados por los EE.UU. y bancos estadounidenses. Estos esfuerzos no tuvieron éxito por la reticencia de
los deudores a unificarse y porque Europa se alineó con los
EE.UU. en la exigencia de pago y disciplina fiscal. Por
otra parte, el Gobierno se negó a revisar la naturaleza de
los compromisos externos y eventualmente desconocer la
deuda ilegítima contraída durante la dictadura.

El alfonsinismo había iniciado su gestión prometiendo
el fortalecimiento del sistema republicano frente a las corporaciones militares, empresarias y sindicales.

Una de sus primeras iniciativas fue modificar la legislación sindical para reducir el poder de los caciques tradicionales, pero no pudo imponerlo en el Congreso. Tuvo
más éxito con la corporación militar, sometiendo a juicio
a las cabezas de la dictadura, pero también debió enfrentar embates de fracciones militares lideradas por oficiales
intermedios de filiación nacionalista.

En el terreno económico intentó moverse con independencia, pero terminó cediendo a las presiones del capital
local y el extranjero, que exigían que siguiera una línea ortodoxa.

La crisis fiscal y de balance de pagos obligó al Gobierno
a decretar una moratoria unilateral en el pago de intereses.
Pero, sometido al aislamiento internacional y enormes
presiones externas, el Gobierno se allanó al cumplimiento de los compromisos. En diciembre de 1984 se firmó un
acuerdo con el FMI que implicó llevar adelante un clásico plan de ajuste.

En febrero de 1985 Alfonsín despidió a su ministro de Economía Bernardo Grinspun, que había intentado una política heterodoxa y llevado adelante una negociación dura con el FMI, y lo reemplazó por Juan Vital Sourrouille.

A partir de ese momento el Gobierno inicia una política de negociaciones con el gran capital local representado por los denominados "Capitanes de la industria" y las asociaciones de bancos. Al mismo tiempo comenzó a tender lazos con un sector del sindicalismo más tradicional.

En abril de 1985 la revista norteamericana *Fortune* comentó: "Pocas cosas ayudaron tanto a tranquilizar a los banqueros sobre sus deudores del Tercer Mundo como las que obligaron a la Argentina a tragar la medicina del FMI. Ello muestra el grado de presión que se puede ejercer sobre un país para impedirle que se desvíe de la ruta marcada por la comunidad financiera internacional".[11]

Una de las principales debilidades del Gobierno, ante el *establishment* y el sindicalismo, era que no lograba dominar la inflación, que en junio de 1985 llegó al 1000% anual.

En ese momento, el Gobierno lanzó el Plan Austral, basado en un cambio de moneda, control de precios industriales y un sistema de desindexación. Con la desindexación los deudores no debieron pagar los intereses calculados en momentos de elevada inflación, lo cual hubiera beneficiado injustamente a los acreedores. Para evitar nuevas presiones inflacionarias, el Gobierno se comprometió a no emitir para financiar el déficit fiscal.

El Plan cortó la inercia inflacionaria y revirtió las expectativas precedentes. El incremento de precios se redujo y la actividad económica se recuperó.

---

11 Jorge Schvarzer, op. cit. p.101.

Pero los precios libres del agro aumentaron muy por encima de los industriales sometidos a control, lo que provocó un crecimiento de la inflación.

Por otra parte la disciplina fiscal prometida no fue respetada. En la organización fiscal de esos años, las provincias tenían la posibilidad de gastar por encima de sus ingresos y pedir a la Nación para que cubriera la diferencia. Las provincias utilizaron toda su capacidad de presión política para obtener recursos y provocar el aumento del déficit público. Esta posibilidad fue acotada por acuerdos posteriores, pero la discusión entre Nación y Provincias por la distribución de recursos sigue activa.

Paralelamente, las empresas públicas lejos de ajustarse a las nuevas restricciones siguieron succionando fondos que se destinaban tanto a realizar obras como a alimentar proveedores y la corrupción de funcionarios y sindicalistas.

En ese momento la Argentina fue víctima, también, de su especialización en la exportación agropecuaria. Una caída en los precios internacionales de granos redujo drásticamente los ingresos de divisas de exportación y los ingresos fiscales derivados de las retenciones a las exportaciones. Esto fue un duro golpe para un país fuertemente endeudado y con un déficit fiscal creciente.

El fracaso del Plan Austral provocó un declive del sustento político del Gobierno y el inicio de una crisis que sólo culminaría con el retiro anticipado del presidente Raúl Alfonsín.

Ante la pérdida de reservas el Gobierno decidió, en mayo de 1988, una moratoria en el pago de intereses de la deuda externa.

En agosto de 1988 se lanzó el Plan Primavera cuyo propósito era evitar una escalada inflacionaria previa a las elecciones. El Plan dispuso un sistema cambiario múltiple, con tipos diferentes para el comercio y las operaciones financieras. El tipo de cambio comercial lo fijaba el Gobierno y el financiero era libre, pero regulado por las ventas del Banco Central. Se fijó una tasa de interés muy alta para desalentar la compra de dólares y contener los precios. Se anunció un crédito del Banco Mundial de 5.000 millones de dólares, una cifra abultada para ese entonces.

En un primer momento las empresas y los particulares vendieron dólares y el Banco Central, dirigido por José Luis Machinea, aumentó sus reservas.

El sistema cambiario fue aceptado por la industria pero no por el campo que no aceptó tener un tipo de cambio menor que el financiero fijado en el mercado libre. El malestar agrario se puso de manifiesto en el acto de apertura de la exposición de la Sociedad Rural, donde el presidente Alfonsín recibió una rechifla.

El Gobierno tenía el propósito de cubrir el déficit fiscal sin hacer un corte muy drástico en el gasto público, por lo cual recurrió al endeudamiento, emitiendo varios títulos públicos con diversas cláusulas de indexación. Se creó, entonces, lo que se dio en llamar un "festival de bonos".

El plan también disponía estudiar la posibilidad de privatizar parcialmente empresas como Aerolíneas Argentinas, la telefónica ENTel y los ferrocarriles. Se puso en discusión la privatización de Aerolíneas, pero el proyecto fracasó por la oposición del peronismo.

Desde el inicio del Plan Primavera el Gobierno devaluó pausadamente para contener a los precios, pero la inflación siguió siendo elevada, provocando un creciente retraso cambiario que, además de agudizar la protesta del agro, sembraba dudas sobre la sustentabilidad de la política de devaluaciones moderadas. A esto se agregó que, debido a la caída de los precios internacionales, los ingresos de divisas por exportaciones agrícolas serían menores que los esperados.

En 1988 hubo dos corridas pero el Banco Central las conjuró vendiendo reservas.

En enero de 1989, en plena crisis de sector externo y fiscal y poco antes de las elecciones presidenciales, los EE.UU. retiraron el apoyo al Gobierno y exigieron mayor disciplina fiscal y una reforma estructural que enfatizaba la venta de empresas públicas. A esta decisión puede haber contribuido la campaña que llevaba a cabo en los EE.UU. el diputado justicialista Domingo Cavallo que recomendaba a los inversionistas no seguir financiando un programa económico agotado.

El aislamiento externo aceleró los pasos de la crisis. En febrero de 1989 las reservas llegaron a un punto crítico y el BCRA dejó de vender. La corrida fue gigantesca y todo indica que los grupos bancarios y empresarios contribuyeron decididamente a ella comprando divisas. El dólar se fue a las nubes y la Argentina pasó de una historia de inflación alta y variable a vivir su primera historia de hiperinflación: los índices de precios aumentaron más de 50% mensual. Como suele suceder en estas ocasiones, menudearon los rumores de que algunos, oportunamente avisados por las autoridades correspondientes, pudieron comprar dólares a un precio espectacularmente más bajo que el que alcanzaría en pocos días. A principios de ese año un dólar costaba 17 australes, en julio costaba 650.

El presidente Alfonsín denunció un "golpe de mercado" pero sin especificar responsables, quienes indudablemente se encontraban entre los bancos y empresas con capacidad para influir en los movimientos cambiarios o bursátiles.

Más allá de los desastres causados por las maniobras especulativas de ese último tiempo, el balance económico y social de los seis años de gobierno radical es penoso: en ese lapso el PBI cayó un 2% en promedio y la inversión fija se desplomó; el desempleo aumentó de 5,5% a 8,4%;

en 1989 la inflación llegó al 4.900% y el déficit del sector público al 7,6% del PBI; entre 1983 y 1989 la deuda externa aumentó un 50%. El único indicador macroeconómico con resultado positivo en el período fue el superávit del comercio exterior, y esto como consecuencia de la baja demanda de importaciones debida a la recesión interna porque las exportaciones apenas crecieron.

En marzo de 1989 el radicalismo perdió las elecciones presidenciales ante el binomio Menen-Duhalde. El Gobierno que ya era débil ante las corporaciones de toda índole y en especial ante el poder económico, no estaba en condiciones de manejar una economía desquiciada los seis meses que restaban hasta el traspaso del mando. Alfonsín se retiró anticipadamente en julio de 1989.

Capítulo 2

La convertibilidad: apogeo y declinación

En 1989 Carlos Menem se hizo cargo del Gobierno en forma anticipada.

Durante su campaña el candidato a Presidente había exhibido una imagen populista y había prometido una "revolución productiva" y un "salariazo". Pero al mismo tiempo negociaba con los factores de poder y escuchaba los consejos de economistas que proponían ortodoxia económica y flexibilización salarial. Como suele suceder, el candidato le hablaba a cada sector en el idioma que ese sector quería escuchar, mientras se preparaba para entregar el manejo de la economía a los representantes directos del poder económico. Más tarde diría, con un cinismo característico, que si durante la campaña electoral hubiera dicho lo que realmente pensaba hacer, su electorado no lo hubiera votado.

Pero, ¿qué pensaba hacer Menem? Como pudo apreciarse muy bien con posterioridad, Carlos Menen personifica la ambición de conquistar el poder y el gusto de ejercerlo. Su programa básico consistió en forjar una alianza sin fisuras con el poder dominante local y externo;

ser, no el representante del pueblo ante los poderes constituidos, sino el representante de estos últimos en el aparato del Estado y ante los ciudadanos. Consideraba que las políticas de enfrentamiento o negociación dura que habían desarrollado anteriores gobiernos peronistas y radicales eran insustentables y terminaban inevitablemente en golpes militares o golpes de mercado.

Para llevar adelante esa orientación necesitaba el apoyo o la tolerancia de la población, pero confiaba en que su carisma, la frustración generada por el gobierno radical y la falta de alternativas le darían el margen de maniobra necesario. El proyecto era arriesgado y estuvo a punto de fracasar varias veces por los empujes de la crisis económica. Pero la convertibilidad le dio el plafón definitivo para concretarlo.

Las vísperas

Ni bien arribado a la Casa Rosada, Menem hizo una alianza con el grupo Bunge & Born, en ese momento el mayor conglomerado del país y le entregó el manejo del Ministerio de Economía. El grupo aportó un plan económico elaborado por sus economistas y a varios de sus directivos para ejecutarlo desde el Ministerio de Economía. La alianza con Bunge & Born era, a su vez, la punta más visible de la alianza con el conjunto de los grupos más importantes del país.

Bajo el supuesto de que lo que era bueno para el grupo exportador Bunge & Born era lo mejor para la Argentina, el Gobierno unificó los tipos de cambio, practicó una devaluación de casi el 100%, decidió un ajuste fiscal e inició la política de desarticulación del Estado y la extranjerización.

El Ejecutivo diseñó y el Legislativo aprobó las leyes de Reforma del Estado y de Emergencia Económica, que dieron potestad al Gobierno para privatizar empresas públicas, vender inmuebles del Estado, eliminar el "Compre Nacional" y liberalizar el ingreso de inversiones extranjeras.

La devaluación provocó una carrera inflacionaria mientras la política monetaria restrictiva del BCRA aumentó las tasas de interés y frenó la actividad económica. La estadía de B&B en el Gobierno terminó abruptamente, a seis meses de comenzada. El Ministerio de Economía fue ocupado, entonces, por un hombre cercano a Menem desde sus días de dirigente riojano: Antonio Erman González.

El nuevo Ministro dispuso un plan basado en flotación del tipo de cambio y reducción de retenciones a las exportaciones agropecuarias.

Por la Ley de Emergencia Económica N° 23.697 se suspendieron subvenciones y subsidios oficiales, se suspendieron los regímenes de promoción industrial y se redujeron los beneficios otorgados a las empresas ya acogidas a los mismos. Para dar una imagen de disciplina capitalista se establecieron penas de prisión para infractores tributarios y previsionales pero nadie se preocupó de aplicarlas y ningún evasor importante conoció la cárcel.

En septiembre de 1989 se sancionó una ley clave para el proceso de transformaciones que se iniciaba: la Ley de Reforma del Estado 23.696, que autorizó la venta de activos públicos.

El plan de Erman no mejoró las cosas, hubo un nuevo impulso inflacionario y las cuentas públicas se deterioraron.

En ese momento el fisco estaba pagando tasas elevadísimas para el financiamiento de sus gastos. Con el propósito de reducir ese costo, en enero de 1990 el Ministro dispuso un programa que sería un antecedente del *corralito* ideado por Domingo Cavallo en 2001: un canje de depósitos a plazo fijo del sistema financiero por Bonex, bonos de deuda pública en dólares.

La diferencia entre uno y otro consiste en que el Plan Bonex estuvo destinado a conseguir financiamiento para el Estado, mientras que el *corralito* tuvo el propósito de frenar la huida de depósitos del sistema bancario.

El Bonex fue, en la práctica, una colocación compulsiva de títulos de la deuda pública con vencimiento en diez años en el sector privado para obtener fondos para el Estado. Sólo se reintegró en efectivo una parte de los depósitos a particulares y empresas, y el sector financiero no pudo tomar nuevos depósitos a plazo fijo en pesos por tres meses. Como una ironía del destino, el Plan Bonex o Erman II, canjeaba los depósitos existentes al 28 de diciembre, el Día de los Inocentes.

Con los fondos obtenidos con el Plan Bonex el Estado obtuvo dos beneficios inmediatos: hizo pagos atrasados reduciendo su deuda de corto plazo y, al volatilizar los depósitos a plazo fijo, no tuvo que pagar las remuneraciones a los encajes que los bancos mantenían por esas colocaciones.

La política monetaria restrictiva contribuyó a mantener en caja el tipo de cambio, pero la inflación aumentó, produciendo un retraso cambiario: por un momento la Argentina volvió a experimentar lo que es tener una moneda sobrevaluada que estimula el consumo de importados y desalienta la exportación.

En tanto, el Gobierno no tenía problemas fiscales porque mantenía la mora en el pago de intereses iniciada con Alfonsín y tampoco pagaba a sus deudores internos ni giraba fondos de coparticipación a las provincias. Las provincias eludieron el cerco tomando prestado de los bancos oficiales locales, salvando un problema fiscal pero creando problemas en las entidades.

Finalmente, el Gobierno decidió emitir para cumplir sus compromisos, lo cual alimentó la demanda de dólares y, como la evolución de los precios estaba firmemente atada a la cotización del dólar estalló una segunda hiperinflación.

En marzo de 1990 el Gobierno respondió con un nuevo programa, el Erman III, por el cual se redujeron gastos y se eliminaron reparticiones del sector público, se iniciaron las privatizaciones y se flexibilizó el régimen de inversión externa. El tipo de cambio y los precios fueron liberados mientras se congelaban los salarios, para provocar una baja de las remuneraciones en términos de moneda nacional y extranjera.

Es decir que cada nuevo plan del Ministro de Menem era un nuevo paso hacia la liberalización de la economía. Como afirman Rapoport y colaboradores: "Se había producido una reorientación en la política económica pasando a favorecer prioritariamente a otros sectores del poder económico, el de los acreedores externos y, de manera secundaria, el de los exportadores. Los grandes contratistas del Estado también se beneficiarían participando en las privatizaciones".[12]

El auge de la acumulación en base a rentas financieras y derivadas de la apropiación de activos públicos, avanzaba a pasos agigantados sobre los escombros de una economía sumida en la recesión y la hiperinflación y sobre una sociedad agobiada por la crisis económica y las frustraciones del retorno democrático.

El Gobierno creía que reduciendo el déficit fiscal y la emisión monetaria contendría la inflación y mejorarían las expectativas de los agentes económicos. Pero los sucesivos ajustes sólo profundizaron la recesión sin frenar la escalada de precios.

En octubre de 1990, el Gobierno implementó un nuevo plan profundizando el ajuste del sector público, con

---

12 M. Rapoport y colaboradores, *Historia económica, política y social de la Argentina (1880-2000)*, Ediciones Macchi, Buenos Aires, 2000, p. 972.

los mismos resultados que los anteriores. En enero de 1991 se produjo un nuevo pico hiperinflacionario que obligó a renunciar a Erman González. Su cargo fue ocupado por el entonces ministro de Relaciones Exteriores, Domingo Cavallo. En poco tiempo éste presentaría en sociedad a la criatura que lo haría famoso en todo el mundo y cuya muerte aceleraría una década después: la convertibilidad.

Historia de la inflación

Para comprender la convertibilidad hay que tener en cuenta la historia de la inflación argentina. Entre los años setenta y 1991, la Argentina vivió una historia de inflación alta e inestable inédita en términos internacionales. Como sucede en todas las experiencias de este tipo, los precios son extremadamente sensibles a cualquier estímulo alcista, sea por tipo de cambio, demanda, tasas de interés o aumentos en los precios internacionales. Paralelamente resisten todas las presiones que, según las teorías convencionales, deberían hacerlos bajar.

Pero en la Argentina, especialmente a partir de los años ochenta, se hizo evidente que la evolución del tipo de cambio era la variable que más influía en los precios internos, tanto por razones reales como por expectativas.

El aumento del dólar incrementa los costos de bienes importados y la inflación. El dólar aumenta, a su vez, porque las personas y las empresas dejan de creer en la moneda nacional y utilizan la divisa como refugio de valor o como instrumento de especulación. De este modo se genera un círculo vicioso de inflación que, en dos ocasiones terminó en hiperinflación.

Algunas investigaciones establecieron, además, que los aumentos de precios tenían un componente inercial, es decir, aumentaban más allá de cualquier razón objetiva o subjetiva, por el propio impulso de una cultura inflacionista.

De acuerdo a estos puntos de vista, las políticas antinflacionarias gradualistas basadas en las restricciones monetarias o de demanda o controles cambiarios (como la "tablita" de Martínez de Hoz) no tenían efecto.

Más aún, podía comprobarse que, a pesar de que la inflación licuaba el valor real de la moneda en circulación y comprimía los depósitos bancarios y por lo tanto el crédito, la inflación seguía, porque la menor cantidad de moneda disponible era compensada por aumentos en la velocidad de circulación de la existente.

En tales condiciones la única alternativa efectiva era una política de *shock* que cambiara las expectativas sobre el valor futuro de la moneda y convenciera a la población de confiar en el valor de la misma. Planes de esa característica se habían aplicado en Alemania para contener la hiperinflación de 1923 o el propio Plan Austral de 1985, comentado en el capítulo anterior.

El plan

En enero de 1991 Domingo Cavallo ingresó al Ministerio de Economía recibiendo un dólar de 6.000 australes. Compró dólares y dejó que la paridad trepara hasta 1.000 australes, provocando una inflación del 60% en el mes de febrero.

Con ese tipo de cambio la cantidad de reservas cubría la circulación de moneda existente lo cual permitía canjear cada dólar de las reservas por 10.000 australes.

El 1° de abril de 1991 se aprobó la Ley 23.928, que fijó el tipo de cambio en un dólar cada 10.000 australes y permitió la libre convertibilidad de cada austral a dólares a la cotización establecida.

La Ley dispuso que el BCRA debía guardar reservas de libre disponibilidad equivalentes a no menos del 110% de la base monetaria. Se consideraron reservas de libre disponibilidad: el oro valuado a precio corriente, las divisas, los títulos de otros países y los títulos nacionales emitidos en moneda extranjera. Para reforzar la simbiosis entre moneda nacional y dólar, se modificó el Código Civil autorizando contratos en moneda extranjera.

También se prohibió la indexación de los contratos para que la inflación pasada no se trasladara al futuro, cortando la inercia inflacionaria.

Paralelamente se dispuso una rebaja de encajes bancarios de los depósitos en australes y un aumento de los correspondientes a los de moneda extranjera.

A partir del 1° enero de 1992 el austral fue reemplazado por el peso, convertible en un dólar.

La convertibilidad era un sistema con tres partes articuladas: tipo de cambio fijo, moneda convertible y emisión de moneda basada en el ingreso de dólares al Banco Central. Esto último implicaba la prohibición de que el Banco Central girara dinero a la Tesorería, para evitar una emisión de moneda superior al ingreso de dólares en las reservas.

En el sistema anterior, el Banco Central emitía en forma indiscriminada en función de las necesidades del Estado. El Tesoro se endeudaba con el BCRA y cada año esa deuda se cancelaba. El dinero ingresaba al sistema a través de los pagos que hacía el Estado y allí se quedaba, sin guardar relación con el incremento de la producción ni con la disponibilidad de divisas. Este tipo de emisión se convertía, como bien sostenían los ortodoxos, en una de las causas de la inflación perpetua que sufría el país.

En el sistema de convertibilidad, la única forma que tenía el Estado de obtener dinero era tomando prestado, emitiendo títulos de la deuda interna o externa.

Por eso es que, una de las reglas básicas de la convertibilidad, era que el Estado, en su versión nacional, provincial y municipal, debía mantener la disciplina fiscal y gastar en base a los recursos obtenidos a través de impuestos.

De allí que, desde el inicio del sistema el Gobierno se preocupara porque cada año comenzara con un Presupuesto aprobado por el Congreso, lo cual casi nunca había sucedido en la historia económica argentina.

La convertibilidad era la pieza monetaria-cambiaria de un programa más amplio destinado a liberalizar el comercio, las inversiones y las relaciones laborales. El propósito era crear una economía estable, abierta y privatizada, es decir, corporizar el mito neoliberal de la economía de mercado globalizada. En otros términos, se trataba de recomponer un modelo de acumulación basado en la renta financiera, la extranjerización y el aplastamiento de cualquier resistencia social e intelectual a los designios del capital más concentrado.

Primeros resultados

La fijación del tipo de cambio y la posibilidad de cambiar australes por dólares modificó rápidamente las expectativas inflacionarias. La inflación cayó del 171% anual en 1991 al 25% en 1992, al 11% en 1993 y al 4% en 1994. La población que había vivido, y en una buena proporción nacido, en un ambiente inflacionario no tenía memoria de una estabilidad semejante.

El freno de la inflación redujo la erosión de los ingresos fijos. Los salarios, en especial los más bajos, se recuperaron con el freno de la inflación y la pobreza se redujo.

Durante muchos años, el alza y la inestabilidad de los precios había desalentado el ahorro en el sector financiero y estimulado la compra de dólares como refugio de valor de los ahorros e, incluso, de los ingresos corrientes, que se deterioraban con el correr de los días.

La tendencia a la depreciación del dinero desalentaba, mucho más los depósitos en cuenta corriente por lo cual la mayor parte de las transacciones de la economía se hacían en billetes, de moneda nacional o extranjera, y los instrumentos de pago modernos como el cheque o las tarjetas de crédito estaban poco desarrollados. La fluctuación de precios, intereses y tipo de cambio era una fuente de ganancias especulativas para el sector financiero pero, al mismo tiempo, un obstáculo estructural a su desarrollo.

La estabilización y la posibilidad de hacer depósitos en dólares estimularon la vuelta del dinero al sistema financiero incrementando su capacidad crediticia. Además, gracias al seguro de cambio de la convertibilidad, los bancos podían tomar fondos del exterior para prestar en el mercado interno. Paralelamente, el público se animó a endeudarse, en divisas o en moneda nacional, aun a tasas muy elevadas. Los depósitos del sistema financiero se triplicaron entre 1991 y 1994. La estabilización de la economía y las privatizaciones provocaron el ingreso de capitales externos mientras que el ingreso al Plan Brady, en 1992, redujo el monto y los intereses de la deuda. La deuda externa se redujo del 30% del PBI en 1991 al 23% en 1992.

La mejora en los ingresos reales y la reaparición del crédito fomentó una expansión del consumo que, en su mayor medida, era la recuperación de consumos largamente postergados o la renovación de artefactos del hogar y automóviles. El consumo de este tipo de bienes se vio facilitado, también, por la desvalorización del dólar provocada por el aumento de los precios internos en los primeros tramos de la convertibilidad y la reducción de los aranceles.

En 1991 el PBI creció un 10,6%, como consecuencia, principalmente, de la recuperación de consumos postergados en el largo período de recesión precedente. En 1992 aumentó 9,6%; en 1993, 5,7%; en 1994, 5,8% y en 1995 se quebró la onda expansiva con una caída del 2,8%.

Variación anual del PBI

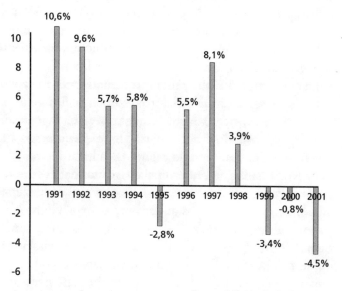

Fuente: Ministerio de Economía

' La licuación de la deuda interna lograda con el Plan Bonex y la posterior reducción de la externa con el Brady, más los ingresos de las privatizaciones permitieron mantener el equilibrio fiscal en el primer año de la convertibilidad y lograr un leve pero inédito superávit en 1992 y 1993.

En este cuadro, la evolución del sector externo mostró, rápidamente, el talón de Aquiles del sistema: el aumento de la actividad provocó un inmediato y fuerte aumento del déficit en el comercio de bienes y servicios. La cuenta corriente pasó del equilibrio en 1991 a un déficit del PBI del 2,4% en 1992 y siguió aumentando en los dos años siguientes.

En 1993 comenzó a despuntar un problema estructural del sistema: la desocupación que pasó del 7% en 1992 al 9,6% en 1993.

Pero en esos años de aumento de la actividad, del consumo y de la inversión, el Gobierno y el *establishment* podían presentar las señales del sector externo y del mercado de trabajo como problemas circunstanciales, como resultados coyunturales de una transformación virtuosa de la economía argentina.

La convertibilidad y el programa oficial en general gozó, en sus primeros años, de un enorme consenso. El Gobierno repetía insistentemente que la Argentina estaba ingresando en el Primer Mundo y el Primer Mundo consideraba a la Argentina como un modelo digno de imitación.

Esos resultados permitieron que las autoridades se jactaran de llevar adelante un modelo exitoso y no se preocuparan por las contradicciones que se acumulaban. Como bien comenta un diplomático: "Los éxitos económicos del cuatrienio 1991-1994 crearon un ambiente de improvisaciones donde todo era posible porque siempre se encontraban nuevos recursos para seguir adelante. No fue necesario prever cambios en las situaciones o generar fondos de reserva para atender las posibles crisis que pudieran surgir como consecuencia de la apertura económica. La megalomanía fue el signo de esa época. Esto recuerda la reacción incrédula de las autoridades argentinas ante la pregunta efectuada por un experto en temas europeos de cuáles eran las previsiones para atenuar las consecuencias de la liberalización sobre las industrias y las economías regionales (!). No hubo respuestas".[13]

Sin embargo, muy pronto, en 1995, la vitalidad del modelo comenzó a agotarse y sus contradicciones internas a manifestarse en todo su poder destructivo.

---

13 Felipe Frydman, "Los problemas del MERCOSUR con franqueza", *Boletín Informativo Techint*, N° 301, Enero-Marzo, 2000.

¿Era viable la convertibilidad?

Un sistema de moneda convertible puede funcionar como un sistema de patrón oro, el cual teóricamente garantiza el equilibrio permanente de la balanza de pagos y la ausencia de inflación.

En una economía abierta con moneda convertible a oro, la oferta monetaria está determinada por la cantidad de reservas de oro que tiene el Banco Central: el Banco Central sólo entrega moneda nacional a cambio del ingreso de oro.

Si el balance de comercio de bienes y servicios más el saldo de los movimientos de capital es positivo, las reservas del Banco Central aumentan y la cantidad de moneda en el mercado también. La abundancia de moneda hace subir los precios, por lo tanto las exportaciones bajan y las importaciones aumentan, reduciendo el ingreso de oro. Por otra parte, la liquidez reduce las tasas de interés, reduciendo el atractivo para los capitales externos. En consecuencia, la cantidad de oro del Banco Central baja y lo mismo sucede con la cantidad de moneda en la economía.

La baja de la moneda provoca deflación. La deflación desalienta las importaciones y aumenta las importaciones. La reducción en la cantidad de moneda aumenta la tasa de interés. Todo esto provoca un nuevo ingreso de oro a la economía y la cantidad de moneda vuelve a subir, etc., etc. El juego continúa indefinidamente. Más aún, en una economía abierta y en un mercado mundial comercial y financiero integrado los ajustes son instantáneos, por lo que las economías se mantienen en estabilidad de precios y de comercio.[14]

---

14 El sistema de patrón oro rigió en Europa y parcialmente en los EE.UU. en las últimas décadas del siglo XIX y hasta el inicio de la Primera Guerra. Durante ese período existió estabilidad de precios, aumento de la producción y del comercio internacional, y los apologistas del patrón oro atribuyeron durante mucho tiempo esa circunstancia al sistema monetario vigente. Numerosos

En tales condiciones la economía puede crecer en la medida en que, a través del tiempo, aumentan las reservas y, en consecuencia, crece la liquidez disponible.

El aumento de reservas implica el ingreso de divisas. Para eso es necesario ganar más divisas exportando bienes y servicios y atrayendo inversiones de largo plazo, que las que gasta para importar, pagar intereses y girar utilidades.

Si el sector privado no ingresa las divisas suficientes para garantizar la ampliación de las reservas y la liquidez, porque no atrae inversiones o no exporta lo suficiente, la economía entra en recesión y los agentes económicos no disponen de las divisas necesarias para cumplir sus compromisos externos.

En tales condiciones las únicas alternativas son dejar que la economía se deslice en la recesión o que el Estado traiga divisas del exterior endeudándose.

Durante la convertibilidad las exportaciones aumentaron, pero las importaciones y los pagos de intereses y utilidades, aumentaron aún más. En los primeros años, la brecha fue cubierta por el ingreso de inversiones, en un primer momento dirigidas primero a las empresas de servicios públicos privatizados y luego a la compra de empresas nacionales.

Cuando la gran ola de privatizaciones se agotó, los ingresos externos se redujeron.

A partir de ese momento, la necesidad de divisas fue cubierta principalmente por el endeudamiento público.

Aquí se plantea uno de los grandes dilemas del sistema: la sustentabilidad de la convertibilidad necesita un presupuesto

---

estudios demostraron, posteriormente, que las condiciones del patrón oro no se verificaron totalmente y que la estabilidad se debió a múltiples razones que incluyen, además del sistema monetario, la tecnología, la situación política y el azar de que la producción mundial de oro creció a un ritmo bastante regular durante ese período.

público equilibrado, porque la única forma de financiar un déficit es mediante el endeudamiento. Pero, cuando no ingresan capitales por superávit de la Cuenta Corriente o por inversión externa, la única forma de obtener divisas es mediante el endeudamiento. Y en el caso argentino, el endeudamiento fue provisto por el sector público.

Al fin de la década el país volvió a tener un importante ingreso de inversión externa fundamentalmente por la venta de YPF pero después de esa venta, el cuadro se tornó sombrío y sin salida. Ya quedaban pocos activos públicos para privatizar y algunos de ellos, como el Banco Nación, no pudieron venderse por la resistencia política. Las ventas de empresas en el sector privado había perdido atractivo por la incertidumbre que comenzaba a dominar la economía.

Finalmente, por su acumulación de deudas, el sector público perdió el crédito externo, con lo cual el flujo de divisas se cortó. Ese momento marca el comienzo del fin de la convertibilidad.

Otro requisito crucial de cualquier sistema de patrón oro o tipo de cambio fijo y moneda convertible es la flexibilidad de los precios a la baja. Cuando la economía sufre una pérdida de divisas una de las vías de ajuste es que los precios internos bajen para recuperar la capacidad exportadora y para que la producción interna pueda desplazar a la importada que se encarece. Si los precios internos no bajan el déficit de comercio y la salida de divisas se mantienen.

En la época del patrón oro los precios tenían cierta flexibilidad a la baja porque el mercado de bienes estaba menos concentrado que el moderno y porque no existía una organización sindical lo suficientemente poderosa como para impedir la baja de los salarios nominales. Ese cuadro cambió durante el siglo XX por la oligopolización y la sindicalización.[15]

En los primeros tiempos de la convertibilidad los salarios se mantuvieron estables en términos nominales y se redujeron en relación al aumento de la productividad, tanto en la producción como en los servicios, en la industria y en el agro. No obstante, cuando el desequilibrio de la cuenta corriente y el déficit fiscal llegaron a un nivel crítico, los representantes de la ortodoxia recordaron la regla de ajuste del sistema y reclamaron reducciones en los salarios públicos y privados. En ausencia de inflación la única forma de reducir los salarios es bajar los nominales. En los últimos años de la convertibilidad los salarios nominales bajaron, pero eso no impidió la caída del sistema que estaba aquejado por problemas que no eran, precisamente, un exceso de retribuciones a los trabajadores.

Las contradicciones

El análisis del flujo de divisas generado por el comercio de bienes y servicios, los pagos y los cobros de intereses y las entradas y salidas de dinero por inversiones o fugas de capitales, muestra dos cosas: una, que el principal sostén de la convertibilidad, en lo que respecta al aporte de divisas, fue el sector público mediante el endeudamiento. Otra que el sistema generaba, por su propia lógica, una creciente

---

15 Una de las bases de la crítica de Keynes a la economía clásica fue, precisamente, que en el mundo moderno el precio del trabajo no se ajustaba en momentos de recesión. En el pensamiento clásico la desocupación significaba que el precio del trabajo estaba alto en relación a la demanda de los empresarios. Una reducción del salario baja la desocupación y devuelve el sistema al equilibrio. Keynes señaló que, dado que los salarios son resistentes a la baja, el sistema puede permanecer estable en desequilibrio con desocupación y que la única forma de recuperar el equilibrio es estimulando la demanda (consumo o inversión).

salida de divisas para el pago de bienes y servicios importados y pago de intereses, por lo cual era insustentable.

El orden se montó, además, en una cultura de búsqueda de ganancias financieras y de desconfianza al sistema económico y político que se traduce en una tendencia a la expatriación de capitales. Es interesante notar que el *establishment* económico sacó capitales del país en abundancia aun en los años en que presentaba el modelo como un ejemplo de reestructuración virtuosa. La salida de capitales muestra que, detrás de las palabras, el *establishment* comprendía o intuía la debilidad de las bases sobre las que pronunciaba sus discursos.

La fuga de capitales es, al mismo tiempo, un indicador de la disposición del Gobierno a permitir pasivamente la pérdida de divisas y un signo de la desconfianza de los empresarios e inversores en relación al destino del modelo y del país. Una información oficial de marzo de 2002 señala que, entre 1992 y fines de 2001 los activos externos de residentes en el país se duplicaron, llegando a 106.000 millones de dólares, el 75% de la deuda externa. Del total, unos 13.000 millones se fugaron sólo durante 2001.[16]

El flujo de divisas de un país se refleja en el balance del comercio de mercaderías y de servicios y en el balance de ingreso y egreso de capitales. El balance comercial se forma por la diferencia entre exportaciones menos importaciones; el balance de servicios por la diferencia entre los pagos y los cobros por intereses financieros, turismo, patentes, auditorías, utilidades y otros rubros. El balance comercial y el de servicios forman la cuenta corriente. Cuando la cuenta corriente es negativa implica que salen más divisas de las que ingresan. Ese movimiento es compensado por los

---

16 Diario *Clarín*, 27-3-2002.

ingresos generados por inversiones directas y de cartera y por el endeudamiento público y privado.

Durante el período de la convertibilidad el resultado del comercio exterior tuvo fuertes variaciones. A pesar de la fijación del tipo de cambio, en el primer quinquenio de la convertibilidad las exportaciones se duplicaron y luego se estancaron. Las importaciones siguieron el rumbo de la economía, aumentando en los períodos de crecimiento y reduciéndose en los de baja. Pero a lo largo del período tendieron a aumentar debido a la reducción arancelaria y el abaratamiento del tipo de cambio.[17]

• El balance comercial fue positivo en 1991, luego, en los años de recesión, mientras resultó negativo en los años de aumento de la demanda interna.

• En los once años del período, el balance comercial acumulado fue negativo en 16.200 millones de dólares. A esto se sumó el balance también negativo de la cuenta de servicios reales y financieros, lo cual implica un resultado negativo para el balance de la cuenta corriente. Esto se debió al creciente pago de servicios de la deuda externa y pagos de servicios tecnológicos, *royalties* y giro de utilidades. Estos pagos crecieron a lo largo de la convertibilidad como consecuencia de la extranjerización de la economía.

• Entre 1992 y 1999 el saldo de la cuenta corriente fue deficitario en 74.200 millones de dólares. En el mismo lapso la cuenta de capital y financiera tuvo un superávit de 102.000 millones, lo que da una diferencia de 27.400 de saldo positivo de divisas que constituyen un aumento de las reservas externas.

La evolución de los déficit de cuenta corriente a través de los años ayuda a comprender los ritmos de la crisis: tanto en

---

17 Las estimaciones que siguen están tomadas de "El balance de pagos y la deuda externa pública", de Mario Damill, *Boletín informativo Techint*, N° 300, Julio-Septiembre, 2000.

el sector público como en el privado los déficit se acrecientan en los últimos años de la serie y la mitad del déficit de todo el período se acumuló en los últimos tres años del mismo.

• En 1991 la cuenta corriente se mantuvo en un equilibrio y luego comenzó a desbalancearse, llegando a un déficit de 4% del PBI en 1994.

• En los dos años siguientes el déficit se redujo por la recesión (caída del PBI del 2,8%). En 1995 hubo un superávit comercial de 841 millones de dólares y el déficit de Cuenta Corriente se redujo al 2% del PBI. Pero en 1996, con la reactivación (aumento del PBI de 5,5%), el balance comercial fue equilibrado y el déficit en Cuenta Corriente retomó el camino ascendente: subió a 2,4% del PBI en 1996 y llegaría al 4,8% del PBI en 1998.

¿Quién aportó los capitales?

¿Quién ingresó los capitales para cubrir el déficit de cuenta corriente y aumentar las reservas? En los primeros años de la convertibilidad el déficit de la cuenta corriente fue cubierto por el ingreso de capitales debido, fundamentalmente, a las privatizaciones. Cuando ese proceso languideció (hasta el ingreso generado por la privatización de YPF), la necesidad de divisas comenzó a ser satisfecha por el endeudamiento público, destinado a financiar el déficit fiscal.

El aporte de divisas del sector público puede evaluarse por la evolución de las reservas.

• Siempre según los cálculos de Damill, en los años 1992-1999, las reservas de divisas del Banco Central aumentaron 19.800 millones de dólares. En ese período, el sector público aportó 27.400 millones de dólares, mientras el sector privado no financiero retiró 174 millones.

• A esto debe sumarse un saldo negativo del balance de pagos de 7.400 millones de dólares en el rubro errores y omisiones. Los montos consignados en errores y omisiones quieren decir que el Estado tiene registrada una pérdida de reservas pero no tiene registrado por qué se produjo esa pérdida que puede ser por motivos varios. Uno de ellos, salidas no declaradas de capitales o porque se produjeron ingresos menores a los declarados, como sucede cuando se sobrefacturan exportaciones beneficiadas por regímenes promocionales. En sentido contrario, cuando los ingresos reales de divisas son mayores que los declarados, puede deberse a operaciones de lavado de dinero. El delito también aparece registrado, aunque no identificado, en los áridos cómputos del balance de pagos.

¿Cuál fue al aporte privado? Durante la vigencia de la convertibilidad, el sector privado ingresó menos capitales que los necesarios para cubrir su propio déficit de cuenta corriente:

• Entre 1992 y 1999, el sector privado tuvo un déficit en cuenta corriente de 48.400 millones de dólares mientras logró un superávit en la cuenta financiera y de capital de 48.200 millones, lo cual quiere decir que en el período el sector privado hizo un retiro neto de 200 millones de dólares.

Esto indica que el sector privado no generó las divisas que consumió y que la diferencia fue cubierta por endeudamiento público. Este esquema es, evidentemente, un insustentable en el tiempo ya que, en la medida que el déficit de cuenta corriente se mantiene y los inversores y prestamistas perciben que el sector privado no está capacitado para ganar las divisas que necesita, y que el sistema se mantiene sólo en base a un endeudamiento creciente del Estado, en algún momento dejarán de invertir, de prestar y hasta retirarán su dinero.

¿Había un salida?

¿Había una salida al dilema entre restricción externa y déficit fiscal? ¿Era posible obtener las divisas necesarias para el crecimiento manteniendo la paridad uno a uno? La única salida a este atolladero hubiera sido que el sector público se endeudara para financiar la creación de capacidades exportadoras o acotara los gastos de divisas no indispensables para el crecimiento y la exportación.

Pero el plan oficial no incluía esa posibilidad porque no se financió la expansión exportadora y se estimuló el gasto en bienes y servicios externos. Se postulaba que la capacidad exportadora mejoraría con la apertura, porque el abaratamiento de las importaciones obligaría a los empresarios locales a ser más competitivos y reducirían el costo de los insumos y bienes de capital de la producción exportable. La apertura promovería, en términos generales, la especialización en los sectores con mayor productividad relativa y mayor capacidad para resistir la competencia externa, es decir los bienes primarios y sus manufacturas.

Para peor, el Gobierno contempló pasivamente cómo el sector privado fugaba divisas porque los controles de capitales no figuraban en el menú de opciones del esquema neoliberal y porque quienes sacaban el dinero eran los empresarios y financistas que formaban la base de apoyo político del Gobierno o que estaban asociados con los funcionarios en negocios legales o ilícitos.

Es decir que convivían problemas de diseño del modelo y políticas públicas, contradicciones entre el interés privado de corto plazo y la racionalidad macroeconómica de largo plazo.

El aumento del endeudamiento alargó la vida de la convertibilidad, pero fue un salvavidas de plomo. El sistema no necesitó un *shock* externo para derrumbarse. Se hundió por el peso de sus propias contradicciones.

La deuda externa

El gobierno de Menem heredó una deuda externa de 60.000 millones de dólares y un atraso en el pago de intereses de 8.300 millones de dólares. El Gobierno mantuvo la cesación de pagos hasta que pudo renegociar los compromisos con el Plan Brady. Este plan obedecía a una doble estrategia: una era preservar la salud del circuito financiero internacional y de los bancos estadounidenses en particular. La otra, utilizar el endeudamiento como palanca para forzar en el mundo endeudado las transformaciones estructurales propuestas por el Consenso de Washington, sintetizadas en la trilogía de privatización-liberalización-desregulación, y destinadas a modelar el mundo de acuerdo a los intereses del gran capital y de la estrategia económica y cultural de los EE.UU. El gobierno menemista se articulaba perfectamente con esos intereses y esas estrategias.

En los años ochenta, el endeudamiento de la periferia se había convertido en un problema para los bancos acreedores y para los países industriales porque todo mostraba que era impagable y que prometía una sucesión ininterrumpida de crisis financieras, económicas y políticas.

En agosto de 1982 México anunció que no podía seguir pagando sus compromisos y disparó la crisis de la deuda externa latinoamericana.

En un primer momento el *establishment* internacional consideró que se trataba de una dificultad temporaria causada por falta de liquidez o que se debía a decisiones políticas que debían enfrentarse con presiones del mismo género. En cualquier caso, el problema era de los deudores. Pero muy pronto comprendieron que la dificultad no era de liquidez sino de solvencia, no de coyuntura sino estructural, y que, en tales condiciones, los bancos estaban en peligro, especialmente los estadounidenses, que eran los primeros prestamistas de la región.

En 1985, en la reunión del FMI en Seúl, el Secretario de Estado de los EE.UU., James Baker, lanzó una propuesta para la renegociación de los compromisos con la cual esperaba encontrar una solución para el dilema del endeudamiento. El plan incluía un aumento del financiamiento por parte de los bancos mientras los deudores debían comprometerse a llevar adelante reformas estructurales en la línea privatización-liberalización-desregulación. El proyecto no prosperó por falta de interés de los bancos.

En 1989, el Secretario del Tesoro de los EE.UU., Nicholas Brady, lanzó una nueva iniciativa, que ofrecía las siguientes alternativas: recompra de deuda por parte de los deudores, utilizando fondos propios o aportes de organismos internacionales; canje de deuda con reducción de intereses o de capital; canje de deuda por activos, o sea, utilización de títulos de deuda para realizar inversiones directas en el país deudor. Esas inversiones podían ser en compras de empresas públicas.

El Plan Brady se aplicó por primera vez en México y luego en la Argentina.

En abril de 1992 la Argentina acordó con el FMI y un comité de bancos acreedores la conversión de la deuda. En ese momento el país tenía una deuda externa de 60.000 millones de dólares y debía 8.300 millones de intereses atrasados.

De acuerdo al Plan Brady, los acreedores podían elegir entre la conversión de sus créditos en bonos que mantenían el interés pactado pero que tenían una quita de capital o bonos que mantenían el capital pero reducían los intereses. Por su parte, la Argentina documentaba sus pagos en bonos denominados *cupón cero* del Tesoro de los EE.UU. Con este instrumento los EE.UU. aparecían como deudores de última instancia con lo cual los acreedores se aseguraban el cobro. El deudor, a su vez, pasaba a deberle directamente al gobierno de los EE.UU., lo cual convertía cualquier incumplimiento en un problema económico y político con la principal potencia de la Tierra.

El 7 de abril de 1993 se concretó acuerdo para el canje de deuda que incluyó parte del capital y los intereses atrasados. La deuda incluida en las negociaciones sumaba 19.300 millones de dólares y luego del canje se redujo a 12.700 millones. A esto hay que sumar la reducción de pagos lograda por la quita de intereses, estimada en más de 4.000 millones de dólares.[18]

La deuda externa pública, que en 1991 era de 58.200 millones de dólares, se redujo a 52.900 millones en 1992. Los intereses pagados por la deuda pública externa cayeron de 4.100 millones de dólares en 1992 a 3.200 millones en 1993.

El alivio del Brady duró poco. La deuda volvió a aumentar por los préstamos tomados en años posteriores para financiar el incremento en el déficit público y, en menor medida, por el aumento en la deuda externa privada. A fines de 1999 la deuda pública en moneda extranjera había llegado a 116.200 millones de dólares.

Deuda externa/PBI

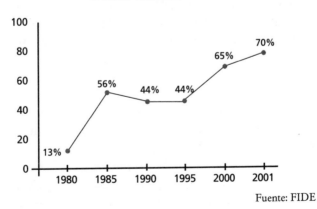

Fuente: FIDE

---

18 José Luis Maia, "El ingreso argentino al Plan Brady", *Boletín Informativo Techint*, Abril-Junio, 1993.

El precio del Big Mac

Durante dieciséis años el país tuvo una inflación elevada fluctuando en torno al 300% anual, lo cual constituyó una historia sin antecedentes en el mundo.

La convertibilidad frenó la inflación pero, al mismo tiempo, congeló distorsiones en el sistema de precios relativos heredadas del pasado y creó otras nuevas.

La convertibilidad provocó una modificación en la estructura de precios relativos en contra de la producción nacional. Mientras los precios de la industria fueron disciplinados por la competencia externa, los precios de las materias primas y alimentos subieron más que el promedio. A su vez, los precios de los servicios aumentaron por dos condiciones: en primer lugar, porque los servicios en su mayoría son "no transables", es decir, no son exportables ni tienen competencia internacional, y por lo tanto no sufren la competencia externa. En segundo lugar por decisión política, porque los contratos de privatización de servicios públicos permitieron incrementos sustanciales en las tarifas de los servicios privatizados así como la aparición de servicios pagos de consumo cuasi obligatorio que antes no existían, como es el caso de los peajes.

Entre marzo de 1991 y diciembre de 2001 el índice de precios al consumidor aumentó 57% mientras la inflación mayorista un 11%. En ese mismo período el alquiler aumentó 165%, el transporte público de pasajeros 135%, la educación 91%, los lácteos 78% y los servicios públicos 76%. Todos ellos por encima de los precios al consumidor. Los combustibles aumentaron al mismo ritmo que este último índice.

Muchos precios de bienes industriales, sometidos a la competencia externa, tuvieron una importante caída. Los automóviles bajaron un 17%, la ropa exterior 31% y los artefactos electrodomésticos 34%.

El aumento de los servicios afectó a los consumidores minoristas y a las actividades productivas. En sectores como el transporte de cargas o pasajeros, la industria que utiliza intensivamente la electricidad (Siderurgia) o las actividades en las cuales el transporte de la producción es una parte importante del costo (Agro), la política de tarifas de las privatizaciones aumentó los costos y redujo la competitividad.[19]

Los servicios públicos privatizados tuvieron, incluso, la posibilidad de indexar tarifas por la inflación estadounidense, más elevada que la local.

Una de las más graves distorsiones provocadas por el sistema fue el atraso cambiario. El aumento de precios en los primeros años, con el mantenimiento del tipo de cambio fijo, provocó una apreciación de las divisas que potenció el efecto de la apertura arancelaria. El atraso cambiario fue compensado parcialmente con la eliminación de las retenciones a las exportaciones del agro y la concesión de reintegros a otras exportaciones. Pero, aun así, los precios argentinos siguieron elevados en relación al exterior.

Una idea accesible de esta situación la proporciona el índice del *Big Mac*, elaborado por *The Economist*. La revista inglesa presenta periódicamente el precio del *Big Mac* en diferentes ciudades del mundo, como medida del nivel de precios de cada una de ellas en dólares. Hasta la devaluación de 2002, el precio del *Big Mac* de Buenos Aires se

---

19 También hay servicios transables como las auditorías, provisión de *software*. Con la apertura y la extranjerización la Argentina aumentó sus pagos por ese tipo de servicio pero, ante el cuadro desfavorable de los precios relativos, la baja inversión privada local y la ausencia de políticas de promoción de tecnología y de exportaciones, no los desarrolló. Como contracara está el caso de la India que en las últimas décadas desarrolló una poderosa industria de *software* que abastece a grandes empresas de todo el mundo y se ha convertido en un importante rubro de exportación del país.

encontraba en los primeros lugares de la lista, lo cual la mostraba como una de las ciudades más caras del mundo.

Como consecuencia de la retracción de la actividad, la estabilidad de precios terminó convirtiéndose en deflación. En 1994 el índice de precios mayoristas tuvo una leve retracción; en 1998 volvió a caer y, a partir de allí se movió entre la estabilidad y la deflación. El índice de precios minoristas se mantuvo cerca del crecimiento cero entre 1996 y 1998 y luego comenzó a bajar.

En un país con una tremenda historia inflacionaria la caída de los precios puede parecer, a primera vista, una buena noticia. Pero no lo es. La baja de precios aumenta los intereses pagados en términos reales y hace que los precios cobrados por los productos vendidos sean menores a los estimados cuando se inició el proceso de producción. La tendencia a la baja estimula, también, la postergación de las decisiones de compra, por lo cual, en momentos de recesión contribuye a agravar el fenómeno.

Teorías de las decisiones

Además de los intereses concretos, las teorías y las ideologías tienen una fuerte incidencia en las orientaciones económicas de los gobiernos. Los hombres que administraron la convertibilidad estuvieron guiados por algunas de las expresiones del pensamiento ortodoxo más radicales y más afines al poder económico.

La política de Domingo Cavallo estuvo guiada, durante sus gestiones con Carlos Menem y con Fernando de la Rúa, por la idea del ofertismo, que recomienda estimular la actividad económica reduciendo costos de producción o facilitando la obtención de ganancias de las empresas o sus dueños. Los instrumentos utilizados para seguir este camino son la exenciones impositivas o previsionales.

Durante las décadas de auge del Estado de Bienestar, en su versión cabal en los países industriales y aún en sus versiones degradadas de la periferia, la política económica se basaba, fundamentalmente, en la idea de origen keynesiano del sostén de la demanda la cual estaba destinada a garantizar un piso de ingresos mínimos a la población. Las políticas neoliberales instauradas a partir de los setenta revirtieron esa concepción, presionaron por la reducción de los beneficios masivos y reorientaron su batería de estímulos hacia las reducciones fiscales.

En la época de Ronald Reagan se puso de moda la denominada "Curva de Lafer" según la cual, después de determinado nivel, los aumentos de impuestos no generan un aumento en la recaudación sino una disminución. Esta idea se articuló con la que sostiene que los aumentos en los ingresos disponibles (luego del pago de impuestos) de las empresas o personas más ricas se transforman en inversiones y que, por lo tanto, las reformas impositivas que mejoren esos ingresos son positivos para el conjunto de la economía. La derecha política y el *establishment* económico lograron instaurar estos conceptos en la cultura económica y justificar sucesivas reducciones impositivas en los EE.UU. y en muchos otros países. Esta línea fue retomada con entusiasmo por el presidente George W. Bush.

En los países desarrollados con sistemas impositivos razonables, el criterio de que las reducciones impositivas para las grandes empresas o los ricos no son injustas y, por el contrario, son beneficiosas para la sociedad es discutible. Pero en una economía con una estructura impositiva regresiva, asentada en los impuestos al consumo y una evasión impositiva tan elevada como tolerada, es inadmisible.

No obstante el gobierno de Menem-Cavallo, redujo los impuestos al sistema de seguridad social, es decir las contribuciones patronales, con el argumento de que contribuirían a mejorar el empleo, lo que, evidentemente, no sucedió ya que la desocupación se triplicó entre 1991 y 1995 y nunca volvió a su punto de partida.

Paralelamente el Gobierno aumentó los impuestos al consumo, lo cual reforzó la regresividad del sistema impositivo y redujo la capacidad de compra de los estratos bajos y medios de la población, afectando la demanda interna.

El ofertismo siguió imperando con la administración De la Rúa-Machinea que mantuvo las rebajas impositivas mientras procuraba bajar el déficit fiscal reduciendo los sueldos públicos y aumentando los impuestos a la clase media. Esa orientación sólo consiguió profundizar la recesión y aumentar el déficit.

Cuando reingresó al Ministerio de Economía en 2001, Domingo Cavallo anunció un cambio de orientación hacia una política basada en el estímulo de la demanda, para reanimar una economía que vivía su tercer año de recesión. Pero muy pronto renunció a esa opción para volver a la ortodoxia.

Otra de las corrientes que informan las recomendaciones y las acciones de un sector de la ortodoxia es la de las expectativas racionales. Esta es la que explica la pasividad del ministro de Economía Roque Fernández, en momentos en que la recesión generaba reclamos de políticas públicas activas. Se decía entonces que Fernández había puesto "el piloto automático".

La teoría de las expectativas adaptativas considera que los agentes económicos reaccionaban ante las señales del mercado en función de su experiencia pasada. En tales condiciones las medidas económicas tomaban esa experiencia para inducir cambios en las conductas.

La escuela de las expectativas racionales sostiene que los agentes toman en cuenta no sólo el pasado sino el efecto que van a tener las medidas en cuestión, por lo cual se anticipan a las intenciones de los gobiernos y anulan los efectos buscados. La teoría supone que quienes toman decisiones tienen una información completa del pasado y del presente, tienen capacidad para procesarla correctamente y actúan racionalmente.

Según la idea tradicional de las expectativas, si un gobierno aumenta la emisión de moneda para estimular la demanda interna, la demanda aumenta y los precios también. Pero los asalariados no toman en cuenta esto último y los salarios reales caen, mejorando la rentabilidad de los empresarios, al mismo tiempo que la desocupación se reduce.

Por el contrario, si los trabajadores actúan de acuerdo a las expectativas racionales los sindicatos exigen actualizaciones por inflación, la rentabilidad empresaria no se modifica y la ocupación tampoco.

Del mismo modo, si un gobierno reduce las tasas de interés aumentando la emisión monetaria, los inversores calcularán que la flexibilización monetaria aumentará los precios y exigirán cobrar una prima por la inflación futura. En consecuencia las tasas de interés no bajarán.

Los defensores de las expectativas racionales admiten que las economías tienen ciclos pero consideran que ellos se deben a la evolución del ciclo de negocios de las empresas y que la política macroeconómica no tiene la capacidad de controlarlos.

Desde este punto de vista, lo mejor, y quizá lo único, que puede hacer un gobierno es fijar un objetivo de inflación y una tasa de crecimiento de la oferta monetaria compatible con ese objetivo y ceñirse al cumplimiento de ese objetivo. "Ese curso, concluye un defensor de la teoría, haría más que cualquier política macroeconómica al-

ternativa para contribuir al crecimiento económico sostenido de largo plazo y a tasas elevadas de empleo."[20]

Política monetaria en la convertibilidad

La convertibilidad modificó sustancialmente el papel
del Banco Central. En los sistemas monetarios estándar,
imperantes en casi todo el mundo, el Banco Central emite moneda de acuerdo a los criterios fijados por el Gobierno o en forma independiente. En un sistema de caja de conversión como el reinante en la Argentina hasta fines de
2001, la oferta monetaria está determinada por el ingreso
o salida de dólares de las reservas del Banco Central: por cada dólar que recibe el banco emite una unidad de moneda
nacional y viceversa.

El gobierno de Menem impuso, además, la autarquía
del Banco Central. De este modo no sólo el sistema no tenía
un instrumento de política monetaria sino que el Gobierno no tenía la posibilidad de utilizar las pocas opciones
que le quedaban.

La ideología del Banco Central independiente es uno
de los tantos frutos de la cultura monetarista surgida en los
años setenta y del propósito de subordinar la economía
productiva a la política monetaria.

Durante el reinado del patrón oro, los bancos centrales
sólo emitían dinero a cambio del oro que recibían. Los bancos centrales de países con patrón oro podían fijar la tasa de
interés a la que prestaban dinero a los particulares y, cuando lo hacía el Banco de Inglaterra influía en todo el mundo.

A partir de la segunda posguerra se estableció un sistema basado en tipos de cambio fijos y la convertibilidad

---

20 Clarence W. Nelson, *Rational Expectations-Fresh ideas that challenge
some established views of police making*, Federal Reserve Bank of Minneapolis,
Annual Report, 1997.

del dólar en oro, con el que se trató de evitar el caos monetario, cambiario y comercial del período entreguerras. Bajo ese sistema los bancos centrales controlaron los tipos de cambio, los movimientos de capital y las tasas de interés. Salvo en casos excepcionales como el Banco Central de Alemania, un país traumatizado por la hiperinflación de 1923, eran receptivos de las presiones de los gobiernos, cuando éstos buscaban reducir las tasas de interés y movilizar la demanda de la economía.

En la Argentina la situación era, por supuesto, menos disciplinada. Usualmente el Banco Central emitía dinero que prestaba al Tesoro el cual nunca lo devolvía. Esto permitía gastar independientemente de lo que se recaudara.

En el mundo industrial, la tolerancia ante estos procedimientos comenzó a cambiar en los años sesenta ante el crecimiento lento pero sostenido de la inflación. Las visiones estructurales de la economía vieron en este fenómeno la consecuencia de la monopolización de la economía y de la puja distributiva. La escuela monetarista, liderada por el Premio Nobel de Economía Milton Friedman, de la Universidad de Chicago, sostuvo que la inflación era exclusivamente un fenómeno monetario y que para lograr la estabilidad de precios, era necesario un crecimiento lento y previsible de la oferta monetaria.

Este punto de vista es sólidamente apoyado por el mundo financiero, para el cual hay dos principios sagrados: la libertad del dinero para buscar negocios y la estabilidad y convertibilidad de las monedas, para resguardar el valor de sus activos y de sus acreencias.

El monetarismo requiere, a su vez, de un Banco Central independiente de las presiones populistas de gobiernos e "intereses especiales" y dispuestos a manejar la oferta monetaria con criterios antiinflacionarios estrictos.

Es decir que la independencia del Banco Central no es un principio universal sino una opción de política puesta en boga debido a una particular situación económica y a la preeminencia del poder de las finanzas.

La dolarización

A partir de la crisis de 1995 y con más énfasis a partir de las crisis de Asia y Rusia, comenzó a discutirse más abiertamente el futuro de la convertibilidad. En ese contexto sectores del menemismo y de la ortodoxia económica formularon su propuesta de dolarización, la cual tiene una dimensión monetario-económica y una dimensión política.

La dolarización se planteó como una huida hacia delante de la convertibilidad: si el mercado y el público pierde la confianza en que un peso podrá ser convertido en un dólar, convirtamos todos los pesos en dólares. De ese modo se consolida la certidumbre sobre el tipo de cambio futuro y se elimina el temor a una devaluación y una huida de dólares de los bancos y de las reservas del Banco Central. La certidumbre cambiaria beneficia a los endeudados en dólares y a los bancos que tienen grandes acreencias en dólares, que pueden convertirse en incobrables.

La idea era bienvenida por las grandes empresas que utilizan importados y por las extranjeras que cobran pesos y remiten dólares al exterior y que con una dolarización tendrían garantizada la recepción de divisas.

Pero la perspectiva no era atractiva para los exportadores, porque consolida una paridad desfavorable, ni para los partidarios de políticas monetarias activas, porque con una dolarización el país renuncia para siempre a toda capacidad de regular la oferta monetaria.

Los defensores de la dolarización sostenían, además, que la certidumbre cambiaria no sólo evitaría la fuga de divisas sino que estimularía el ingreso. Sin embargo, el primer efecto que tendría una dolarización, sería perder el ingreso proporcionado por las reservas de dólares del Banco Central depositadas en el exterior.

El razonamiento de los dolarizadores no tiene en cuenta, además, que los ingresos de capital destinados a inversiones reales están influidos no sólo a expectativas sobre el tipo de cambio sino también a las expectativas sobre la rentabilidad futura de las inversiones, las cuales dependen de la capacidad de compra del mercado interno y las posibilidades de exportación.

¿Qué efecto tendría una dolarización sobre la capacidad exportadora? Una de las alternativas propuestas consistía en una devaluación seguida de dolarización, lo cual hubiera modificado el sistema de precios relativos favoreciendo a todo el arco de actividades exportables, como en cualquier devaluación. Pero a partir de allí se hubiera vuelto a plantear el problema del tipo de cambio fijo de la convertibilidad. Las productividades de los sectores económicos evolucionan en forma dispar en cada país. Cuando los países tienen un cambio fijo, los sectores cuya productividad pierde posiciones pierden competitividad ante los de países cuya moneda está en el mismo nivel. Por eso los países más débiles deben devaluar para encarecer las importaciones e impedir la invasión de productos provenientes de países en los cuales los productores tienen una mayor productividad. Del mismo modo, la devaluación mejora la retribución de los exportadores y compensa retrasos en productividad. Por supuesto este mecanismo defensivo puede convertirse en una trampa si se utiliza sistemáticamente para compensar desidias en la inversión o la innovación y para garantizar la sobrevivencia *in eternum* de la ineficiencia. De hecho, esto sucedió muchas veces en la Argentina, Latinoamérica y otros países del mundo, en el período de sustitución de importaciones.

Pero la fijación del tipo de cambio o la adopción de una moneda de un país con alto ritmo de progreso tecnológico elimina cualquier posibilidad de sistema de adaptación.

En ese caso los países más débiles tienden a especializarse en las producciones en las cuales tienen mayores ventajas relativas naturales: en el caso de la Argentina, la producción primaria.

La apuesta a la dolarización era y es, además, una apuesta de política estratégica porque fijaría a la Argentina en el área de influencia de los EE.UU., en momentos en que se desarrolla el Euro, una moneda representativa de un espacio económico aún más grande que el de los EE.UU. La adopción del dólar como moneda es, también, una forma de distanciamiento del MERCOSUR como proyecto de integración.

CAPÍTULO 3

La Alianza: continuidad
y derrumbe

Para caracterizar la orientación económica seguida por ese gobierno no es necesario recurrir a un desarrollado esquema conceptual ni a una fina perspicacia. Basta tener en cuenta lo que explicó el ministro de Economía, José Luis Machinea, ante un auditorio de grandes empresarios nacionales y extranjeros, a seis meses de comenzada su gestión. En esa ocasión el Ministro dijo: "Las medidas que hemos tomado son medidas que profundizan el camino que se emprendió en los noventa".[21]

Una primera y apretada síntesis de la gestión de la Alianza es que, ni bien comenzó, puso en acto una política fiscal ortodoxa, apeló a la corrupción para aprobar una ley de precarización laboral, reprimió reclamos populares y fue dejando por el camino, paulatinamente, cada uno de sus postulados originales. La política elegida no sólo era socialmente injusta sino equivocada, y condujo a la crisis de la Alianza, de las finanzas públicas, de la convertibilidad, del Gobierno y del sistema político.

---

21 Diario *Clarín*, 22-6-2000.

El programa de la Alianza estaba formulado en un documento denominado "Carta a los Argentinos" en el cual la formación política prometía algunos cambios en la política económica y social y luchar contra la corrupción. Pero no cuestionaba aspectos fundamentales del orden reinante como las privatizaciones o la liberalización financiera y comercial. Tampoco se proponía salir del tipo de cambio fijo.

La Alianza heredó una situación verdaderamente compleja. En sus últimos años, el menemismo había permitido el incremento del déficit público, evitando un ajuste con el propósito de facilitar la campaña del Presidente por una segunda reelección al mismo tiempo que, de ese modo, proveía a la economía de capitales externos a través del endeudamiento público.

En tales condiciones, si se reducía el déficit fiscal se reducía también el ingreso de capitales. Pero, si se lo mantenía, aumentaba el costo del endeudamiento y la desconfianza externa en la solvencia fiscal, lo que ahuyentaba a los capitales.

Como, además, la economía recién se estaba recuperando lentamente luego de un año y medio de parálisis, una política fiscal restrictiva sólo podía profundizar la recesión y reducir los ingresos fiscales.

En ese momento se presentaban varias alternativas para resolver ese dilema.

La ortodoxa sostenía que era necesario reducir el déficit porque, de esa forma, se recrearía la confianza de los inversores, volverían a ingresar capitales y se reactivaría la economía.

La heterodoxia consideraba que la recesión se debía a la insuficiencia de la demanda, por lo cual un ajuste recesivo agravaría la situación. Sostenía también que, aunque el déficit se redujera, los capitales externos no ingresarían al sector productivo si éste se mantenía en la parálisis. De todos modos era claro que el déficit fiscal implicaba un permanente aumento del endeudamiento interno y externo y que eso era insostenible. Pero como alternativa a la ortodoxia se proponía un ajuste positivo del déficit fiscal, enfatizando, no la reducción del gasto, sino la mejora de los ingresos mediante la eliminación de beneficios impositivos y previsionales y el combate a la corrupción y la evasión.

Algunos sectores planteaban, también, la pertinencia de tomar medidas para mejorar el ingreso de los sectores más postergados para estimular la demanda agregada.

La heterodoxia estaba dividida, por otra parte, en relación al tipo de cambio. La mayoría de los economistas consideraba que el tipo de cambio estaba atrasado y que eso alentaba las importaciones e impedía mejorar las exportaciones. Pero muchos consideraban imprudente modificar el tipo de cambio e, incluso, discutir públicamente ese problema. Unos pocos planteaban, cada vez más abiertamente, la necesidad de devaluar y eliminar el sistema de caja de conversión para recuperar la posibilidad de hacer política monetaria.

Obviamente es imposible determinar si un programa heterodoxo reformista habría podido estimular la economía y una nueva afluencia de divisas, sea por el comercio o atrayendo inversiones. Mucho más difícil es evaluar si, en ese momento o en los meses posteriores, hubiera sido posible una salida "ordenada" de la convertibilidad o una devaluación controlada.

Por otra parte, la suerte de la convertibilidad y de la economía en el corto y mediano plazo no dependían sólo de las políticas internas ya que estaba fuertemente influida por factores externos incontrolables, como la desconfianza de los inversores en los mercados periféricos surgida a partir de la crisis asiática, o la evolución de los precios de las *commodities*, que en ese momento resultaba desfavorable.

Continuidad ortodoxa

El Gobierno y, en especial, el presidente Fernando de la Rúa eran tildados de pasivos e inactivos, pero en realidad mostraban una notable decisión y arrojo para tomar medidas drásticas que iban contra sus promesas electorales y las expectativas de buena parte de la sociedad.

Ni bien se hizo cargo del Ministerio de Economía, el Gobierno declaró que el déficit fiscal consolidado (que incluye el del gobierno central y las provincias) era de 10.000 millones de dólares, mucho mayor que el declarado por el Gobierno. A continuación anunció un plan de ajuste basado en el aumento de impuestos a las ganancias a los ingresos medios y altos, lo que reduciría el ingreso disponible de los sectores de mayor poder adquisitivo. Incluso, como señalara Claudio Lozano en su momento, el Gobierno sobreactuó, ya que se propuso llegar a un déficit fiscal de 5.100 millones de pesos, menor que el de 5.500 autorizado por la Ley de Convertibilidad.[22]

El sólo anuncio de que se aplicaría una política fiscal restrictiva congeló la demanda interna, aún antes que el Gobierno comenzara a cobrar los impuestos anunciados. Las expectativas de los consumidores, que desde agosto de 1999 estaban mejorando, comenzaron a caer. La actividad productiva, que se venía recuperando desde agosto de 1989, se frenó a fin de 1999.

En consecuencia los ingresos fiscales, fuertemente dependientes de los impuestos al consumo, también se debilitaron. La recaudación tributaria del primer trimestre cayó y sólo mejoró luego debido a una moratoria impositiva.

---

22 Suplemento "Cash", diario *Página/12*, 18-8-2000.

Cuando se hizo evidente que el "impuestazo" no estaba dando el resultado esperado, el Gobierno, en lugar de rectificar el rumbo, lo profundizó con un recorte de salarios de empleados públicos nacionales. Una propuesta similar había sido lanzada anteriormente por el ministro de Defensa López Murphy y había sido rechazada airadamente desde la propia Alianza.

Esto fue seguido por la aprobación, en el mes de mayo, de una Ley de Reforma Laboral destinada a avanzar en la flexibilización del mercado de trabajo y a legalizar muchas relaciones laborales precarias ya existentes.

El recorte de salarios y la política de precarización laboral reforzaron entre la población el temor por el futuro de los ingresos y del trabajo, lo cual reforzó la retracción del consumo y, en consecuencia, la de la inversión. En la citada reunión, en la cual sostuvo que su política era la continuidad del menemismo, el ministro de Economía preguntó a los empresarios que lo escuchaban cuál de ellos planeaba invertir en el segundo semestre de 2000. La única respuesta que obtuvo fue el silencio.

Es decir que, en pocos meses, el Gobierno instaló, con éxito, una espiral implosiva de caída de ingresos, de inversión y de recaudación impositiva que terminaría en un desastre.

La evolución de la economía respaldó a quienes sostenían que la recesión se debía a la debilidad de la demanda y que ningún capital de largo plazo ingresaría en un mercado sin perspectivas productivas.

Evolución del Indicador de Actividad Económica

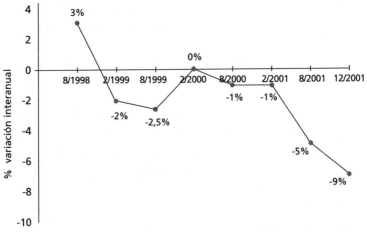

Fuente: *El Cronista Comercial*

La política oficial era fogoneada por la derecha liberal de adentro y fuera del Gobierno. Uno de los principales consejeros económicos del Gobierno era Fernando de Santibáñez, un economista liberal que realizó una carrera fulgurante: pasó de ser técnico del Banco Central a ser dueño del Banco de Crédito Argentino. Luego vendió su banco y se convirtió en millonario en un lapso llamativamente corto. Una vez instalada la Alianza, De Santibáñez fue nombrado director de la SIDE, pero su principal papel lo jugó como miembro de un reducido grupo de personas, del cual formaban parte los jóvenes hijos de De la Rúa, que tenía una fuerte influencia sobre el Presidente.

La orientación oficial generó numerosas y rápidas fricciones dentro de la Alianza y con parte del *establishment*. Las medidas ortodoxas provocaron un inmediato rechazo de parte del radicalismo y del FREPASO, pero los críticos aceptaron la progresiva derechización del Gobierno sin abandonar sus puestos. La posición más compleja y paradójica en ese entorno fue la del vicepresidente Carlos "Chacho" Álvarez, quien compartía la crítica de la política ortodoxa pero proponía a Domingo Cavallo para cambiarla.

En el campo empresario la inquietud era también notoria. Los empresarios más vinculados al mercado interno comenzaron a reclamar medidas de reactivación. Incluso el vicepresidente de la ortodoxa Sociedad Rural Argentina, Luciano Miguens, quien apoyó el propósito de reducir el gasto público manifestó: "Somos productores de alimentos y este achique de sueldos lógicamente va a provocar una reducción en el poder adquisitivo del consumidor, con lo cual podría verse afectada la colocación de nuestros productos".[23]

La persistencia de la recesión dio lugar, también, a una disputa técnico-política sobre el nivel de la inmovilización de depósitos del sistema bancario.

A comienzos de 1995, como consecuencia de la inquietud causada por la *crisis del tequila*, se produjo una salida de depósitos. En ese momento el BCRA aumentó los requisitos de capital y de inmovilización de depósitos del sistema bancario. Estos cambios permitieron sostener los bancos en pleno tembladeral pero provocaron, también, una reducción en la capacidad crediticia del sistema.

En el año 2000, algunos sectores del gobierno de la Alianza propusieron una reducción de los requisitos con el propósito de mejorar la liquidez y estimular la economía atascada en la recesión, mientras el Banco Central defendía el mantenimiento del régimen argumentando que un cambio podría afectar la solidez de los bancos.

---

23 Diario *La Nación*, 3-6-2000.

La posición favorable al aflojamiento de las restricciones no tenía en cuenta, a su vez, que la recesión de la economía no se debía básicamente a las restricciones de crédito sino a una debilidad de la demanda provocada, entre otros factores, por la política fiscal restrictiva. De hecho, en 2000 el Gobierno realizó cambios regulatorios que permitieron reducir la tasa de interés cobrada por los créditos hipotecarios para estimular la construcción, pero la demanda de crédito hipotecario prácticamente no creció porque los potenciales demandantes estaban dominados por el temor sobre sus ingresos.

A mediados de 2000 el Gobierno reconoció implícitamente el fracaso de su política y anunció una serie de medidas destinadas a reactivar, la más importante de ellas, un plan de infraestructura que incluía la realización de obras públicas y viviendas, con financiamiento privado. Pero el plan nunca llegó a concretarse. También se dispusieron algunos planes para la promoción de las PyMEs, pero con escasa financiación y apoyo logístico por lo que su efecto fue escaso.

La economía siguió el camino previsible: en el año 2000 el PBI no creció y la industria cayó un 3%. La deflación, que había comenzado en 1999, se mantuvo y la desocupación aumentó. Los capitales no sólo no volvieron sino que comenzaron a huir. En 2000, las reservas del BCRA bajaron un 5% en relación al año precedente. El déficit público, lejos de reducirse aumentó de un 1,7% del PBI en 1999 al 2,4%.

La estrategia de ajuste era parte de las exigencias del FMI, que en años anteriores había tolerado el aumento del desequilibrio fiscal para no interferir en la carrera política de Menem, considerado un ejecutor ejemplar del programa neoliberal.

Estas posiciones generaron críticas en el país y en el exterior. Sobre este punto Joseph Stiglitz sostuvo: "Apenas se había recuperado el mundo de la crisis financiera de 1997-1998 cuando se deslizó hacia la desaceleración global de 2000-2001 empeorando la situación de la Argentina. Aquí fue donde el FMI cometió su error fatal: apoyó una política fiscal restrictiva, la misma equivocación que cometió en Asia y con las mismas desastrosas consecuencias. Se suponía que la austeridad fiscal iba a restaurar la confianza. Pero las cifras del programa del FMI eran ficticias, cualquier economista podía haber predicho que las políticas de ajuste del gasto incitarían a la recesión y que los objetivos presupuestarios no serían alcanzados. No hace falta decir que el programa del FMI no alcanzó sus metas; rara vez se recupera la confianza cuando una economía cae en una profunda recesión y en un porcentaje de desempleo de dos dígitos".[24]

La opinión no puede ser más atinada. Pero no incluye el otro aspecto del dilema de la convertibilidad: si la economía se hubiera reactivado hubiera, al mismo tiempo, aumentado la demanda de importaciones en un momento en que las exportaciones sufrían la debilidad del mercado externo y las inversiones externas habían caído bruscamente. (La inversión externa directa de 2000 fue el 34% de la de 1999). Es decir que un aumento de la demanda hubiera provocado una baja de reservas por aumento de las importaciones y hubiera chocado, muy pronto, con la escasez de divisas.

Como se planteó más arriba, la única alternativa a ese dilema hubiera sido intentar una política orientada a promover las exportaciones combinada con un ajuste fiscal basado en el cobro de impuestos a evasores, a las rentas monopólicas y los altos ingresos. También hubiera sido

---

24 Joseph Stiglitz, nota publicada en *El grano de arena*, www.ATTAC.org.ar

posible intentar una salida ordenada de la convertibilidad
con una devaluación controlada, aunque esta alternativa
resultaba poco atractiva por el elevado endeudamiento en
dólares y porque la población, como demostraban los
sondeos de opinión, temía los efectos inflacionarios de una
modificación del tipo de cambio.

Y el FMI también

Los malos resultados fiscales a lo largo de 2000 crearon
tensiones con el FMI y una creciente presión para el desplazamiento de Machinea. En setiembre de 2000 se hizo evidente que la Argentina ya no podía conseguir financiamiento en el mercado externo privado. La ortodoxia esperaba
agazapada para tomar el control directamente en sus manos.

El Ministro logró posponer su caída obteniendo un respaldo financiero del FMI, que el Gobierno denominó pom-
posamente "blindaje" y que demostró ser tan resistente a
los embates de la realidad como un escudo de papel.

El *blindaje* consistió en un cronograma de aportes financieros de 40.000 millones de dólares, organizado por
el FMI con fondos del organismo, de otras entidades y de
gobiernos, con los cuales se esperaba afrontar vencimientos de la deuda del año 2001.

A cambio del apoyo, el Gobierno se comprometió a
llevar a cabo una serie de "reformas estructurales" como desregular las obras sociales –lo que equivalía a privatizar el sistema de salud–, profundizar la reforma laboral
y completar la privatización del sistema jubilatorio.

El acuerdo generó cierta expectativa y el *riesgo país*, que
en noviembre de 2001 había llegado a los 1000 puntos, bajó
en enero a 700 puntos.

Pero la ayuda concreta del programa no era tan amplia
como parecía. El único aporte seguro eran menos de 10.000
millones del FMI y el Banco Mundial que se concretarían

a medida que el Gobierno cumpliera con las pautas prometidas. El resto eran promesas de financiamiento de bancos y AFJP, a tasas que dependerían del mercado.

El *blindaje*, como varios de los salvatajes del FMI, estaba destinado a mantener vivo artificialmente un sistema que no tenía destino porque no estaba en condiciones de generar por sí mismo las divisas necesarias para el crecimiento. El *blindaje* podía aliviar una crisis fiscal, pero al costo de un mayor endeudamiento y agravando los costos futuros.

De todos modos, el *blindaje* no logró siquiera proporcionar un respiro de corto plazo.

Debido a que la economía permanecía estancada, el desequilibrio fiscal siguió agravándose y la posibilidad de obtener los fondos prometidos se alejó.

En febrero se agregó el efecto de la crisis de Turquía, un país con un tipo de cambio fijo que devaluó y debió recurrir al salvataje del FMI. A diferencia de Argentina, Turquía consiguió una sólida asistencia por razones estratégicas debido a que el país está en la frontera con el mundo islámico, tiene límites con Irak y es base de operaciones de la OTAN.

Por otra parte, los inversores internacionales habían sofisticado su conducta aprendiendo a diferenciar entre la situación de los distintos mercados periféricos, por lo cual la crisis argentina no afectaba a otros países. En tales condiciones el interés de los gobiernos de los países centrales y de los organismos internacionales por ayudar a la Argentina, decayó rápidamente.

La derecha radical y el *establishment* se lanzaron entonces sobre el Ministerio de Economía, dispuestos a poner las cosas en orden. El jefe de la partida fue Ricardo López Murphy, un economista ortodoxo que revistaba como ministro de Defensa y que pertenecía a FIEL. Como Ministro, el hombre abogó incesantemente por el aumento del presupuesto militar, lo cual fue considerado contradictorio con su prédica de reducción del gasto público. Sin embargo, el reclamo de López Murphy era compatible con su propuesta de fortalecer las Fuerzas Armadas y de seguridad para enfrentar la protesta social que generan los ajustes y transformaciones que llevan adelante los liberales. En marzo de 2000 el ministro de Defensa López Murphy reflexionó sobre las amenazas que enfrenta la sociedad entre las que contabilizó "la pobreza extrema, la superpoblación y las migraciones masivas" y sostuvo que esto "ha revalorizado el poder militar dentro de las estructuras nacionales, al tener que asumir nuevos roles y compromisos en el orden nacional".[25]

El 3 de marzo de 2001 Ricardo López Murphy se hizo cargo del Ministerio de Economía.

El *establishment* local lo recibió alborozado. En una presentación pública, los grandes empresarios y gurúes económicos lo aplaudieron de pie. Los mercados se pusieron eufóricos. Pero inmediatamente muchos comenzaron a preguntarse si López Murphy tendría el apoyo suficiente para aplicar las medidas ultraliberales. Un gurú generalmente consultado por los medios aconsejó: "Tiene que aprovechar al máximo estos primeros días, luego el poder se diluye".[26]

Pero López Murphy no tuvo, siquiera, primeros días. Sus dos primeras semanas las dedicó a preparar su programa económico y su equipo. El programa se basaba en un ajuste de 2.000 millones de pesos del gasto público en base a reducciones de personal y achicamiento de partidas. Una de las medidas más restallantes consistía en una fuerte baja

---

25 Revista *Tres Puntos*, 22-6-2000.

26 Suplemento "Económico", diario *Clarín*, 11-3-2001.

del gasto universitario. Otra era el despido de 100.000 empleados públicos. Los hombres designados para poner en práctica esa estrategia eran representantes de la ortodoxia más dura, varios de ellos miembros de FIEL y algunos con actuación en la dictadura militar y en el menemismo.

Apenas fue presentado, el programa generó una enorme protesta popular, sindical y política, de la oposición y del propio oficialismo. La propuesta de reducir gasto universitario fue rechazada por la agrupación estudiantil radical Franja Morada, que controlaba numerosos centros de Estudiantes universitarios y dirigía la Federación Universitaria Argentina. El recorte de fondos contradecía los postulados de Universidad libre y gratuita del radicalismo y reducía una de las principales fuentes de financiamiento y clientelismo político de ese partido. Además ponía en pie de guerra a docentes y estudiantes.

El presidente De la Rúa pretendió hacer oídos sordos a la voz de la calle y manifestó su apoyo al Ministro, pero pocas horas después se desprendió de él. El paso triunfal de López Murphy por el Ministerio de Economía duró diecisiete días durante los cuales no pudo aplicar ninguna de sus medidas.

La respuesta popular al intento ultraliberal fue el primer episodio de una serie de intervenciones que, en meses sucesivos, influirían decisiva y directamente en la política nacional.

El "salvador" conduce el derrumbe

La convertibilidad fue conducida hacia su crisis final por su propio creador, cuyo prestigio quedó sepultado bajo los escombros de su criatura.

El 20 de marzo de 2001, Domingo Cavallo volvió al Ministerio de Economía. El padre de la convertibilidad reapareció como un hombre de salvación, como el único que podía resolver los problemas del sistema que el mismo había instaurado. Su reingreso a Economía contó con el apoyo de Carlos Álvarez y la aceptación de Raúl Alfonsín. El ex-Presidente se oponía a la incorporación de Cavallo al Gobierno porque lo consideraba, con toda justicia, como se vio en el capítulo anterior, uno de los causantes de su salida precipitada del Gobierno. También lo señalaba como un arquitecto de un modelo económico injusto. Pero, como hizo en cada momento crítico, Alfonsín se allanó a las presiones de los poderes, privilegió la cohesión de su partido y sostuvo la continuidad del *statu quo*.

Con Cavallo comenzó una sucesión de programas y medidas que corregían o revertían decisiones tomadas poco antes y que, en muchos casos, tenían elementos que se contradecían entre sí. El vértigo de los cambios reveló que las iniciativas del Ministro providencial no servían para resolver la encerrona creada por él mismo y que ya no despertaba en la población ni en el *establishment* nacional e internacional, la confianza de otros tiempos.

Más aún, las repetidas marchas y contramarchas crearon una enorme incertidumbre entre el público, las empresas y los propios funcionarios del Estado que debían reacomodar cotidianamente las normativas.

En un primer momento, Cavallo intentó diferenciarse de su antecesor afirmando que, para cortar con la espiral implosiva de caída de la actividad y de ingresos públicos, era necesario reactivar la economía y presentó lo que él denominó un "plan de crecimiento y saneamiento fiscal".

Para estimular la demanda anunció la anulación del aumento de impuestos a las ganancias para ingresos medios y altos, que había dispuesto Machinea en el inicio de la gestión.

Esta medida mostraba la limitación del enfoque de Cavallo ya que la restitución de poder de compra a sectores medios y altos podía tener un efecto limitado sobre la actividad interna, porque una parte de los consumos de esa franja de ingresos es de bienes importados o de alto componente importado, y porque otra parte del ingreso restituido se destinaría al ahorro no al consumo. Con el mismo costo fiscal podría haberse dispuesto una distribución de ingresos en las franjas más pobres, con consumos básicos postergados. De todos modos, la rebaja no llegó a concretarse porque el Ministro dio marcha atrás debido a la caída recaudación impositiva.

El programa incluyó Planes de Competitividad por los cuales se otorgaban rebajas de impuestos y de aportes patronales a sectores productivos. El alcance de los Planes se fue ampliando a lo largo de los meses y llegaron a incluir 31.000 empresas.

El objetivo de los planes era reducir el costo empresario para compensar el efecto del atraso cambiario y, de ese modo, mejorar la competitividad. También aquí se presentaban contradicciones y problemas, porque el principal obstáculo que encontraban las empresas era la debilidad de la demanda masiva del mercado interno. Por otra parte, los Planes tenían un costo fiscal muy elevado, unos 1.500 millones de dólares, que se contraponía con el propósito de reducir el déficit fiscal.

Una de las piezas claves del plan de Cavallo consistió en imponer un impuesto a las transacciones financieras con el cual esperaba colectar entre 300 y 400 millones de dólares anuales. Esta medida fue rechazada por el mundo financiero local y externo y provocó un aumento del *riesgo país* a 1000 puntos y, en consecuencia, en marzo tuvo lugar una salida de depósitos de 4.000 millones de dólares.

A mediados de año Cavallo reconoció lo que ningún ministro de Economía se había atrevido siquiera a insinuar: que era necesario abandonar la paridad uno a uno con el dólar. Para eso dispuso vincular la moneda local a una canasta integrada por el dólar y el Euro. Hasta concretar esa transformación instrumentó un denominado "factor de empalme" por el cual el Estado le reconocía a los exportadores las diferencias de cambio a favor, mejorando su rentabilidad.

La decisión de modificar la paridad de la moneda estaba plenamente justificada. En los últimos años el dólar se había revalorizado frente a las monedas europeas y al yen japonés, arrastrando consigo al peso; después de la crisis de 1997 las monedas de los países asiáticos se habían devaluado, aumentando la ya importante competitividad de esos países en el mercado mundial; en 1999, finalmente, Brasil devaluó el real y lo dejó flotar, con lo cual se avecindaba una creciente desvalorización de la moneda del principal mercado de exportación del país. En otros términos, la paridad fija con el dólar era insostenible, salvo que la producción y, en especial el sector exportador, iniciara una feroz carrera de aumento de la productividad. Pero esto era imposible porque la inversión estaba en declive.

La decisión de vincular la moneda local con una canasta de monedas tenía la virtud de reducir la rigidez que suponía la atadura al dólar. Pero la oportunidad elegida no era la más apropiada, porque el dólar venía de sufrir una fuerte revaluación en relación a las monedas europeas que perjudicaba seriamente a las exportaciones argentinas y que podía revertirse en cualquier momento. Esto efectivamente comenzó a suceder con el inicio de la emisión del Euro, por lo cual, si la canasta de monedas se hubiera concretado, el peso argentino se hubiera revaluado aún más que con su vinculación al dólar.

Ninguno de los planes dispuestos por Cavallo tuvo el efecto prometido por el Gobierno. La economía siguió en recesión, los ingresos públicos se mantuvieron por debajo de lo pautado y los inversores externos no recuperaron la confianza en la solvencia fiscal, lo que se traducía en un creciente *riesgo país*, es decir, en un creciente costo de financiamiento.

Como el sector público ya no disponía de financiamiento en el mercado de crédito externo, el costo se reflejaba en las tasas que pedían los acreedores locales, bancos y AFJP, para renovar los títulos de la deuda pública que iban venciendo.

En junio de 2001, cuando el Gobierno salió a renovar Letras de Tesorería que vencían y que no estaba en condiciones de pagar, los bancos exigieron una tasa del 15%. Cavallo, en uno de sus recurrentes enfrentamientos verbales con el sistema financiero, sostuvo que no iba a tomar dinero a esas tasas y lanzó una operación de canje de títulos existentes por otros por los que esperaba obtener tasas más bajas, que fue bautizado con el título de "megacanje".

En esa oportunidad, el sistema financiero ofreció canjear bonos por 33.000 millones de dólares de los cuales el Gobierno aceptó 29.500. En la operación el Estado compró bonos de próximo vencimiento con un descuento y entregó otros a los cuales reconoció un valor menor que el nominal.

Con el megacanje el Estado logró postergar pagos por unos 16.000 millones de dólares pero pagó una tasa superior al 12%, cercana a la pedida originalmente por los bancos. Un analista estimó que en la operación el Estado perdió 2.300 millones de dólares, que es el precio pagado por postergar el pago de capital e intereses por períodos que van de tres a cinco años.[27]

Otra cuestión importante reside en cuánto aumentará la deuda por la acumulación de los intereses cuyo pago se

---

[27] Alfredo T. García, "El megacanje de los acreedores", *Realidad Económica*, Nº180, 16 de mayo, 2001.

posterga. Según el mismo autor, a las tasas vigentes, la capitalización de los intereses no pagados durante el período de gracia pueden generar un aumento de la deuda refinanciada del 80%.

Además, algunos de los bonos entregados por los deudores tenían plazos de vencimiento más largos que los bonos recibidos en canje, por lo cual, luego del período de gracia pactado, los vencimientos se concentran peligrosamente.

Uno de los aspectos más polémicos del canje, objeto de una investigación judicial, que implica a banqueros y funcionarios, es que el Gobierno pagó una abultada comisión a los bancos que gerenciaron el canje, con un costo de 150 millones de dólares. Algunos de los bancos participantes ganaron comisiones por administrar el canje de sus propios bonos. En marzo de 2002, los fiscales que investigan el hecho concluyeron que, en esa ocasión se montó deliberadamente un negocio "cuyo final esperado fueron las condiciones calamitosas del acuerdo, y así se pergeñó una de las peores lesiones a la integridad patrimonial del Estado, consecuencia directa del crecimiento exponencial de su pasivo traducido en deuda externa". Según los fiscales en la operación, el Gobierno fue generoso con los acreedores y permitió que los bancos jugaran al mismo tiempo su papel de acreedores y gestores del canje.

Al anunciar el canje, Cavallo sostuvo que las tasas de interés se iban a desplomar como consecuencia del alivio financiero del sector público. Pero cuando en julio realizó una licitación de Letras de Tesorería, debió pagar una tasa del 14%, lo cual testificaba la desconfianza de los inversores y las jugosas ganancias financieras que estaban obteniendo.

El *riesgo país* ya estaba en 1400 puntos. A partir de allí el sector financiero interno dejó de prestarle voluntariamente al Estado.

El Ministro respondió a la situación dando uno de sus habituales giros. Anunció un programa ortodoxo puro y duro, más estricto que el propuesto por su antecesor López Murphy: el plan de déficit cero.

El plan disponía un recorte del 13% en salarios estatales y jubilaciones y establecía el pago de sueldos sujeto a disponibilidad de fondos existentes luego del pago de la deuda. Es decir que, a partir de allí, los empleados públicos y los jubilados no sabían cuál iba a ser su ingreso futuro.

Teóricamente, el plan satisfacía las exigencias de ajuste ortodoxo, pero el mercado no reaccionó con euforia y el *riesgo país* siguió en aumento.

No obstante, el paquete sirvió para que el FMI concediera un nuevo préstamo por 8.000 millones de dólares, con entregas escalonadas y condicionadas al cumplimiento de metas fiscales.

La ayuda no bastó para detener el desbarranque. La continuidad de la recesión y el fracaso de las políticas oficiales seguía erosionando la base política del Gobierno, jaqueado por desacuerdos internos, conflictos gremiales y presiones externas. En esas condiciones llegaron las elecciones de legisladores y gobernadores de octubre, en las cuales el oficialismo perdió el control del Congreso y de algunas provincias.

Este desenlace fue crucial para la situación económica. El resultado de las urnas determinó que, a partir de diciembre, el Gobierno no podría imponer ningún paquete económico y que debería contar con el apoyo de la oposición para cualquier iniciativa importante.

La posición del justicialismo era, a su vez, contradictoria. Por una parte, la mayoría de los dirigentes y legisladores apoyaban la orientación ortodoxa, a diferencia, incluso de algunas fracciones del radicalismo y del FREPASO, muy críticos de la política del Ejecutivo.

Pero, por otra parte, varios de los principales dirigentes del justicialismo estaban lanzados a una campaña para convertirse en candidatos a presidente en el 2003, por lo cual, aunque acordaran con la ortodoxia, necesitaban tomar distancia de las medidas más impopulares.

Además, el Ejecutivo iba a tener mayores dificultades en la discusión de la coparticipación impositiva con las provincias, en las cuales la presencia del justicialismo había crecido, lo cual dificultaría la aprobación de un Presupuesto adecuado a las exigencias de los acreedores y los mercados.

Sobre estas bases, los inversores externos concluyeron que las medidas de ajuste del programa de déficit cero no tendrán apoyo político necesario, por lo cual a fines de octubre el *riesgo país* superó los 2.100 puntos.

Ante el incremento del déficit y la falta de financiamiento, el Gobierno dispuso un sistema de rescate de títulos de la deuda para reducir sus compromisos.

Esto dio a las grandes empresas una nueva oportunidad de obtener rentas financieras. Con este sistema, a partir de octubre de 2001, las empresas pudieron cancelar deudas fiscales y bancarias con bonos. Las empresas los compraban al 25% de su valor y pagaban impuestos atrasados. El Estado tomaba los bonos a su valor nominal, es decir, 100%. Los bancos también recibían los bonos reconociendo el 100% de su valor y luego los entregaban al Estado.

Las empresas también pudieron pagar deudas atrasadas con acciones, con lo cual el Estado se convirtió en socio de empresas en crisis.

El sistema permitía, efectivamente, reducir deuda, pero a cambio el Estado renunciaba a cobrar impuestos adeudados por una suma elevada, precisamente en momentos en que la recaudación se desplomaba. Es decir, cada medida creaba sus propias contradicciones.

En noviembre llegó al país una misión del FMI para negociar la concreción de un desembolso de 1.260 millones que resultaban indispensables para hacer frente a los vencimientos del último mes del año. En desacuerdo con la evolución de las cuentas públicas, el 5 de noviembre el FMI anunció que suspendía el desembolso, con lo cual la Argentina, que se había quedado sin financiamiento en el mercado privado interno y externo, se queda también sin financiamiento de los organismos internacionales.

A partir de ese momento el país estaba técnicamente en cesación de pagos, pero el Gobierno evitó reconocer esa realidad apelando a un nuevo canje de deuda y a una colocación forzosa de títulos de la deuda en las AFJP.

En una primera instancia, Cavallo convocó a los bancos y AFJP a canjear títulos de la deuda por 60.000 millones de dólares por nuevos títulos a intereses más reducidos (7%) pero garantizados con las ingresos fiscales. Esta garantía fue severamente criticada porque implicaba crear distinciones entre acreedores, priorizando el derecho de los acreedores por encima de otros objetivos de gasto.

El Gobierno sostuvo que de esa forma lograría un ahorro de 2.500 millones en intereses.

Los bancos y las AFJP aceptaron canjear títulos por 12.000 millones porque, de otra forma, habrían precipitado la quiebra del Estado y sufrido la falta de pago y la depreciación de sus títulos.

Luego las AFJP cambiaron 11.900 millones de dólares en títulos públicos, la casi totalidad de los que tenían, por préstamos garantizados al Gobierno nacional, también, a una tasa del 7%. Finalmente, el Ministro obligó a la AFJP a destinar el 100% de los plazos fijos que vencían a la compra de Letras del Tesoro, con lo cual la porción de títulos públicos subió al 65% del total en noviembre de 2001.

Con esta operación, el Gobierno violó la ley 24.241 que establece que el Estado puede fijar máximos de inversión para las AFJP, pero no mínimos.

Los canjes postergaron la necesidad de hacer pagos inmediatos y mejoraron la situación financiera del Estado, pero la situación fiscal siguió siendo muy endeble porque la recaudación seguía cayendo. En octubre la recaudación del IVA cayó un 28% y en noviembre un 30%. Por otra parte, el hecho de que un Estado no lograra recaudar los mínimos programados y se viera obligado a imponer el canje compulsivo de sus títulos demostraba que sus finanzas estaban en estado terminal.

Cuando la crisis de la convertibilidad era ya tan evidente como inevitable, y el FMI negaba financiamiento para un Estado exhausto, aquí y en el exterior se recordó que hasta hacía muy poco los organismos internacionales habían apoyado fervorosamente el modelo ahora en crisis, que lo habían presentado como un ejemplo ante el mundo y que habían contribuido a sostenerlo con sucesivos aportes.

Los directivos del Fondo no tuvieron más remedio que reconocer ese aspecto. Stanley Fischer, que había sido número dos del Fondo, sostuvo a principios de 2002: "Nosotros, en el FMI, sabíamos que el tipo de cambio fijo iba finalmente a sucumbir. Pero los banqueros estaban muy entusiasmados con prestarle dinero a la Argentina, de modo que tuvimos que resignarnos".[28]

A su vez, Horst Köler, director del FMI admitió: "Nuestro error fue no haber dicho firmemente, a fines de los años noventa, que la desintegración de las instituciones tendría un alto costo. No prestamos atención suficiente a

---

28 Diario *Clarín*, 4-2-2002.

los lapsos de las políticas de Menem. Les advertimos que la Ley de Convertibilidad debía ser acompañada por una política fiscal sana, pero obviamente, no fuimos tan fuertes, Habiendo dicho esto, compartimos nuestro fracaso con la comunidad internacional".[29]

Capitales en fuga

La desconfianza en la solvencia pública y en el sostenimiento de la convertibilidad y del propio Gobierno se reflejó, a lo largo de 2001, en la pérdida de reservas y la salida de depósitos de los bancos. Hasta fin de año, el Gobierno contempló pasiva y permisivamente la huida de capitales que permitía a los grandes inversores poner su dinero a salvo de confiscaciones, quiebras bancarias o devaluaciones, pero que erosionaba las bases de su propia política económica y de su estabilidad.

Entre diciembre de 1991 y diciembre de 1999, las reservas del BCRA se multiplicaron por tres. De allí a diciembre de 2000 cayeron ligeramente y luego se derrumbaron. En diciembre de 2000 llegaban a 27.000 millones de dólares y a fin de 2001 se habían reducido a 14.600 millones.

La pérdida de reservas es consecuencia del deseo de los grupos económicos, bancos, inversores y ahorristas de cambiar sus pesos por dólares, por el temor a una devaluación. Pero los dólares comprados con pesos no fueron guardados en el sistema financiero local ya que los depósitos en dólares en los bancos cayeron un 12% a lo largo de 2001.

La desconfianza se demostró, también, en el retiro de dinero del sistema financiero. Entre enero y diciembre de 2001 los depósitos en pesos cayeron un 40% y los depósitos en dólares un 12%. La cuarta parte de los depósitos en dólares

---

29 Diario *Página/12*, 23-1-2002.

en el sistema financiero, 12.000 millones, surgieron de la conversión a divisas de depósitos en pesos durante diciembre. La salida de dólares del BCRA implica una reducción de la circulación monetaria en pesos, lo cual contribuye a explicar la retracción de la economía y las elevadas tasas de interés del sistema financiero.

A su vez, la pérdida de depósitos del sistema bancario reduce su liquidez y su capacidad crediticia. La liquidez del sistema financiero medida por su dinero disponible y los encajes en relación a los depósitos, cayó del 24% al 12%, a lo largo de 2001.[30]

La restricción de liquidez contribuyó, junto con el aumento del *riesgo país*, al aumento de la tasa de interés. Las tasas de interés para los plazos fijos pasaron del 8% en junio 2000 al 12% en diciembre del mismo año para llegar al 32% a fines de 2001. Las tasas para empresas de primer línea escalaron del 10% al 17% y al 50% en esos mismos meses. En diciembre de 2001, la tasa interbancaria rondaba el 50%. Todo esto en momentos en que las tasas de interés internacionales se desplomaban como consecuencia de la política monetaria flexible de la Reserva Federal de los EE.UU.

Esas tasas de interés hacían imposible cualquier recuperación del consumo o de la inversión y demostraban que el sistema financiero sólo podía sostenerse ofreciendo rendimientos astronómicos.

En los últimos meses del año, se registró un fuerte retiro de depósitos de grandes empresas y grandes inversores que, seguramente, se dirigieron al exterior, a pesar de que los mismos estaban cobrando tasas de interés elevadísimas

---

30 IMA, "Salida de la convertibilidad", Documento de trabajo, N°3, Enero, 2002.

en relación a los estándares internacionales y a la evolución de los precios locales que estaban bajando.[31]

El retiro de dólares de las reservas y su traslado al exterior estaba perfectamente autorizado por el sistema de liberalización financiera vigente hasta diciembre de 2001.[32]

Por otra parte, según denuncias formuladas por algunos diputados, además de los traslados registrados tuvieron lugar otros irregulares, destinados, seguramente, a sacar del país dinero negro. Según los denunciantes, entre diciembre de 2000 y octubre de 2001, cinco bancos extranjeros de primera línea sacaron del país 12.500 millones de dólares, una cifra superior a los registros del BCRA.

Muchos retiros se hicieron en las vísperas de las restricciones. Según BCRA, en días previos al *corralito* salieron del sistema 7000 millones de dólares los cuales podrían haber sido realizados por personas o empresas que tenían información privilegiada sobre las restricciones por venir. Las crónicas del Plan Bonex recuerdan, por ejemplo, que la empresaria y embajadora argentina Amelita Fortabat, pasó una buena cantidad de dinero depositada a plazo fijo a su caja de ahorro, poniéndola a salvo de la conversión.

Uno de los procedimientos habituales para sacar dinero irregularmente es el autopréstamo, por el cual una empresa o banco concede un préstamo a una firma vinculada.

También se denunciaron traslados de grandes cantidades de dinero en billetes, movilizados por filas de camiones

---

31 Así como el aumento de los precios internos hace que la tasa de interés real que recibe un depositante sea menor que la tasa de interés nominal, la deflación determina que la tasa de interés real sea mayor que la nominal.

32 Un índice del descontrol reinante sobre movimientos de capitales es que recién a fines de 2001 se nombraron tres de los cinco funcionarios que deberían integrar la Unidad de Información Financiera, un organismo clave para el control del lavado de dinero instaurado a principios de 2000, luego de años de postergaciones. A fines de 2001 la UIF no estaba todavía en funciones.

transportadores de caudales. El manejo de dinero físico es más difícil que el electrónico, pero si se tienen los contactos adecuados para pasar la frontera, el dinero no deja rastros, como sucede con las transacciones electrónicas. Puede ser dinero no declarado o cuyo destino no quiere declararse.

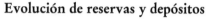

Evolución de reservas y depósitos

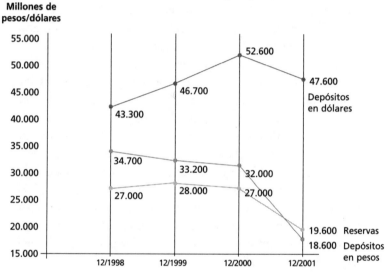

Millones de pesos/dólares

55.000			
50.000		52.600	
45.000	46.700		47.600 Depósitos en dólares
40.000	43.300		
35.000			
30.000	34.700	33.200	32.000
25.000	27.000	28.000	27.000
20.000			19.600 Reservas
15.000			18.600 Depósitos en pesos

12/1998   12/1999   12/2000   12/2001

El *corralito* fatal

La caída de los depósitos ponía a los bancos en la zona de riesgo. Entre los más amenazados se encontraban los bancos nacionales privados y el Galicia, en primer término. Ante la disyuntiva, Cavallo tomó una decisión crucial: impuso restricciones a los retiros de los depósitos bancarios.

Estas restricciones, que fueron bautizadas rápidamente con el término *"corralito"*, tuvieron un efecto paradójico. Por una parte, lograron detener la sangría de depósitos y estabilizaron el sistema bancario. Por otra, profundizaron la recesión y la caída de la recaudación impositiva y provocaron una reacción popular y política explosiva.

El *corralito* implicó, en un primer momento, la imposibilidad de retirar más de 250 pesos o dólares del sistema financiero por semana, lo cual inmovilizaba los fondos de cajas de ahorro, cuentas corrientes y los depósitos a plazo fijo que vencieran.

En el sistema quedaron atrapados más de 60.000 millones de pesos/dólares, de los cuales, la mayor parte pertenecían a pequeños y medianos depositantes. Según informaciones del BCRA, la casi totalidad de los depósitos de personas físicas encerrados en el *corralito* eran de menos de 50.000 pesos/dólares.

El Gobierno dispuso, paralelamente, controles a las salidas de capitales, en lo que constituyó la restitución de funciones que normalmente desempeñan los bancos centrales en las economías organizadas y que habían sido levantadas por la liberalización financiera dispuesta por Menem en los noventa.

Las restricciones redujeron la disponibilidad de efectivo en la población ya que, para utilizar el dinero inmovilizado en cajas de ahorro y cuentas corrientes, los depositantes debían pagar con tarjeta de crédito, cheque o tarjeta de débito.

Cavallo consideró que esto sería beneficioso porque forzaría la bancarización de la población y contribuiría a blanquear la economía y a mejorar la recaudación. De hecho, miles de personas se vieron obligadas a abrir cuentas bancarias y los comercios a instalar los sistemas de pago con tarjeta de débito.

Pero, en ese momento, sólo un 40% de la población estaba bancarizada por lo cual la restricción en el manejo de efectivo redujo las transacciones en la amplísima franja de economía informal, en la cual circulan no sólo los grandes negocios en negro y la gran evasión impositiva, sino una enorme masa de trabajadores y comerciantes con ingresos de supervivencia.

En términos productivos, laborales y fiscales, los resultados del plan de salvataje bancario fueron desastrosos. En diciembre la industria cayó un 18% y se perdieron 24.000 puestos de trabajo. La recaudación impositiva se redujo un 28% y la del IVA un 40%. Cabe preguntarse, en consecuencia, si el costo económico, social y fiscal del *corralito* no fue mayor que el que hubiera implicado el cierre de algún banco.

La instauración del *corralito* demostró que el sistema financiero no podía sostenerse por sus propios medios en las condiciones existentes, lo cual dio la pauta de que el sistema económico, tal como estaba, estaba quebrado y era inviable.

Esta percepción, que ya tenían algunos círculos más informados y que habían retirado sus capitales del sistema, se extendió a toda la población. De este modo se reforzó el temor ya existente sobre el futuro de los trabajos, los ingresos y los ahorros, dando lugar a una retracción preventiva de la demanda, que agudizó la recesión.

De todos modos, la primera versión del *corralito* no detuvo las manifestaciones de desconfianza en el sistema ya que muchos depositantes trasladaron su dinero desde los bancos en que se encontraban hacia otros que consideraban más seguros. Esta posibilidad fue eliminada más tarde.

La administración Menem-Cavallo promovió la extranjerización de los bancos, argumentando que, de ese modo, el sistema contaría con el respaldo de las casas matrices que actuarían como "prestamistas de última instancia". Pero ante la fuga de depósitos el único respaldo existente fue el Estado, quien proveyó 3.000 millones de pesos a través del BCRA y, cuando eso no alcanzó, inmovilizó los depósitos obligando a los depositantes a actuar como prestamistas del sistema bancario.

Cuando se instauraron las restricciones, el Gobierno esperaba que las casas matrices de los bancos extranjeros trajeran capitales para apuntalar sus filiales argentinas. Pero eso tampoco sucedió. Por el contrario, algunos grandes bancos extranjeros dieron a conocer evaluaciones según las cuales les resultaba más rentable retirarse del mercado que fortalecer sus locales instalados en la Argentina.

En suma, así como la concentración y extranjerización de la producción no sirvieron para mejorar el empleo y la competitividad externa, la concentración y extranjerización bancaria tampoco sirvieron para garantizar la solidez del sistema financiero.

La retención de depósitos puso en cuestión el concepto de seguridad jurídica. El *establishment* recurre frecuentemente a este criterio cuando algún Gobierno decide cambios de normas que afectan sus intereses o cuando la Justicia investiga negocios oscuros.[33]

Sin embargo tanto el Estado como las grandes empresas someten a consumidores, clientes y trabajadores, a una perpetua inseguridad jurídica violando frecuentemente contratos sobre prestación de servicios, regímenes laborales o, como sucedió en diciembre de 2001, depósitos bancarios.

---

[33] En el momento que se escriben estas líneas (marzo de 2002) el *establishment* local, el FMI y el gobierno de los EE.UU. protestan airadamente por las investigaciones sobre fuga de capitales que involucran a prominentes banqueros nativos y extranjeros, sosteniendo que la acción judicial es una violación de la seguridad jurídica.

La instauración del *corralito* provocó una explosión social inesperada y original que trastocaría el escenario político. Los depositantes atrapados en el sistema, de clase media baja o alta, salieron a protestar contra el Gobierno y los bancos. Este movimiento impulsó y se entretejió con una protesta más amplia que fue incluyendo reclamos ciudadanos del más diverso orden y reivindicaciones políticas. El *corralito*, que había terminado con la huida de depósitos y salvado al sistema financiero a costa de los depositantes, precipitó la caída del Gobierno.

El mapa de un desastre

En dos años, el gobierno de la Alianza y el poder económico sumieron al país en lo que quizá sea la crisis más profunda de su historia.

Las cifras del balance del período son ilustrativas sólo parcialmente porque no reflejan en toda su amplitud las situaciones que determinan para los años siguientes, pero aún así, son dramáticas.

En los años 2000 y 2001, el PBI cayó más de un 5% y la industria más de 10%; la inversión interna fija 30% y la inversión externa también se desplomó; el desempleo aumentó casi un 30%, ubicándose cerca del 20% de la PEA. El único indicador positivo fue el superávit del comercio exterior, el cual se debió fundamentalmente a que la recesión provocó una abrupta caída de las importaciones. El resultado de la ortodoxia fiscal es igualmente penoso. Desde 1999 el gasto público se redujo levemente pero el déficit aumentó por la caída de la recaudación. Sólo en 2001 los ingresos tributarios cayeron un 8%. El déficit fiscal consolidado más las monedas paralelas (patacones) y bonos emitidos, se estima en un 5% del PBI. Como consecuencia del déficit, de la asistencia externa y de las operaciones de canje, la deuda externa total aumentó un 13%, pasando del 60% a más del 70% del PBI.

En dos años de políticas orientadas a satisfacer a los inversores externos, el *riesgo país*, que refleja la opinión de esos inversores, pasó de 700 puntos a más de 4.000. En las postrimerías de 2001, por su calificación financiera, la Argentina se codeaba con países arrasados por crisis y guerras, política e institucionalmente destrozados y sin futuro económico a la vista.

El *default*

En la madrugada del 20 de diciembre, ante el rechazo popular el Gobierno se desprendió del Ministro de Economía. En la noche de ese mismo día, luego de una feroz represión en Plaza de Mayo, renunció Fernando de la Rúa. Esto creó un vacío institucional, debido a que no existía vicepresidente. El mando recayó transitoriamente en un senador justicialista hasta que la Asamblea Legislativa eligió como Presidente Interino al gobernador de San Luis, Adolfo Rodríguez Saá, quien permaneció en el cargo diez días. Su decisión económica más importante fue la declaración del *default* parcial, consistente en el cese de pagos de la deuda con los bancos comerciales. Esta medida fue, más que un gesto de audacia, la oficialización de una situación de hecho.

El Presidente dispuso, también, mantener la paridad cambiaria sin convertibilidad y el *corralito*. Anunció, además, su propósito de emitir una tercera moneda no convertible, con el propósito de estimular la demanda sin aumentar la presión sobre las reservas de dólares.

Más aún, el designado presidente del Banco Central, opinó públicamente que el volumen de esa emisión sería muy importante.

El *establishment* y sectores de su propio partido, rechazaron inmediata y enérgicamente violaciones de la ortodoxia como la emisión de una tercera moneda y sus actitudes heterodoxas. Saá renunció y, luego de un breve interregno, la Asamblea Legislativa designó como nuevo Presidente Interino al ex-vicepresidente de Menem, ex-gobernador de una provincia en crisis económica y senador Eduardo Duhalde. Él sería el encargado de reciclar el orden imperante con un nuevo sistema cambiario y con la vieja práctica de descargar sobre la población más desprotegida los costos de la crisis.

CAPÍTULO 4

La apertura comercial regresiva

◉

Desde mediados de los setenta, los gobiernos insisten, con diferencias de entusiasmo, que la apertura es el camino más adecuado para promover una mejor distribución interna de recursos productivos y mejorar la competitividad de la economía. Los gobiernos militares y el de Menem-Cavallo llevaron esa política hasta sus máximas consecuencias. Para juzgar la validez del criterio y las políticas aperturistas basta observar los resultados del balance de divisas de la Argentina, su especialización exportadora y los efectos de esta especialización sobre la creación de empleo en el desarrollo tecnológico.

Como se vio al analizar la convertibilidad, la apertura no sirvió al propósito de proveer las divisas necesarias para el crecimiento, al tiempo que provocó la desaparición o desarticulación de industrias y la pérdida de puestos de trabajo. Paralelamente, el país sigue especializado en la venta de productos primarios o de baja elaboración, cuyos precios sufren depreciación o fuertes oscilaciones en el mercado internacional y tienen, además, un impacto reducido en la creación de puestos de trabajo o tecnología. Un solo ejemplo basta para dar una idea del atraso exportador del país: según las estadísticas oficiales, en 2001el principal rubro de exportación de la Argentina fue el de Residuos y Desperdicios de la industria alimentaria, compuesto básicamente por alimentos balanceados. Este concepto es aproximadamente la tercera parte de las exportaciones de manufacturas de origen agropecuario, es el doble de las ventas de grasas y aceites vegetales y es similar a las ventas de material de transporte terrestre.[34]

Con la convertibilidad la apertura estuvo a cargo de una función múltiple:

• El abaratamiento de los productos importados debía contribuir con el programa antiinflacionario.

• La reducción de la protección y la mayor competencia de bienes importados debía estimular la competitividad y la eficiencia de las actividades internas.

• El abaratamiento de bienes de capital y tecnología importada debía facilitar la modernización de la producción y los servicios locales.

Apertura e inflación

La idea de que la apertura de la economía es útil para contener los precios internos forma parte de la teoría del disciplinamiento a través de la integración de una economía pequeña a la "racionalidad" de la economía global. En un contexto de aranceles bajos se supone que cualquier aumento de precios de un productor nacional puede dar lugar a importaciones de bienes similares. Pero la apertura no afecta a los productos que no pueden importarse, como los servicios, los cuales pueden seguir aumentando sus precios y ganando posiciones frente a los productos sometidos a

---

34 Diario *La Nación*, 8-1-2002.

la competencia internacional. Es decir que este recurso antiinflacionario no es neutral en términos de estructura económica ni de distribución de costos de la política antiinflacionaria.

El recurso de la apertura como instrumento antiinflacionario fue utilizado en forma sistemática por Martínez de Hoz. La reducción de aranceles y la valorización de la moneda nacional generadas por la tablita cambiaria implementada a partir de 1978 provocaron un fuerte abaratamiento de bienes importados, de carácter destructivo para gran parte de la industria, pero la inflación siguió su curso casi incólume. A partir de la convertibilidad el Gobierno volvió a blandir la apertura, esta vez con la poderosa justificación de la estabilización de los precios post-hiperinflación.

La apertura contribuyó, efectivamente, a disciplinar los precios internos, pero a un costo productivo y de divisas muy elevado.

La teoría ortodoxa

La apertura comercial es concebida por la economía ortodoxa como una vía para mejorar la eficiencia de la economía e, incluso, su capacidad exportadora. Las raíces de esta teoría se remontan al siglo XVII. En ese momento, Adam Smith, el padre de la economía clásica, hizo una firme crítica del proteccionismo propiciado por las escuelas mercantilistas y sostuvo que los países no debían procurar producir todo lo que quisieran sino especializarse en aquellas actividades en las que tuvieran más recursos. Es decir que, un país con talleres debía especializarse en la producción de telas y uno con praderas en la de alimentos. De ese modo cada uno lograría un nivel de productividad más alto y un mayor beneficio del comercio.

Más tarde David Ricardo complejizó la teoría sosteniendo que cada país debía especializarse en aquellos sectores cuyos costos de producción, medidos en horas de trabajo necesarias para la producción de los bienes, fueran menores en relación a los costos de los demás sectores del país. Con esta especialización, un país con costos de producción mayores que otro en todos sus sectores, igual puede participar del comercio porque cada uno se va a especializar en el sector con menores costos relativos. El punto fundamental en el análisis de Ricardo es que si los países se especializan y comercian, obtendrán un nivel de producción y de disponibilidad de bienes mayor que si no comercian. Se fundó, de este modo, la teoría de las ventajas comparativas que tiñe hasta hoy el pensamiento convencional sobre comercio internacional.

La economía neoclásica avanzó por ese camino y postuló que los países deben especializarse según su dotación de factores. De ese modo, en un contexto de comercio libre, los recursos productivos del mundo se distribuyen de la forma más eficiente y todos los participantes en el comercio logran niveles de producción mayores que los que no participan. Los países con recursos industriales deben especializarse en la producción industrial y los que tengan recursos naturales en la explotación de los mismos, comprando los industriales al resto. Según este esquema, las barreras al comercio provocan ineficiencias en la distribución de recursos y afectan el nivel de ingresos de los países.

El país que incurre en el proteccionismo lo único que hace es evitar que la producción se concentre en los sectores que tienen mayores recursos y permitir la subsistencia de sectores que emplean recursos escasos y que, por lo tanto, tienen un nivel de productividad por debajo del nivel óptimo. Si esto sucede, el ingreso de la sociedad es menor que lo que sería si la economía se especializara.

El mensaje básico de los neoclásicos es, en suma: concéntrense en lo que tienen; no intenten desarrollar factores que no tienen, aunque sean los que corresponden a la economía moderna; si lo hacen, generarán distorsiones costosas para toda la sociedad.

Si algún país siguió el camino equivocado desarrollando industrias mediante el proteccionismo, la forma de volver a la distribución de factores y a la especialización comercial adecuada es la apertura económica. La apertura, reconocen los neoclásicos, será costosa, pero los beneficios de un aumento en la eficiencia futura serán mayores que los costos del ajuste.

La teoría del libre comercio se adecuaba perfectamente a las necesidades de los países industriales y se fortaleció en la época de auge del patrón oro y el liberalismo comercial a fines del siglo XIX.

La teoría liberal tuvo algunas contestaciones importantes ya en el siglo XIX. Alexander Hamilton, primer Secretario del Tesoro de los EE.UU. durante el gobierno de George Washington, propició una política de desarrollo industrial utilizando el proteccionismo. Sus recomendaciones fueron tomadas en cuenta y, durante todo el siglo XIX, el país mantuvo una política proteccionista y de compre nacional en varios sectores claves, defendida por granjeros e industriales.

Basándose en las ideas de Hamilton, el alemán Friederich List recomendó el proteccionismo para favorecer el desarrollo de las industrias nacientes en Alemania. Este país y Francia aplicaron políticas de ese tipo para fomentar sus manufacturas. La importancia de ese intervencionismo estatal fue tal que, según Ferrer la decadencia británica se debió en parte a que el Imperio se aferró al "dogma librecambista y a la no intervención del Estado en el funcionamiento de los mercados" mientras Alemania y

Francia le sacaban ventajas tecnológicas apelando a la intervención estatal.[35]

Mientras las potencias europeas y los EE.UU. se desarrollaban en base a la protección y promoción industrial, en la periferia dominaban las ideas y prácticas librecambistas promovidas por Gran Bretaña.

En la década del setenta del siglo XIX en la Argentina tuvo lugar un importante debate sobre política arancelaria en la que algunos visionarios como Vicente Fidel López defendieron políticas protectivas, el éxito de las exportaciones primarias consolidó el prestigio del modelo aperturista basado en la especialización agropecuaria.

El modelo aperturista entró en crisis durante la crisis de los años treinta, en los países industriales y en la periferia. En ese ambiente, Raúl Prebisch comenzó a desarrollar una visión alternativa del comercio internacional, planteando que la especialización en la exportación de bienes primarios, lejos de optimizar el ingreso como plantea la teoría ortodoxa, afecta a los países menores. Esto es porque los precios de los productos que exportan tienden a deteriorarse en relación a los productos industriales que necesitan importar para desarrollarse. Pero aun cuando los precios de los bienes primarios no se deterioran frente a los industriales, los mismos sufren fuertes variaciones que alteran los flujos de ingresos de los exportadores. La variabilidad de los ingresos se convierte en una fuente de vulnerabilidad financiera. Desde este punto de vista, Prebisch recomendaba sustituir las importaciones de bienes industriales produciéndolos internamente.

La ideología librecambista ha sido y es dominante entre las elites económicas y políticas más vinculadas con el

---

35 Aldo Ferrer, *Historia de la Globalización II*, FCE, Buenos aires, 2000, p.159.

sector agropecuario o a la producción primaria. Esto se debe a que los sectores primarios no tienen interés en sistemas de protección que encarecen sus insumos ni, generalmente, en utilizar la protección para avanzar en la industrialización de sus producciones. Tampoco puede afectarles que la moneda nacional se revalúe frente a las divisas porque, debido a su mayor productividad relativa siguen teniendo capacidad para exportar y sus insumos se abaratan.

Pero en la Argentina se produce, además, el extraño fenómeno de que muchos representantes de la industria apoyan también el sistema de economía abierta. Este contrasentido puede explicarse porque consideran que la apertura provocará una concentración beneficiosa para sus intereses, porque su suerte está más vinculada a las rentas financieras que pueden obtener en una economía liberalizada que en el mercado interno o porque ven en el libre mercado el respeto a las normas del capitalismo y a la ideología difundida por las academias y gobiernos de los países industriales.

La cultura aperturista suele encontrar también apego en la clase media, porque es asociada con una mayor facilidad de consumos importados.

Estos fenómenos ideológicos culturales sirvieron de apoyo político a sucesivas experiencias aperturistas de consecuencias desastrosas para la industria y la mayor parte de la sociedad.

La política argentina

La orientación aperturista comenzó con Martínez de Hoz, tuvo un nuevo impulso con el gobierno radical a partir de 1987 y se consolidó con el menemismo.

A partir de 1976 el gobierno militar introdujo una reducción de aranceles que, con el atraso cambiario, provocó una rápida desprotección de la economía local. En 1985, y como parte de las condiciones de una asistencia del FMI, el gobierno radical redujo la protección arancelaria. En 1989 el gobierno de Menem decidió una simplificación de estructura arancelaria y reducción de aranceles y en abril de 1991, ya con la vigencia de la convertibilidad, se practicó una nueva reforma por la cual se determinó un arancel 0 para materias primas, 11% para insumos intermedios y 22% para bienes manufacturados finales. También se eliminaron derechos específicos que regían para la industria electrónica y los textiles.

El arancel promedio cayó del 26% en octubre de 1989 al 10% en mayo de 1991. En otros términos la protección arancelaria se redujo un 60% en poco más de un año y medio, en momentos en que se avecinaban dos años de fuerte apreciación de la moneda nacional.

Como consecuencia de la apertura, durante la década del noventa la economía tuvo un balance fuertemente negativo porque, si bien las exportaciones aumentaron, las importaciones lo hicieron a un ritmo más acelerado. La apertura provocó, también, un mayor giro de divisas al exterior por pago de servicios tecnológicos y remisión de utilidades, lo que contribuyó a aumentar el déficit de cuenta corriente (saldo del comercio de bienes, más saldo de los pagos e ingresos por servicios, utilidades e intereses):

• Entre 1989 y 2000 el balance comercial fue negativo en 16.200 millones de dólares. El comercio de servicios también fue negativo, lo cual contribuyó al crecimiento del déficit de cuenta corriente, que pasó del equilibrio en 1990 a un déficit del 4% en 1994, y del 4,8% en 1998.

• La industria acumuló, a su vez, un déficit comercial de 83.300 millones de dólares entre 1992 y 2000.

Más aún, la apertura provocó modificaciones en la estructura productiva que aumentaron las necesidades de divisas de la producción y de los servicios y que, por lo tanto, hicieron al sistema de precios más vulnerable a las variaciones de tipo de cambio.

Las exportaciones

La instauración del programa de tipo de cambio fijo y apertura generó pronósticos agoreros en relación a las exportaciones y el balance comercial. Se planteó que la fijación cambiaria provocara una caída en las exportaciones al mismo tiempo que un aumento en las importaciones, con la consecuencia de un fuerte desbalance comercial.

La primera parte de ese tipo de profecías no se cumplió: debido a factores internos y externos, en una primera etapa, las exportaciones aumentaron rápidamente:

• Entre 1991 y 1997 las exportaciones aumentaron un 120%, pero luego se estancaron.

• En el primer quinquenio las exportaciones de productos primarios y de manufacturas de origen agropecuario aumentaron más de un 70% y las de manufacturas de origen industrial más de un 90%, por las exportaciones automotrices al MERCOSUR. Las exportaciones de combustibles aumentaron un 140% casi todo por aumento en los precios internacionales.

• En el segundo quinquenio las exportaciones aumentaron a un ritmo menor: un 26%. Los productos primarios crecieron 13%; las manufacturas de origen agropecuario 5%; las de origen industrial 26% y los combustibles 128%.

¿Por qué aumentaron las exportaciones a pesar de la fijación del tipo de cambio?

• Desde fines de la década de los ochenta, los precios internacionales de los bienes agropecuarios que exporta la Argentina comenzaron a crecer. El índice de precios de las exportaciones aumentó un 15% entre 1991 y 1996. Luego comenzó a caer a raíz de la baja de los precios de los *commodities* provocada por la crisis asiática.

• El sector agropecuario se benefició, también, con la eliminación de las retenciones a las exportaciones.

• El campo experimentó, además, una fuerte reconversión tecnológica basada en la incorporación de maquinaria, semillas y agroquímicos, en buena medida extranjeros. Ese proceso produjo un fuerte aumento en la productividad agrícola que se tradujo en una mayor disponibilidad de saldos exportables.[36] Pero, también generó una fuerte dependencia de los productores en relación a los proveedores externos de insumos y tecnología, los cuales son en su mayoría empresas transnacionales.

Las importaciones

Entre 1992 y 2000, las importaciones aumentaron un 70%. El mayor aumento se registró en bienes de capital y bienes intermedios, el cual se duplicó. En 2001 las importaciones estaban compuestas en un 20% por bienes de consumo y un 80% por bienes de capital, insumos e intermedios.

Entre 1990 y 2000 se compraron en el exterior bienes de capital por 175.000 millones de dólares, equivalente al 40% de las importaciones totales.

El aumento de las importaciones de capital permitió renovar equipos e instalar otros nuevos. Pero también significó el reemplazo de producción de bienes de capital local, un aumento de pagos por patentes y *royalties* en el rubro de servicios reales de la cuenta corriente y un incremento en el componente de insumos y partes importadas en la producción local.

---

36 En la década del noventa, la superficie sembrada de trigo aumentó un 18% y la cosecha un 60%; en maíz la superficie creció 65% y la producción 200%; en soja, la superficie y la producción se duplicaron.

Según informaciones empresarias, entre el 40% y el 50% de los componentes de la industria automotriz son importados. En medicamentos las drogas básicas que forman el 80% de los costos son importadas. Las empresas de la industria del juguete y el sector tecnológico se transformaron en armadurías de productos importados. La casi totalidad de la industria textil y de calzado deportivo local utiliza insumos y marcas extranjeras. Un ejemplo pintoresco de este proceso es el de la industria del chicle, que importa la goma de España, el endulzante de los EE.UU. y el papel aluminio de los paquetes de Alemania.[37]

El sector de la economía que tuvo una mayor demanda de importaciones fue el de bienes no comerciables, es decir el de servicios, y se debió a las importaciones realizadas por las empresas que se hicieron cargo de los servicios públicos.

Por otra parte, durante la década del noventa, y como un subproducto de la cultura de la extranjerización, se produjo una fuerte expansión de la utilización de franquicias de marcas externas en la industria y el comercio. Las franquicias tienen impacto sobre las importaciones porque, por contrato, los usuarios deben utilizar productos e insumos de proveedores especificados del exterior.

Los cambios en el envasamiento también aportaron lo suyo porque los envases utilizados, en su mayor parte son importados o fabricados con insumos extranjeros.

La construcción, finalmente, experimentó un fuerte cambio tecnológico que permitió reducir costos y tiempos. Pero las maquinarias y herramientas incorporadas son importadas y, en muchos casos, no existen repuestos nacionales.

En consecuencia, el tradicional déficit comercial de la industria se incrementó.

---

37 Diario *La Nación*, 13-1-02.

Déficit comercial de la industria

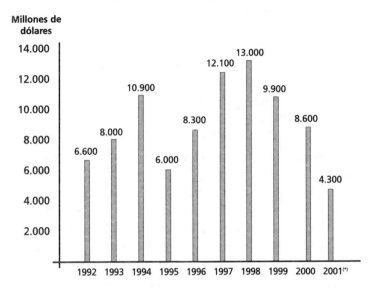

Millones de
dólares

(*) Primeros once meses

Fuente: FIDE

Déficit en servicios

Además de la importación de bienes, la apertura fomentó la importación de servicios, rubro que es más deficitario que el de bienes: entre 1992 y 2000 hubo un déficit en el comercio de bienes de 7.200 millones de dólares y un déficit en el comercio de servicios reales de 33.800 millones de dólares.

Esto se debió al aumento en los pagos de fletes de mercaderías por el gran aumento de las importaciones y la desnacionalización del transporte naviero nacional. Como consecuencia de la extranjerización aumentaron también los pagos por regalías, o pagos por tecnología y marcas y servicios profesionales y técnicos, que sumaron 7.000 millones de dólares.

El abaratamiento del dólar promovió el turismo externo, provocando un gran gasto de divisas: el gasto en pasajes y viajes al exterior fue de 41.000 millones, sin contar lo que se gastó en compras.[38] Para tener una idea de la magnitud de esta cifra: es superior al ingreso de capitales del sector privado durante todo el período, casi seis veces el déficit comercial del período y el 83% de los intereses pagados por el Gobierno nacional.

¿Dónde se vende?

El MERCOSUR se convirtió, en los años noventa, en el principal destino de las exportaciones argentinas, absorbiendo casi un 30% del total.

La actitud de los gobiernos argentinos ante el MERCOSUR durante la década del noventa y hasta fines de 2001, estuvo signada por una fuerte ambigüedad y numerosas idas y venidas. Los gobiernos mantuvieron formalmente el trato de integración, pero, al mismo tiempo no ocultaban el fuerte atractivo que ejercía la incorporación a un sistema de liberalización comercial continental (ALCA) o incluso con los EE.UU.

Sin embargo el país tenía mayores ventajas comerciales con el MERCOSUR que con cualquier otra área comercial: en los años noventa la Argentina tuvo superávit comercial con el MERCOSUR, al mismo tiempo que pasó del superávit al déficit con los EE.UU. y profundizó su déficit con Europa.

• Hasta 1993 el comercio con los países del MERCOSUR era generalmente negativo. En 1989 y 1990 fue positivo; en 1991 y 1992 volvió a ser negativo; luego fuertemente

---

38 Claudio Lozano y Martín Shorr, "Estado Nacional, gasto público y deuda externa", Instituto de Estudio y Formación de la CTA, Julio, 2001.

positivo en todos los años inclusive en 1999, año de la devaluación brasileña. En el total del período 1991-2000 el comercio con el MERCOSUR fue superavitario en 8.300 millones de dólares.

• A partir de la apertura el saldo tradicionalmente deficitario del comercio con EE.UU. se agrandó. En los mismos años el déficit de comercio con el NAFTA fue de 27.400 millones.

• El comercio con la Unión Europea pasó de superavitario hasta 1992 a deficitario de ahí en adelante. Entre 1999 y 2000 el déficit sumó 16.000 millones de dólares.

¿Qué se vende?

Las exportaciones de la Argentina estuvieron, históricamente, concentradas en productos de baja elaboración. Pero, durante la convertibilidad, las ventas externas de productos industriales crecieron más que las de productos primarios.

• En 1992 las exportaciones de productos primarios eran el 29% del total y en 2001 el 23%.

• Las manufacturas de origen agropecuario fueron reduciendo su participación desde el 39% al 28%.

• Las de origen industrial aumentaron del 23% al 31% entre 1992 y 1997 y allí quedaron.

• Por el contrario, las de combustibles incrementaron paulatinamente su participación desde el 9% en 1992 al 18% en 2001.

Un primer análisis podría concluir que el perfil exportador mejoró porque perdieron posiciones las ventas de productos primarios (compuestas fundamentalmente por granos y combustibles, aunque la pesca tuvo un importante crecimiento durante la década) y cayeron también las manufacturas de esos productos mientras aumentaron las ventas de manufacturas de origen industrial.

Sin embargo el análisis de las exportaciones de origen industrial muestra que gran parte de esas ventas se deben a las exportaciones del sector automotriz al MERCOSUR.

El comercio con el MERCOSUR tiene un componente industrial mayor que el comercio general. El 48% de las exportaciones a ese mercado son de manufacturas de origen industrial; 22% de combustible; el 17% de productos primarios y 13% de manufacturas de origen agropecuario.

Desde el punto de vista de la teoría librecambista oficial esto contradice las recomendaciones neoliberales, porque las exportaciones de automotores se lograron no por el reinado del libre comercio sino por un régimen comercial especial acordado con Brasil que protege al sector. Sin ese régimen el sector no hubiera soportado la competencia brasileña ni mucho menos, hubiera sido capaz de exportar en la medida que lo hizo. De todos modos este régimen permitió, también, que el sector aumentara la proporción de componentes importados, con lo cual, al mismo tiempo que aumentó las exportaciones, incrementó las importaciones de insumos y autopartes.

No obstante, hay que hacer dos puntualizaciones: mientras las exportaciones hacia el Brasil son de bajo componente de empleo, se importan productos cuya producción requiere mayor mano de obra. Por otra parte, Argentina exporta al Brasil productos que, en general, no son sustitutivos de la producción de ese país, al mismo tiempo que importa bienes que sí son sustitutivos de la producción local.

En rigor las exportaciones industriales de los noventa siguen la senda abierta con anterioridad. A mediados de los setenta y años posteriores se produjo un dinamismo de las exportaciones industriales pero cada vez más concentradas en industrias basadas en la utilización intensiva de recursos naturales y energía y de alto nivel de utilización de capital y tecnología y baja utilización relativa de mano de obra. Se trataba de exportaciones diferentes de las típicas del período de sustitución de importaciones.[39]

Refiriéndose a la especialización en industrias de baja intensidad laboral, Bekerman y Sirlin sostienen que "este comportamiento puede estar relacionado, por un lado, con la complementariedad tecnológica entre la explotación de los recursos naturales y la utilización de capital".[40] Ese fenómeno puede estar también vinculado al desarrollo de las industrias de insumos básicos en las que predominaron plantas intensivas de capital, desarrollo que tuvo lugar en las décadas del setenta y del ochenta gracias a elevados subsidios estatales.

Por otra parte la industria, si bien aumentó sus ventas tuvo, en los años de referencia, un fuerte déficit comercial. El principal déficit comercial de la industria se encuentra en productos de industrias químicas y conexas, plástico, caucho, manufacturas textiles, calzado, máquinas, aparatos y material eléctrico, metales comunes y sus manufacturas y material de transporte (esto último a pesar de exportaciones automotrices).

Las grandes firmas tienen un saldo comercial positivo, a contramano del resultado que logran las firmas más chicas y el conjunto de la economía. Mientras las grandes firmas concentran exportaciones, las más chicas soportan en mayor medida el peso de la competencia importada.[41]

---

39 Roberto Bisang y Bernardo Kosacoff, "Las exportaciones industriales en una economía en transición: las sorpresas del caso argentino", en *El desafío de la competitividad*, B. Kosacoff y otros, CEPAL/Alianza, Buenos Aires, 1993.

40 Marta Bekerman y Pablo Sirlin, "Efectos del proceso de apertura y de integración sobre el patrón de especialización de la economía argentina", CENES/FCE/UBA, Documento de Trabajo, N°4, 1996.

41 Adrián Ramos, "Evolución del comercio exterior de la industria manufacturera argentina: de la economía semicerrada a la apertura comercial (1974-1997)", en *El desempeño industrial argentino*, Bernardo Kosakoff, editor, CEPAL, Buenos Aires, 2000.

Una parte importante del dinamismo exportador de la década del noventa se explica por las exportaciones de petróleo, favorecidas por la liberalización del comercio petrolero primero y por la privatización de YPF más tarde. El incremento en las exportaciones de petróleo sin procesar aporta divisas e impuestos pero tiene un escaso efecto sobre el dinamismo de la economía porque genera pocos puestos de trabajo y demandas de bienes o tecnología. Por el contrario, la reestructuración y posterior venta de YPF generó miles de desempleados y empobrecimiento de zonas de baja productividad petrolera que fueron relegadas. El caso del petróleo es, por eso mismo, el mejor ejemplo de que las exportaciones pueden no ser, por sí mismas, una contribución al crecimiento y el aumento del bienestar social.

En resumen, como plantean Bekerman y Sirlin, "las principales fuentes de ventaja desarrolladas por la Argentina se vinculan con los factores heredados: sus recursos naturales. El factor aprendizaje y la capacidad tecnológica tienen una participación mucho menor como determinantes de la competitividad".[42]

Debilidad en las negociaciones

Además de la exposición que implicó la combinación de apertura importadora indiscriminada y atraso cambiario, los gobiernos no tuvieron políticas adecuadas de negociación con sus contrapartidas comerciales ni aprovecharon todas las oportunidades que les proporciona la legislación comercial internacional.

Un miembro de la cancillería y un economista, ambos especializados en negociaciones comerciales explican el problema en estos términos: "Desde fines de la década del

---

42 Bekerman y Sirlin, op. cit.

ochenta, la Argentina ha seguido una política de liberalización comercial autónoma y generalizada, que incluye la participación en el proceso de integración regional del MERCOSUR y una activa actuación en el sistema multilateral de comercio. Por curso autónomo debe entenderse que la política comercial no ha estado condicionada a la reciprocidad que la Argentina podría haber obtenido si hubiera esperado negociar esta apertura en la Ronda Uruguay –o bilateralmente– con algún socio comercial importante. En rigor, cabe recordar que urgencias asociadas a las políticas internas en el fragor de diversos intentos de transformación de la estructura protectiva nunca permitieron a nuestro país, a lo largo de los últimos treinta años, supeditar los sucesivos procesos de reducción arancelaria a las negociaciones multilaterales y, por ende, beneficiarse de un balance de concesiones recíprocas". "Lamentablemente –continúan los autores– la experiencia argentina parece indicar –desde larga data– que las urgencias orientadas a satisfacer objetivos de política económica de naturaleza endógena han primado sobre la plena utilización de los mecanismos de política comercial en las instancias de negociación internacional, impidiendo así obtener oportunamente un balance más favorable en materia de concesiones mutuas."[43]

Los expertos señalan, además, que las normas internacionales de la OMC, a las que adhiere la Argentina, impiden la aplicación de subsidios directos pero dejan lugar a políticas indirectas para promover la capacidad exportadora. En este orden se encuentran las políticas de fomento tecnológico, asistencia comercial o financiamiento. Pero el

43 Eduardo Ablin y Jorge Lucángeli, "La política comercial argentina: evolución reciente y limitaciones de los instrumentos futuros", *Boletín Informativo Techint*, N°304, Octubre-Diciembre, 2000, p. 93.

modelo neoliberal no admite este tipo de instrumentos. En este contexto, los ganadores son los sectores que trabajan con recursos abundantes y baratos y, dentro de ellos, las empresas más grandes.

La competitividad ausente

En las últimas décadas ha tenido lugar una importante discusión teórica y numerosas experiencias prácticas sobre el tema de la competitividad, cuyas conclusiones contradicen los postulados basados en las teorías ortodoxas de comercio exterior.

Retomando el tema planteado antes, la ortodoxia resume el problema de la competitividad y la especialización en base a los factores más abundantes. Para lograr ese objetivo es indispensable abrir el comercio y remover las trabas institucionales que se oponen a la desaparición de actividades no competitivas y a la adecuación de los precios internos a las realidades del mercado internacional. En este último sentido se orientan los continuos llamados a flexibilizar el régimen laboral con el propósito de reducir el costo laboral en términos de dólares realizados por el liberalismo durante la época de la convertibilidad.

La teoría comercial, basada en el análisis de casos, ha encontrado, por el contrario, que la capacidad de una economía para competir se basa en factores mucho más complejos cuyo desarrollo no depende sólo de las fuerzas del mercado sino también de aportes institucionales públicos y privados. Esto tanto en la periferia como en el centro.

Un primer elemento de este tipo de análisis es que las líneas más dinámicas del comercio internacional son las de productos y servicios con mayor componente tecnológico y de conocimiento.

A medida que aumenta el número de sectores intensivos en conocimiento, sostiene Michael Porter, la importancia del costo de los factores se debilita al mismo tiempo que aumenta la importancia de la innovación y el conocimiento. Esto incluso para los sectores tradicionales, como el acero o los automóviles, donde la utilización de conocimiento en el diseño, la producción, o la comercialización es una parte creciente del producto.[44]

Los productos complejos, sean industriales o agropecuarios o servicios, no aparecen "naturalmente" sino que generalmente son el producto de la conjunción de esfuerzos públicos y privados o de esfuerzos privados apoyados por el sector público en forma directa o indirecta. Esto no implica la reiteración de las políticas del viejo proteccionismo ni del reparto de subsidios indiscriminados que permiten a algunos sectores privilegiados obtener rentas y evitar la innovación, sino al desarrollo de políticas de desarrollo tecnológico, de apoyo a la apertura de nuevos mercados o de financiación de las exportaciones.

Laura D'Andrea Tyson funcionaria de la administración Clinton sostuvo en un libro sobre desarrollo y comercio de alta tecnología, que "los factores de producción se heredan mientras que las capacidades tecnológicas en las que se basan las ventajas competitivas, son creadas. Así lo indica la experiencia de muchos países desarrollados y con aspiraciones a serlo, especialmente en el caso de las industrias basadas en alta tecnología, que componen las franjas más dinámicas del comercio internacional, en los que la ventaja comparativa "es creada con la ayuda de la frecuentemente pesada y visible mano de la acción gubernamental".[45]

---

44 Michael Porter, *La ventaja competitiva de las naciones*, Javier Vergara, Buenos Aires, 1991.

45 Laura D´Andrea Tyson, *Trade Conflict in High-Technology Industries*, IIE, Washington, 1992, p. 253.

Una de las funciones del Estado en la economía moderna y en especial en el desarrollo de competitividad es, también, estimular y canalizar la iniciativa privada. Se trata de romper la alternativa entre falta de políticas públicas o políticas que proporcionan subsidios sin exigir el cumplimiento de objetivos de producción, exportación o empleo. El objetivo de las políticas debería ser estimular actitudes competitivas en el sector empresario, castigando las conductas rentísticas y parasitarias y premiando las innovadoras.

Se trata de una cuestión fundamental ya que, como opina crudamente un sociólogo francés estudioso de Latinoamérica, en la Argentina "existen muy pocos sectores que se interesan en la competitividad. Los patrones argentinos están acostumbrados a ganar beneficios en los pasillos de la Casa Rosada".[46]

El nuevo pensamiento

Las nuevas corrientes heterodoxas valorizan la importancia de industrializar las exportaciones y la influencia del patrón de especialización exportador en el desarrollo.

Según estos puntos de vista, la especialización comercial en bienes de menor grado de elaboración o con altos porcentajes de insumos o partes importadas, tiene un menor impacto que la especialización en bienes industriales sobre la creación de puestos de trabajo calificados, creación interna de redes productivas y de tecnología.[47]

Siguiendo diferentes modelos de comercio de raíz neoclásica pero que incorporan elementos más cercanos a la realidad de los intercambios internacionales, Dani Rodrik

---

46 Alain Touraine, diario *Página/12*, 21-1-2002.

47 Marta Bekerman y Pablo Sirlin, *Nuevos enfoques sobre política comercial y sus implicancias para los países periféricos*, en Desarrollo Económico, N°134, Julio-Septiembre, 1994.

encuentra que cuanto mayores sean las diferencias de tamaño y de productividad, más probable resulta que las consecuencias del comercio sean diferentes para cada país. En esta línea, en un país en el cual la agricultura tiene una productividad mayor que la industria, la protección de la economía ofrece más posibilidades de desarrollo de los sectores con menores ventajas, como la industria. Por el contrario, si ese país liberaliza su comercio, la economía tenderá a concentrarse en la agricultura en detrimento de los sectores más modernos. Por eso Rodrik concluye que "los que cuentan con una ventaja comparativa en materia agraria deberían inquietarse por la posibilidad de que sus manufacturas sean excluidas si confían excesivamente en el comercio internacional".[48]

En estas condiciones los países más atrasados tienen una alternativa: abrir sus economías en esquemas de integración regional con países similares, lo cual elimina el peligro de la vinculación sin protección con economías más grandes y productivas y se amplía el espacio sobre el cual pueden desarrollarse las actividades con menor productividad relativa como la industria. Tal sería el caso de los esquemas de integración del MERCOSUR o latinoamericanos en general. Pero no es el caso del ALCA, donde los países a integrarse tienen enormes diferencias de tamaño y productividad. A lo que habría que agregar un elemento no incluido en los modelos de raíz neoclásica, como es la diferencia de poder en las negociaciones comerciales.

---

48 Dani Rodrik, "Política comercial e industrial en los países en desarrollo: una revisión de las teorías y datos recientes", en *Desarrollo Económico,* N°138, Julio-Setiembre, 1995, p. 205.

El ejemplo externo

La actitud permisiva del neoliberalismo argentino contrasta no sólo con el pensamiento más moderno sino también con la actitud proteccionista de los supuestos neoliberales del mundo industrial:

• Desde el inicio de la crisis asiática los países de la OCDE aumentaron el apoyo a la agricultura un 10%. El apoyo a los productores pasó de representar el 31% del valor facturado por los mismos en 1997 al 40% en 1999.

• Entre 1997 y 1999 la ayuda a los productores en relación al valor de producción aumentó del 14% al 24% en los EE.UU., del 38% al 49% en la UE y del 57% al 65% en Japón.

• La soja, principal producto de exportación agrícola argentino, se benefició con el mayor crecimiento de subsidios.[49]

• Las subvenciones contribuyeron a mantener elevada la producción y a deprimir los precios en el mercado mundial. Si los precios agrícolas de 1999 hubieran sido similares a los de 1990/1994, ese año la Argentina hubiera recibido 1.400 millones de dólares más por sus exportaciones agrícolas.

Los obstáculos que enfrentan los subdesarrollados no se limitan al agro:

Según el Banco Mundial las manufacturas que los países en desarrollo exportan a los desarrollados enfrentan una protección arancelaria cuatro veces superior a la que rige para las manufacturas originadas dentro del mundo desarrollado.

A su vez, los aranceles a los productos agrícolas de los subdesarrollados son cinco veces superiores a los aranceles

---

49 OECD, *Agricultural Policies in OECD Countries. Monitoring and Evaluation 2000.*

impuestos a las manufacturas de esos países, las cuales son poco o nada competitivos en los mercados del mundo industrial.[50]

Ningún análisis de comportamiento exportador o competitividad puede obviar la experiencia asiática de la segunda mitad del siglo pasado.

Los aparatos de difusión ideológica del centro y la periferia, durante muchos años presentaron a los países asiáticos de rápido crecimiento como Corea o Taiwán, como ejemplos del librecambio y la economía de mercado. Sin embargo, a medida que las experiencias fueron examinadas de cerca, se vio que esos países estaban utilizando una enorme variedad de instrumentos de protección y promoción industrial, además de regulaciones a los flujos de capitales y a los mercados financieros. De este modo no hacían sino seguir la experiencia japonesa, el líder de lo que se dio en llamar la "formación de los gansos en vuelo".

Los asiáticos apelaron a controles de importaciones, aranceles diferenciales y cuotas políticas impositivas de penalización del consumo.

El aumento de los costos de bienes importados debidos a la protección se compensó con políticas de promoción de exportaciones, créditos, exención de tarifas de importación, zonas de promoción de exportaciones y apoyo institucional de desarrollo tecnológico y educativo financiado por el Estado. También se preocuparon por el desarrollo de una burocracia eficiente.[51]

---

50 *World Development*, World Bank, Report 2000/2001, Washington, 2001.

51 Sobre este tema ver Julio Sevares, "El crecimiento de Corea ¿milagro liberal?", en *El Bimestre*, CISEA, Diciembre, 1989; Marta Bekerman, Pablo Sirlin y María Luisa Streb, "Política económica en experiencias de Asia", Documento de Trabajo, N°5, Abril 1995, CENES/FCE/UBA.

Un completo informe del Banco Mundial sintetiza las políticas de los exitosos asiáticos. "En cada uno de los países, resume el trabajo, el Gobierno intervino para fomentar el desarrollo a menudo en forma sistemática y a través de canales múltiples. Las intervenciones de política adoptaron muchas formas: créditos subvencionados y orientados específicamente a industrias seleccionadas; bajos tipos de interés sobre los depósitos y límites máximos para los tipos de interés sobre los empréstitos a fin de aumentar las ganancias y las utilidades no distribuidas; protección de los sustitutos internos de las importaciones; subsidios a las industrias en decadencia; establecimiento de bancos estatales y apoyo financiero a los mismos; inversiones públicas en investigaciones aplicadas; fijación de metas de exportación para empresas e industrias específicas; creación de organismos de comercialización de las exportaciones y amplio intercambio de información entre los sectores público y privado".[52]

Los instrumentos utilizados en los países asiáticos que desarrollaron su industria y sus exportaciones, señala Rodrik, no difieren mucho de los aplicados en Latinoamérica, pero en Asia se dieron algunas condiciones diferentes como la estabilidad económica y un estado fuerte disciplinador del sector privado, no sólo de la mano de obra sino también de los empresarios.[53]

---

[52] Banco Mundial, "El milagro de Asia Oriental" (resumen), Banco Mundial, Washington, 1993, p.6.

[53] Dani Rodrik, op. cit.

CAPÍTULO 5

La liberalización financiera

En 1977 la Argentina se lanzó, sin salvavidas, al agitado mar de la globalización financiera antes que la mayoría de los países periféricos.

La primera apertura generó una fiesta de especulación, endeudamiento y huida de capitales. La apuesta fue reforzada por el plan Menem-Cavallo, que redujo los requisitos a la entrada y salida de capitales de corto y largo plazo y favoreció la concentración y desnacionalización del sistema financiero. En uno y otro caso, la apertura fue potenciada por un tipo de cambio fijo que otorgaba un seguro de cambio implícito para los operadores.

La teoría ortodoxa

¿Cuál es el objetivo de una apertura financiera? Según la teoría económica y financiera convencional, los mercados financieros cerrados y regulados sufren de "represión financiera". La "represión" implica tasas de interés reguladas y bajas, lo cual desestimula el ahorro interno y el ingreso de inversiones de cartera –de corto plazo– del exterior. Como el sistema financiero recibe pocos depósitos tiene, también, poca capacidad de préstamo, lo cual restringe las actividades económicas y el consumo. Por otra parte, las restricciones al funcionamiento de las actividades de las entidades financieras aumentan sus costos operativos, los cuales se trasladan, a su vez, a los demandantes de créditos.

La ortodoxia sostiene que para las economías subdesarrolladas existe un problema adicional. Estas economías tienen, por una parte, enormes necesidades de capital para desarrollar sus fuerzas potenciales, pero tienen escasa capacidad de generación de ahorro interno. Si el sistema financiero está cerrado y "reprimido", no puede atraer fondos del exterior y la economía se debate en la escasez de capital.

Se plantea, finalmente que, cuando el sistema financiero privado es reducido, la función crediticia es asumida, por vocación o necesidad, por el Estado. Y según el pensamiento ortodoxo, la intervención estatal en la distribución de crédito sólo contribuye a crear distorsiones en la asignación de recursos, clientelismo político y corrupción.

Las restricciones de crédito y las distorsiones del estatismo financiero se combaten, según la ortodoxia, con la apertura y desregulación. De ese modo, la posibilidad de ofrecer intereses atractivos a los ahorristas e inversores aumenta la capacidad crediticia del sistema. Paralelamente, la expansión de los intermediarios financieros reduce los costos operativos mientras la competencia entre ellos baja el precio del dinero ofrecido al mercado. Además, la posibilidad de ingresar fondos del exterior compensa la falta de ahorro interno y abre las puertas a la eficiencia y la modernización.

Se supone, también, que la apertura financiera tiene la virtud de disciplinar al sector privado y al público en el camino del equilibrio y la eficiencia. En un mercado financiero abierto, los agentes económicos privados se ven obligados a seguir conductas más racionales ya que se mueven bajo la amenaza de perder financiamiento. En un mercado abierto y desregulado no existe la posibilidad de conseguir crédito en cualquier condición amparándose en los favores de la burocracia estatal. Por el contrario, el sistema financiero evalúa los proyectos empresarios y elige los mejores garantizando una buena asignación de recursos crediticios o, en otros términos, del ahorro de la sociedad. El desarrollo y liberalización de los mercados financieros permiten, además, diversificar las inversiones y reducir el riesgo empresario.

Cuando los sistemas financieros son libres, el Estado, por su parte, se ve obligado a mantener el equilibrio fiscal ya que, de otro modo, sufre una penalización en la forma de aumento en el costo de financiamiento o retiro de la oferta de crédito. Este sistema equilibrador es contrarrestado cuando existen sistemas de rescate que permiten que los gobiernos gastadores o los prestamistas irresponsables puedan no sentirse amenazados por las penalizaciones del mercado.

La globalización en general y la financiera en particular, son consideradas, en suma, como fuerzas de disciplinamiento de los mercados y los estados y, por lo tanto, como resguardos de los equilibrios macroeconómicos y fiscales.

Dani Rodrik cita al ex-director del FMI, Michael Camdessus, cuando dice: "La globalización torna esencial que todos los países se aseguren de adoptar políticas sólidas y los obliga a cuidarse de los cambios, a veces muy abruptos, que se produzcan en el mundo externo". Rodrik disiente de estas afirmaciones y afirma que "no es difícil percibir que la disciplina del mercado externo subvierte la democracia y que, en esa medida, torna más complicado el manejo de la economía nacional. Lo que se suele denominar 'Disciplina de mercado' no es una fuerza política neutral: ella otorga a los mercados financieros –tanto nacionales como extranjeros– mayor poder que a otros grupos sociales, y por ende podría estar al servicio de las necesidades de determinados grupos a expensas de otros". Rodrik no encuentra pruebas de que la liberalización de la cuenta capital aporte los beneficios que se proclaman y "en ausencia de tales pruebas, considera, se corre el riesgo de que la canonización de la movilidad del capital sea percibida como un esfuerzo mercantilista por fomentar los negocios de la elite financiera de Estados Unidos y de Europa". Más aún "una forma apropiada de caracterizar la disciplina que ejerce el mercado, sostiene, es decir que siempre llega demasiado tarde y, cuando llega, siempre es demasiada".[54]

Es interesante observar como, en la experiencia Argentina, así como en otras latinoamericanas, los postulados de la ortodoxia financiera no se cumplieron. Más aún la apertura financiera contribuyó decisivamente a la generación de burbujas, crisis, concentración del sistema y, una vez entrado el siglo XXI, al colapso de la convertibilidad.

La vanguardia argentina

En la segunda mitad de los años setenta los países centrales abandonaron el sistema de tipo de cambio fijo e iniciaron un proceso de liberalización de los flujos de capital de corto plazo. En los años ochenta comenzó la desregulación de los sistemas financieros nacionales, lo que fue conformando un mercado de dinero globalizado y caracterizado por la volatilidad de los flujos de capital y las crisis recurrentes.

---

54 Dani Rodrik, "Gobernar la economía global: ¿Un único estilo arquitectónico adecuado para todos?", en *Desarrollo Económico,* N°157, Abril-Junio 2000, pp.18 y 19.

La Argentina fue pionera en la causa de dar libertad al dinero. El proceso de liberalización financiera argentina comenzó en 1977 con la Reforma Financiera y la apertura al capital externo, aún del más corto plazo. El Gobierno desmontó las regulaciones que permitían orientar el crédito bancario según sectores y regiones y regular tasas de interés, y estableció un sistema en el cual las entidades financieras tomaban y colocaban dinero libremente. Dispuso, también un seguro para los depositantes y un sistema de remuneraciones para compensar a las entidades por los encajes que debían guardar.

El hecho de que los depósitos estuvieran garantizados permitió la apertura de centenares de pequeñas financieras que podían atraer dinero del público ofreciendo tasas elevadas. Algunos bancos locales tuvieron un enorme crecimiento e, incluso, abrieron sucursales en el exterior.

La reforma aumentó los depósitos del sistema financiero, pero con plazos de imposición muy cortos y con tasas elevadas.

El establecimiento de un seguro de cambio a partir de 1978 creó una rueda de ingreso de capitales que se depositaban en los bancos y financieras locales a tasas elevadas y plazos reducidos.

Debido a que el tipo de cambio pautado no redujo la inflación, se produjo un atraso cambiario que generó una creciente desconfianza en los inversores. Esa desconfianza se tradujo en tasas de interés cada vez mayores.

Como consecuencia de los problemas en la economía real y de las aventuras especulativas, en los ochenta cayeron varios bancos importantes. La serie fue abierta en 1980 por la quiebra fraudulenta del Banco de Intercambio Regional, el principal banco privado nacional. La devaluación de 1981 agravó el cuadro que provocó el colapso de centenares de entidades y la salida de capital.

A pesar de la crisis, la apertura financiera y la desregulación del sistema financiero se mantuvieron, inclusive luego de la vuelta de la democracia.

Esto demostró que la liberalización financiera era una batalla ganada para el *establishment* porque inclusive los partidos de tradición popular estaban dispuestos a aceptar ese resultado.

A partir de 1991 la apertura se consolidó e, incluso, se profundizó con una mayor permisividad al ingreso de bancos extranjeros, lo cual promovió la concentración y extranjerización del sistema.

La baja de la inflación y el establecimiento de un nuevo seguro de cambio con la convertibilidad, estimuló la vuelta de los depósitos al sistema financiero y el aumento de su capacidad prestable. En la década del noventa los préstamos bancarios se multiplicaron por cinco. Casi el 90% de los créditos se otorgaron al sector privado no financiero y el 63% en dólares.

A lo largo de la convertibilidad la tasa de interés interna experimentó varios vaivenes. Tendió a descender en los primeros años de aumento de la oferta de crédito e ingreso de capitales; aumentó con la crisis del tequila y ya casi no volvió a bajar; volvió a repuntar con la crisis asiática y continuó elevada a pesar de las sucesivas reducciones de la tasa de interés internacional, estimuladas por la Reserva Federal de los EE.UU.

Un factor que contribuyó a mantener elevadas las tasas de interés fue la creciente concentración del sistema financiero, que fortaleció el poder de los bancos para fijar elevados *spreads*, o diferencia entre las tasas que pagan a los ahorristas y la que cobran a los prestatarios. Los costos operativos y márgenes netos del sector financiero local en el período 1995-1996, fueron mayores que en Chile y México y similares a los de Brasil pero el doble o más de los existentes en los países industriales y en algunos asiáticos.[55]

Discriminación de la PyMEs

La apertura no solucionó el problema de financiamiento de las empresas más chicas, lo cual es importante porque existen unas 900.000 PyMEs y microempresas que emplean 2,5 millones de personas.

La tasa de interés fue muy discriminatoria de las empresas de menor tamaño, que, a diferencia de las empresas grandes, no tienen acceso al crédito externo más barato o no pueden emitir títulos de la deuda (Obligaciones Negociables) en el mercado local. Aún en los períodos de expansión, alejados de crisis como el tequila o la asiática, y antes de la crisis de la convertibilidad, las PyMEs debían pagar tasas superiores al 30% anual, más del doble que las grandes empresas. Muchas firmas chicas no tuvieron, siquiera, acceso al financiamiento de mediano y largo plazo.

Una de las razones del diferencial que debieron pagar las empresas menores es la concentración del sistema bancario. Los bancos privados grandes están más orientados hacia los negocios de mayor envergadura o el otorgamiento de créditos estandarizados como los hipotecarios. Los bancos extranjeros tienen, a su vez, relaciones más estrechas y mayor confianza en las empresas multinacionales. Para estos bancos resulta más rentable concentrar sus créditos en una franja reducida de grandes empresas antes que disponer de un sistema de evaluación de proyectos y de riesgos para una multitud de pequeños empresarios.

---

55 José María Fanelli, "Liberalización financiera y cuenta de capital: observaciones sobre la experiencia de los países en desarrollo", en *Desarrollo Económico*, N°149, Abril-Junio 1998.

Para reducir los peligros emergentes de las imperfecciones de mercado y ofrecer créditos a las PyMEs y a las inversiones de riesgo los bancos deberían montar equipos de evaluación de proyectos y asumir los riesgos y costos correspondientes. Por eso para los bancos es racional, desde el punto de vista microeconómico, concentrar su cartera de crédito en prestatarios seguros o evaluables con métodos estandarizados.

Los bancos pueden seguir esta conducta porque prácticamente no existen alternativas de financiamiento: la bolsa de valores es un mercado chico y volátil que no funciona más como patio de especulación que como proveedor de capital para las empresas y las de menor tamaño no tienen la posibilidad de tomar crédito en el exterior.

En 1998, la tercera parte de los créditos otorgados por el sistema, fueron superiores a 10 millones de pesos. En base a datos del Banco Central, Blejer y Rozenwurcel estiman que, en 1998, el financiamiento a PyMEs alcanzaba a sólo el 20% del sistema.[56]

Las únicas entidades que, en alguna medida contrarrestan esta tendencia, son los bancos oficiales. En el segmento de préstamos de montos chicos y medianos, los mayores prestamistas del segmento fueron los bancos cooperativos, seguidos por los bancos públicos y los privados nacionales. Los bancos extranjeros están más concentrados en los préstamos de mayor monto. Por eso, la venta de bancos oficiales provinciales, el cierre o la absorción de bancos privados chicos y la concentración y

---

56 Leonardo Blejer y Guillermo Rozenwurcel, "Financiamiento a las PyMEs y cambio estructural en la Argentina", en *Desarrollo Económico*, N°157, Abril-Junio 2000.

extranjerización de la banca, se coaligaron para crear una penuria crediticia para las PyMEs contribuyendo a la concentración económica y la desocupación.

Este cuadro sólo puede ser contrarrestado con políticas de fomento crediticio, canalizadas a través de bancos oficiales o privados. Ese rol lo cumplen los organismos públicos de financiamiento de PyMEs o de consumo en casi todos los países, centrales y periféricos. Instituciones de este tipo tuvieron un papel decisivo en las experiencias de rápido desarrollo.

Otras experiencias

Como en tantas otras malas experiencias, la Argentina no estuvo sola en la liberalización financiera. En las décadas del ochenta y el noventa varios países latinoamericanos lanzaron programas de esa naturaleza con el argumento de que contribuiría a mejorar el ahorro interno. Pero las consecuencias no fueron las proclamadas.

Una investigación de José María Fanelli sobre la liberalización financiera en América Latina concluye que, en muchos países que lanzaron programas de liberalización, el ahorro interno no sólo no creció sino que cayó.[57]

El ahorro interno privado se forma por los beneficios de las empresas y los ahorros de los particulares. Los aumentos en las tasas de interés pueden atraer dinero hacia el sistema financiero y, en consecuencia, aumentar la disponibilidad de crédito. Pero también aumentan los costos de las empresas y reducen sus beneficios y afectan las economías de los particulares. Paralelamente, no está claro si los beneficiados por el aumento en los costos financieros tienen una gran disposición al ahorro.

---

57 José María Fanelli, op. cit.

Por otra parte, en determinadas condiciones, el desarrollo de los sistemas financieros y del crédito no necesariamente promueven la inversión sino el consumo y la reducción del ahorro. "La Argentina y México, observa Fanelli, son ejemplos de *booms* de consumo producidos por el aflojamiento de la restricción del crédito que afecta a los consumidores."[58]

Otra investigación, realizada sobre una serie de países latinoamericanos que abrieron y liberalizaron sus sistemas financieros, también encuentra que los supuestos ortodoxos no se cumplieron. Según la misma, el ahorro interno del sector privado era, en los primeros años de la década del noventa, menor que el de la década del setenta, los años de regulación y estatismo.[59]

Así sucedió en la Argentina: en 1995 el ahorro nacional bruto llegó al 16% del PBI, uno de sus puntos más altos. En 1999 el ahorro había caído al 13,5% y en 2001, al 12% del PBI.[60]

Pérdida de capitales

La organización económica basada en la obtención de rentas y en la especulación estimula tanto el ingreso de capitales aventureros como la salida de capitales ajenos y propios. La apertura financiera facilitó ese tipo de funcionamiento con resultados costosos.

Entre el inicio de la convertibilidad y hasta 1994 el país tuvo un fuerte ingreso de capitales y una salida muy escasa. Esto se debió a que el mercado todavía resultaba atractivo

---

58 Idem, p. 344.

59 Xosé Carlos Arias, "Reformas financieras en América Latina, 1990-1998", en *Desarrollo Económico*, N°155, Octubre-diciembre 1999.

60 Consultora Econométrica, en *El Cronista Comercial*, 7-9-2001.

por el auge de la economía, que duró, precisamente, hasta los últimos tramos de ese año. Pero, a partir de 1995 la salida de capitales creció continuamente.

• Según estimaciones del Ministerio de Economía, entre 1992 y 1998, salieron del país 45.600 millones de dólares y según estimaciones de Basualdo y Kulfas, 52.400 millones.[61]

• En 1975, los capitales argentinos en el exterior eran de sólo 5.500 millones de dólares. En 1998 llegaban a 99.200 millones de dólares según estimaciones oficiales y a 92.300 según los autores citados. Al fin de ese año la deuda externa del sector privado era de 83.000 millones de dólares. Es decir, según la estimación oficial, la más baja, los capitales residentes en el exterior en 1998 equivalían al 90% de la deuda externa privada.

• La mayor parte del capital que salió del país fue del sector privado no financiero (del 83% al 92% del total según el año), mientras el sector privado financiero es el que más rápidamente expandió sus colocaciones afuera.

Hasta que los financistas del exterior confiaron en la continuidad de la convertibilidad y en la solvencia argentina, las empresas locales podían tomar deuda en el exterior a tasas más bajas que en el mercado doméstico. Pero, al mismo tiempo, podían colocar sus excedentes financieros de corto o largo plazo en el sistema financiero vernáculo, en el cual las tasas de interés eran sustantivamente mayores que en el exterior. A pesar de eso, la fuga de capitales siguió, lo cual muestra que la prima de riesgo percibida por las empresas seguía siendo muy elevada aún en los años de expansión de la economía local.

¿Cómo se financió la fuga de capitales? ¿Quién proveyó las divisas para sacarlas del país?

---

61 Eduardo Basualdo y Matías Kulfas, "Fuga de capitales y endeudamiento externo en la Argentina", en *Realidad Económica*, N°173, julio de 2000.

Como se vio en el capítulo dedicado a explicar el sistema de convertibilidad, el principal aportante de divisas fue el Estado a través de su endeudamiento externo. Las divisas traídas por el Estado se incorporaban a las reservas y estaban disponibles para el que las quería comprar y enviarlas a un destino más seguro o rentable en el exterior:

• En el período 1978/1983 la deuda externa creció 11.200 millones de dólares por año y la fuga de capitales 9.000 millones de dólares anuales.

• En el período 1990/1992, el proceso se revirtió por la reducción de la deuda debida al Plan Brady y la atracción de capitales generada por las privatizaciones. En ese lapso la duda se redujo en 2.100 millones de dólares y la fuga de capitales cayó a 1.900 millones.

• Pero en el período 1993/1998, una vez finalizado el grueso de las privatizaciones y con la aparición de los primeros signos de crisis del sistema en 1995, la fuga de capitales retomó su vigor.

• Al mismo tiempo se produjo un nuevo auge de endeudamiento, especialmente en el sector público. En esos años la fuga de capitales alcanzó un promedio anual de 10.600 millones de dólares y la deuda externa aumentó 13.500 millones cada año.

Un procedimiento tradicional para fugar divisas, ocultar ganancias y evadir impuestos es la manipulación de las declaraciones de importaciones y exportaciones, como se ve en el capítulo que trata la evasión impositiva. Según una estimación de Basualdo y Kulfas publicada en el trabajo ya citado, la subfacturación de exportaciones en el período de Martínez de Hoz fue muy superior a la realizada en los años previos de la década del setenta. En el período 1989-1998 aumenta un 130%, llegando a 13.187 millones de dólares, poco más de la mitad de medio año de exportaciones en el momento de mayores ventas externas.

La vulnerabilidad externa

Tal como ha sido observado por un alud de trabajos en los últimos años, la liberalización financiera aumenta la exposición de las economías a los vaivenes de un mercado financiero volátil, con fuertes corrientes cortoplacistas y especulativas. En ese escenario, el espejismo embriagador de una inesperada lluvia de dólares se transforma rápidamente en una realidad de huida de capitales, insolvencia y crisis.[62]

En la Argentina, el endeudamiento sirvió para sostener la convertibilidad pero, también, para aumentar la vulnerabilidad de la economía.

Existe una larga discusión teórica sobre si los ingresos de capital en un país se deben a que el mismo resulta atractivo para los inversores por sus condiciones específicas o si la causa principal es la abundancia de oferta de fondos en el mercado internacional.

En los años ochenta resultó evidente que el endeudamiento de los países latinoamericanos fue facilitado por la existencia de una fuerte liquidez internacional creada por los superávit de los países petroleros. Más aún, los banqueros, lejos de esperar pasivamente a que los latinoamericanos fueran a solicitarle crédito, salían a ofrecerlo a manos llenas. Esta conducta de los prestamistas, corresponsable del endeudamiento irresponsable de muchos gobiernos y de la creación de burbujas especulativas, se debió a la mayor

---

62 Una buena indicación de la peligrosidad del mercado financiero la da el recuento de los diferentes tipos de crisis de las últimas décadas. Según una estimación, entre 1970 y 1998 se produjeron 64 crisis bancarias y 79 crisis cambiarias; otros autores cuentan 25 crisis de balanza de pagos y 3 crisis bancarias entre 1970 y 1979, y 46 crisis de balanza de pagos y 22 bancarias entre 1980 y 1995; un organismo internacional registra, finalmente, que en los años ochenta y noventa, más de 125 países experimentaron al menos una serie de graves problemas bancarios. Citado en Julio Sevares, "Riesgo y regulación en el mercado financiero internacional", en *La globalización económico-financiera*, Julio Gambina (comp.), CLACSO, Buenos Aires, 2002.

disponibilidad de liquidez y la creciente libertad para el movimiento de dinero creada por la liberalización y desregulación de los mercados financieros de los países centrales y periféricos.

La suma de volatilidad de flujos de capital y atomización de las fuentes de crédito configuraron un cuadro peligroso para los países periféricos. Como explica Celso Furtado: "En las actuales condiciones, la liquidez internacional no está bajo el control de ninguna autoridad monetaria, y la amplitud del movimiento de los capitales fluctuantes crea grandes presiones desestabilizadoras. La necesidad de los países periféricos de conservar cierta autonomía de decisión es, por consiguiente, mayor que nunca. Pero, según hemos señalado, los medios de que esos países disponen para implementar una auténtica política monetaria fueron considerablemente restringidos. Los movimientos de la masa monetaria ya no son controlables con los instrumentos de los Bancos Centrales. [...] En los países periféricos el problema es menos de política monetarista –en el sentido de empeño pro obtener la estabilización mediante el empleo de instrumentos monetarios– que de parálisis de los centros nacionales de decisión, en beneficio de la transnacionalización".[63]

Por supuesto, la inestabilidad de los flujos de capital no se explica sólo por la lógica de los operadores financieros. Se debe también a las conductas de endeudamiento irresponsables de gobiernos y particulares, al endeudamiento destinado a financiar déficit fiscales crecientes o burbujas especulativas en los mercados reales o financieros. En la mayor parte de las experiencias latinoamericanas los principales tomadores de crédito en las sucesivas

---

63 Celso Furtado, *La nueva dependencia*, CEAL, Buenos Aires, 1985, p. 88.

olas de liquidez internacional fueron los gobiernos. En los países de Asia sacudidos por la crisis en 1997, fueron los bancos y las empresas locales. Último pero no menor eslabón en la cadena de responsabilidades: en el caso de la Argentina, así como en otros países, el FMI y los organismos financieros, por razones políticas de los EE.UU. y los países centrales, toleraron la acumulación de endeudamientos que conducían al colapso.

Capítulo 6

La concentración
del poder económico

El curso iniciado a mediados de los setenta y profundizado en los noventa produjo una triple transformación en la estructura económica: desindustrialización, concentración y extranjerización. Estos procesos estuvieron íntimamente articulados. La apertura comercial indiscriminada afectó numerosas empresas industriales al mismo tiempo que la apertura inversora estimulaba el ingreso de capitales extranjeros. La política de privatizaciones atrajo inversores externos y el abaratamiento de la divisa y el seguro de cambio facilitó la compra de empresas. Al mismo tiempo la política financiera produjo una fuerte discriminación crediticia contra las empresas de menor tamaño y promovió la concentración y extranjerización de la banca. Todo esto aceitó los mecanismos de obtención de ganancias financieras a través de la especulación con la compraventa de empresas o la fuga de capitales.

Las transformaciones en la estructura económica tuvieron un fuerte impacto en las relaciones económicas y sociales y en la situación del Estado: aumentaron la oligopolización de los mercados y el poder de las grandes empresas para formar precios e influir sobre las decisiones de los gobiernos, sobre las empresas menores, las organizaciones gremiales y los consumidores.

Los cambios económicos acompañaron una tendencia internacional pero no fueron parte de una evolución natural ni mucho menos de una adaptación inevitable a las condiciones imperantes en el exterior. Fueron la consecuencia de una conjunción de intereses de los grandes actores económicos locales con las cúpulas políticas y sindicales y contaron, en muchas instancias decisivas, con la aprobación o tolerancia de amplias capas de la población.

Disparen contra la industria

A poco de llegar al Gobierno, en un acto en la Sociedad Rural, el presidente Carlos Menem dijo que le dolía y que a todos debía dolerles "que perdure la industria". El Presidente se corrigió rápidamente. Había querido decir "la injusticia". Pero, una vez más, el "inconsciente" había dicho una verdad que muy pronto toda la sociedad, no sólo la agropecuaria, iba a comprobar.

La reducción de aranceles y la apreciación de la moneda nacional aumentó la exposición de la industria local a la competencia internacional, con efecto diferente según el tipo de industria.

La nueva estructura arancelaria otorgó más protección a algunos insumos que a los bienes terminados, lo cual favorecía a la industria de insumos como acero o química, al mismo tiempo que perjudicaba a industrias manufactureras. Las únicas que quedaron a salvo fueron las protegidas por regímenes especiales, como el régimen automotor, que establece un sistema de comercio regulado con el MERCOSUR y otorga un resguardo especial a las automotrices, y los regímenes promocionales provinciales. En ambos casos, los mayores beneficiarios son grandes empresas.

La apertura favoreció, por otra parte, a las agroindustrias que trabajan con insumos agropecuarios locales, que tienen una mayor ventaja natural en el comercio internacional y, por lo tanto, una mayor capacidad para exportar.

Esta franja de la industria se benefició rápidamente con la apertura del mercado brasileño, lo cual explica la importante inversión externa dirigida al sector.

En el resto de las industrias manufactureras, en su mayor parte orientadas hacia el mercado interno, el efecto aperturista fue mayoritariamente negativo.

Ese sector estaba afectado por larga depresión e inestabilidad de la década del ochenta e ingresaba al nuevo ambiente con una fuerte desinversión.

Por otra parte, en esos años varios países asiáticos desarrollaban a paso acelerado industrias de exportación, apelando a una amplia batería de protecciones, subsidios y *dumping*. Sus productos inundaron rápidamente el mercado local causando estragos en industrias como la textil, indumentaria y del juguete.

La extranjerización de grandes empresas industriales provocó el desplazamiento de proveedores locales por otros externos, en muchos casos vinculados con las empresas compradoras. Este efecto fue especialmente notable en la industria automotriz en perjuicio de la industria autopartista local.

Los cambios se reflejaron plenamente en la evolución del PBI industrial:

• En los años noventa el PBI total creció cerca de un 5% pero la industria lo hizo en un 3,5%. La participación de la industria manufacturera en el PBI.

• En los años setenta la industria representaba el 25% del PBI; en los ochenta el 20% y a fines de los noventa, el 17%.

• En la cúpula empresaria, la industria abarca casi la mitad de la facturación, pero en la década del noventa la facturación de las empresas industriales aumentó menos que el promedio: el rubro de mayor aumento se registró en las actividades comerciales.

Por otra parte dentro de la industria se registran dos transformaciones importantes:

• Una de ellas es una creciente concentración de la actividad en las grandes firmas, con mayor capacidad para responder a las variaciones cíclicas de la economía;

• Por otro lado, la industria tiende a replegarse en las producciones basadas en el procesamiento de recursos naturales con una utilización intensiva de capital y requerimientos menores de mano de obra.

Como parte de este último proceso, algunos grupos económicos locales concentraron su inversión en la agroindustria o en producciones con menor valor agregado. En esta línea, Pérez Companc compró la productora de alimentos Molinos Río de la Plata; Mastellone, que abandonó la producción de *yoghurt* en manos extranjeras, para concentrarse en leche; Gilberto Montagna, que había sido presidente de la Unión Industrial, vendió su fábrica de galletitas Terrabusi a la estadounidense Nabisco e invirtió en la actividad agropecuaria y en la cría de caballos de carrera. El caso no debería causar sorpresa ya que sucesivas direcciones de la Unión Industrial apoyaron políticas desindustrializadoras en los setenta, los ochenta y los noventa.

La devaluación de principios de 2002 volvió a cambiar radicalmente el cuadro, reduciendo el costo de la mano de obra y los insumos locales en términos de dólares y creando una nueva oportunidad para volver a sustituir importaciones.

La inversión externa: ¿Cuánto? ¿Dónde? ¿Cómo?

El gobierno de Menen-Cavallo dispuso una apertura a las inversiones externas que puso al país a la vanguardia mundial en materia de promoción de la liberalización y extranjerización de la economía. En 1989 se eliminó la obligación de inscripción en el Registro de Inversores Extranjeros y la necesidad de contar con aprobación previa para invertir en actividades estratégicas. En 1993 se sancionó una Ley de Inversiones Extranjeras que equipara los derechos y obligaciones de las empresas foráneas con las de capital nacional. Más aún, en las privatizaciones se puso la condición de que ciertas compañías quedaran bajo la administración de consorcios extranjeros, a los que se suponía con mayor capacidad técnica y de gestión.

El vanguardismo del país en materia de liberalización para las inversiones se mide mejor teniendo en cuenta el programa de las corporaciones y los organismos internacionales en la materia, condensados en el proyecto del AMI. En los años noventa, los países industriales comenzaron a discutir, a escondidas del resto del mundo y en el ámbito de la OCDE (Organización para la Cooperación y el Desarrollo Económico, que agrupa a los países más industrializados), la instauración de un Acuerdo Multilateral de Inversiones (AMI) destinado a liberalizar la inversión externa, del mismo modo que las negociaciones en el GATT (Acuerdo General de Aranceles y Comercio, suplantado por la OMC, Organización Mundial de Comercio) habían liberalizado el comercio mundial.

El proyecto del AMI postula un sistema de libertad total para las corporaciones, en el cual las inversiones externas y las locales sean consideradas en un nivel de igualdad y en cual no existan restricciones a la implantación de capitales ni a la repatriación de beneficios. La Argentina participó en las negociaciones como observador interesado en la promoción del orden neoliberal. El proyecto salió a la luz en Francia, a pesar de la voluntad de sus propulsores, y generó un inmediato rechazo porque la opinión pública lo consideró favorable a las corporaciones estadounidenses y lesivo para los intereses nacionales franceses. El gobierno francés se vio obligado a retirarse de las tratativas y éstas se suspendieron. Ahora siguen silenciosamente en la OMC, pero como el rechazo se ha generalizado a otras latitudes, tiene pocas perspectivas de aplicarse. El caso es que si el AMI se hubiera aprobado la Argentina no habría necesitado casi modificar su legislación.

En los años ochenta la inversión externa fija en la Argentina fue muy escasa, debido a la recesión y a la incertidumbre económica. A partir de 1989 se reactivó por las privatizaciones, la recuperación de la economía interna y al atractivo del mercado ampliado del MERCOSUR. También influyó la venta de empresas privadas a inversores extranjeros o, más precisamente, a capitales que venían del exterior, de los cuales una porción difícil de determinar pertenecería a residentes en el país. La inversión externa alcanzó la industria, el campo y los servicios, y contribuyó a profundizar la concentración del sistema económico.

• En 1989 la Inversión Externa Directa apenas superó los 1.000 millones de dólares. En 1992 ya había llegado a 4.800 millones, según estimaciones del Ministerio de Economía. En 1997 llegó a 8.800, y en 1999 tocó su punto máximo con un ingreso de 11.000 millones de dólares.

• En el período 1992-1999 la inversión directa sumó 49.400 millones de dólares.

• A su vez, la inversión en cartera, es decir, inversiones de corto plazo o compra de títulos o acciones, sumó 52.300 millones de dólares.[64]

• De los capitales dedicados a inversión directa, aproximadamente la tercera parte, fueron nuevos aportes de

---

64 Las estimaciones que siguen están tomadas de "El balance de pagos y la deuda externa pública", de Mario Damill, en *Boletín Informativo Techint*, N°303, Julio-Septiembre 2000.

capital; otra tercera parte se orientó a las privatizaciones de empresas y el tercio restante a la compra de empresas privadas.[65]

¿Cuál fue el origen de la inversión externa?

• De los ingresos de inversión directa entre 1992 y 1999, sólo el 24% fueron nuevos aportes de capital. Un 8% se financió con endeudamiento de las empresas con sus casas matrices o filiales. Un 10% de la inversión externa directa provino de la reinversión de utilidades. Un 58% de la inversión externa directa fue, finalmente, tan sólo cambio de manos de empresas ya establecidas.

¿Dónde se invirtieron los capitales? La mayor parte de las inversiones se dirigieron a la compra de empresas de servicios públicos privados. El Gobierno y el Congreso permitieron que los inversores compraran las empresas a precio vil al mismo tiempo que les otorgaron condiciones de explotación sumamente favorables, tanto por las condiciones establecidas en los contratos como por la debilidad de los regímenes de regulación y supervisión.

Un primer antecedente de este proceso se encuentra en 1985. Ese año comenzó un rescate de bonos emitidos por el Estado con un programa de capitalización de títulos de la deuda externa con seguro de cambio. Con este sistema, los inversores compraron títulos del Estado que fueron incorporados como capital de las empresas. De este modo, la contabilidad de las firmas registró un aumento del capital que no implicó incremento de instalaciones, maquinarias o elementos que permitan mejorar su capacidad operativa o su competitividad.

---

65 Eduardo Basualdo, *Concentración y centralización del capital en la Argentina durante la década del noventa*, UNQ/FLACSO/IDEP, Buenos Aires, 2000.

Este sistema culminó en 1990 cuando se abrió la posibilidad de canjear títulos de la deuda pública para invertir en privatizaciones.

Parte del ingreso de capitales de la década del noventa fue aportado por inversores externos. Pero también se repatriaron capitales locales para participar en las privatizaciones, que generalmente se convirtieron en socios de grupos extranjeros.

Otro rubro al que se dirigieron las inversiones extranjeras fue la compra de empresas privadas ya instaladas. La compra de firmas, inexistente en 1991, aumentó progresivamente hasta convertirse en el 42% de la inversión externa directa en 1997.

Un dato llamativo del proceso de extranjerización es que muchas de las empresas locales vendidas al capital externo fueron compradas por fondos de inversión, fundamentalmente el Exxel, lo cual crea una situación novedosa. Los fondos son entidades jurídicas inscriptas en el exterior y están formados por capitales cuyo origen es, en muchos casos, imposible de determinar. Es posible, incluso que parte del dinero reunido por los fondos pertenezca a residentes argentinos. Por otra pare, los fondos son administrados por agentes locales, como el caso de Juan Navarro de Exxel, a pesar de lo cual figuran como inversiones externas.

La cuestión no es menor porque en 1998 las inversiones externas de fondos de inversión eran el 7% de la inversión externa total, un porcentaje superior a la inversión externa de Alemania, Italia, Gran Bretaña, y otros países europeos, salvo España y Francia. Más aún, la participación de Francia en la inversión externa total es apenas superior a la de los fondos de inversión.

Concentración

Uno de los efectos sobresalientes de la política menemista es la profundización de la tendencia a la concentración de la estructura económica.

• Según una estimación realizada por Basualdo, entre 1991 y 1997 las ventas de las 200 firmas más grandes del país aumentaron un 114% mientras el PBI aumentó un 87%. Dentro de ese grupo de empresas, las ventas de las 100 primeras crecieron más rápidamente que las de las 100 segundas. A su vez, las ventas de las asociaciones entre empresas extranjeras y nacionales y las ventas de las empresas transnacionales aumentaron más rápidamente que las de los grupos locales.[66]

• Según otro cálculo, realizado por FIDE, el valor de la producción de las 500 mayores empresas aumentó 20% entre 1995 y 2000. En ese mismo lapso, el PBI aumentó un 14%.[67]

En el trabajo citado, Basualdo encuentra que, debido a la concentración, las grandes empresas pueden incluso disociarse de los vaivenes del ciclo económico. Efectivamente, mientras la economía tiene una fuerte caída en 1995, las ventas de las grandes empresas siguen creciendo. Esto podría deberse a que las grandes firmas tienen una proporción importante de sus ventas en el mercado externo o a que la demanda de sus productos es menos sensible, al menos en el corto plazo, a las variaciones en el ingreso de los consumidores. Así sucede con las ventas de alimentos, servicios básicos, o medicamentos.

Un buen ejemplo de las consecuencias de la concentración económica es, precisamente, el caso de la industria

---

66 Eduardo Basualdo, op. cit.

67 FIDE, *Coyuntura y Desarrollo*, N°273, 2001.

farmacéutica. El sector factura 5.400 millones de dólares al año y el mercado se reparte en partes casi iguales entre empresas locales y extranjeras y, desde 1991 tiene precios libres. Existen 300 laboratorios pero los diez mayores concentran el 40% de las ventas por lo que tienen toda la capacidad para fijar precios y condiciones de venta. Esta concentración y la falta de acciones antimonopólicas permite que los consumidores argentinos paguen los medicamentos más caros que en países de mayor nivel de ingresos.

La concentración se verifica también en el comercio exterior, ya que, a fines de los noventa, sólo 100 firmas cubrían el 60% de las exportaciones y el 30% de las importaciones.

Extranjerización

El incremento de la inversión externa produjo una fuerte extranjerización en la producción y los servicios.

• En 1963 las empresas transnacionales aportaban el 46% del valor agregado y el 36% del empleo. A principios de los noventa, esos porcentajes habían subido al 62% y 40%, y a fines de la década a 76% y 56% respectivamente.[68]

• La participación de las transnacionales en las ventas de las 1000 empresas más grandes pasó del 35% en 1990 al 59% en 1998. En las ventas del sector manufacturero la participación de las transnacionales subió del 37% al 60%. La presencia de las transnacionales en el valor agregado de la Argentina supera al de todos los países asiáticos o que se abrieron a la inversión externa, lo cual incluye a países como Malasia, Singapur, Irlanda y Hungría.

La extranjerización dio lugar a una fuerte concentración de las exportaciones en las firmas extranjeras En sectores

---

68 Daniel Chudnovsky y Andrés López, *La transnacionalización de la economía argentina*, Eudeba/Cenit, Buenos Aires, 2001.

como electricidad, gas y agua, telefonía, automóviles y minería las transnacionales realzan la totalidad o la casi totalidad de las ventas externas. En alimentos, el sector en el cual la industria local tiene más tradición y experiencia, más del 30% de las exportaciones están en manos de empresas extranjeras.

Un índice elocuente del grado de extranjerización es que la participación de las empresas transnacionales en las exportaciones es mayor en la Argentina (50%) que en muchos países asiáticos y apenas menor que la de Brasil o Malasia. Sólo en países como Irlanda o Hungría, las transnacionales tienen una mayor participación en las exportaciones.

Debido a este fenómeno, la mayor parte de las decisiones de las empresas que operan en la Argentina se trazan de acuerdo a estrategias basadas en el mercado globalizado o en los intereses nacionales de otros países. La extranjerización ha acrecentado, además, el poder y la capacidad de presión de los grupos extranjeros sobre el Gobierno y las empresas locales que dependen de ellas como proveedores o compradores cautivos. Ese poder ha tomado forma política en marzo de 2002 con la creación del Comité de Inversores Extranjeros, en el cual participan representantes de las empresas de producción, comercio y servicios de capital externo.

Como se consigna más arriba, más de la mitad de la inversión externa de la década del noventa se dirigió a la compra de empresas ya establecidas. La mayor parte fue, a su vez, compra de empresas estatales. Pero también se vendieron numerosas empresas nacionales grandes y chicas y de las actividades más diversas.

¿Por qué los empresarios nacionales vendieron sus empresas? La respuesta no es simple. Por una parte, la apertura de la economía y la apreciación del tipo de cambio, sometió a la producción nacional a una creciente presión.

Muchos empresarios evaluaron o comprendieron que no tenían posibilidades de expandirse y quizá ni de sobrevivir en esas condiciones y decidieron desprenderse de sus empresas. Otros simplemente optaron por aprovechar la oportunidad de convertir su empresa en activos financieros.

Los compradores externos contaban con ventajas: tenían fondos propios o posibilidades de endeudarse en el exterior a intereses más bajos. Algunos disponían, también de tecnología, conocimiento y acceso a mercados externos que no eran accesibles a los empresarios locales.

Por el contrario, las empresas locales chicas o medianas no tenían acceso al mercado de crédito internacional y por lo tanto debían pagar tasas elevadísimas en el local. Esas tasas eran altas en relación a las vigentes en el exterior, a la evolución de los precios locales y a los márgenes de rentabilidad, lo cual dificultaba la ampliación de actividades que requieren un uso intensivo del crédito como la inversión o la exportación.

La extranjerización fue estimulada, además, por el sistema impositivo ya que los empresarios que venden sus empresas no pagan impuestos a las ganancias, como sucede en la mayoría de los países. En los EE.UU. las ganancias de capital por ventas de empresas pagan un impuesto del 20%, en Inglaterra del 40% y en Chile del 15%.

Desnacionalización y concentración bancaria

El sistema bancario experimentó, durante la convertibilidad una profunda transformación. La liberalización del sistema financiero y del movimiento de capitales promovieron la concentración y extranjerización del sistema con el argumento de que eso contribuiría a su fortalecimiento y a mejorar las condiciones de financiamiento de la economía. También se postulaba que los bancos extranjeros podían actuar como prestamistas de última instancia en una eventual crisis porque sus casas matrices aportarían divisas para sostener el sistema. El desarrollo y el fin de la convertibilidad muestran que esas premisas resultaron falsas.

El gobierno menemista eliminó requisitos para el ingreso de bancos extranjeros y la compra de entidades existentes, entre ellos, la exigencia de reciprocidad de acceso al mercado de los países de origen de los bancos extranjeros. De este modo la Argentina respondió a las exigencias de liberalización de los sistemas financieros que los países desarrollados plantean en la OMC.

El sistema tenía no obstante, debilidades que se manifestaron a partir de la crisis del tequila con el retiro de depósitos. Entre mediados de diciembre de 1994 y principios de mayo de 1995 los depósitos caen 7.800 millones, 4.300 de pesos y 3.500 de dólares. La tasa de interés activa para empresas de primera línea en pesos pasó del 18% al 26%. Inclusive aumentó la tasa de interés en dólares del 11% al 19%. La crisis provocó cierres y fusiones de bancos.

No fue una sorpresa, ya antes de la crisis de 1995 algunos análisis concluían en que el sistema estaba sobredimensionado por lo que tenía altos costos de operatividad. Además, los activos estaban sobrevaluados y los plazos de depósitos y créditos y las monedas estaban descalzados. "Hacia diciembre de 1994, cuando estalla la crisis en México, sostiene un analista del tema, la situación del sistema bancario en la Argentina era muy comprometida (fuga de depósitos, imposibilidad de cubrir efectivos mínimos, elevación de las tasas de interés, etcétera) y en ese sentido el "efecto tequila" vino a acelerar una crisis que ya se estaba desarrollando".[69]

---

[69] Daniel Sotelsek, "Crisis bancaria en un esquema de *currency board*. La experiencia argentina", en *Desarrollo Económico*, N°154, Julio-Septiembre 1999, p. 225.

Ante la emergencia, el Gobierno auxilió a los bancos y, en un primer momento, redujo los encajes del sistema a coeficientes mínimos de reserva. Luego aumentó los mínimos de capital y de liquidez que los bancos deben conservar, lo cual fortaleció el sistema y le permitió afrontar sin problemas la crisis asiática.

La liberalización normativa primero, y el temor generado por el tequila después, promovieron una fuerte concentración y extranjerización del sistema. Entre 1994 y 2000:

• Los diez bancos mayores pasaron de tener el 50% de los depósitos al 70% en 2000.

• El número de bancos se redujo de 168 a 99, por cierres y fusiones de entidades.

• La banca pública disminuyó su participación en los depósitos del 39% al 34%.

• El número de bancos privados nacionales redujo su participación del 44% al 22%.

• Los extranjeros aumentaron su participación del 17% al 44%.[70]

La desnacionalización y concentración de la banca mejoró, en general, los servicios financieros, pero afectó a los productores agropecuarios y las PyMEs generalmente atendidas por bancos oficiales y locales. Tanto en la Argentina como en el resto del mundo, los grandes bancos y, en particular los extranjeros, tienden a concentrar su cartera en empresas grandes, de mayor solvencia y más fáciles de evaluar.

Las inversiones y las divisas

La promoción de la inversión externa se realiza generalmente con el argumento de que contribuye al ingreso

---

70 Leonardo Blejer, "El proceso de concentración y extranjerización del sistema bancario argentino durante los noventa", en *Boletín Informativo Techint*, N°301, Enero-Marzo, 2000.

de divisas, sin embargo, el balance final de ingreso y egreso de capitales en la década del noventa muestra un desahorro de divisas, en otros términos, salieron del país más divisas de las que entraron. Esto no es una sorpresa ya que lo mismo sucede en casi todos los casos de inversión externa latinoamericana desde hace décadas.

En primer lugar, las empresas extranjeras no hacen una gran contribución en materia de ingreso de divisas por el comercio exterior. Un cálculo realizado para 1997 (año de déficit comercial) sobre las 1000 empresas más grandes muestra que las empresas grandes tienen superávit comercial pero que las transnacionales tienen un superávit comercial menor que las nacionales. Pero si se excluyen las ventas de productos primarios o de baja elaboración las transnacionales tienen déficit debido a que utilizan una proporción de insumos y partes mayor que las nacionales. El alto componente de importados y el déficit comercial es particularmente fuerte en las automotrices y telefonía.

Por otra parte, las empresas extranjeras pagan *royalties* e intereses y remiten utilidades por lo cual su saldo de divisas con el exterior es negativo.

• Según Chudnovsky, entre 1992 y 1999, las inversiones externas obtuvieron utilidades por 15.300 millones de dólares, de las cuales reinvirtieron el 38% y remitieron al exterior el 62% restante.

• Basualdo calcula, a su vez que, entre 1991 y 1997, la remisión de utilidades fue el 23% de las inversiones totales, lo cual muestra una tasa de retorno excelente.

• Pero el cálculo más inquietante es que, sumando la remisión de utilidades y otras salidas de capital, se encuentra que, durante el período 1991-1997, los egresos de capital son mayores que los ingresos en 18.200 millones de dólares. Es decir que durante el período, el país habría tenido un fuerte desahorro de capital.

La lógica financiera

En la economía contemporánea, el funcionamiento en base a una lógica de ganancias financieras no se limita al mundo de los bancos, bolsas y fondos de inversión. Tampoco a las operaciones que hacen empresas de la producción o los servicios con dinero que deben mantener inmovilizado por razones operativas por algún tiempo. Ese funcionamiento abarca la operatoria normal de las empresas que compran y venden otras firmas para obtener ganancias bursátiles o para intervenir en mercados en rápido crecimiento ajenos a su actividad específica, o que dedican partes crecientes de sus activos a inversiones especulativas en el mundo financiero.

Con la ruptura del sistema monetario internacional acordado en la Segunda Posguerra, los tipos de cambio de las potencias industriales comenzaron a fluctuar libremente en el mercado. La apertura financiera de las economías facilitó la circulación de los capitales y el despliegue de una creciente especulación internacional con los tipos de cambio, los intereses, los precios de los bienes de comercio y las acciones.

Estas transformaciones tuvieron un profundo impacto en las conductas y estrategias de las empresas. Las firmas aumentaron sus fondos líquidos destinados a la especulación y se generalizó la compra y venta de empresas con el objetivo de obtener ganancias de corto plazo en mercados en rápido desarrollo. Por eso, hoy pueden encontrarse empresas que reúnen negocios en campos dispares como la industria de la alimentación, el tabaco o la tecnología.

También se difundieron las operaciones de apalancamiento (Leverage), consistentes en la compra de empresas con endeudamiento. Un ejemplo típico de este tipo de operatoria es la compra de una compañía que tiene un ingreso de efectivo importante con un préstamo. Luego los intereses se pagan con los beneficios o con la venta de parte de las acciones que se valorizan como consecuencia de la compra.

En la ola de adquisiciones de los ochenta, explica George Soros, "los conglomerados estaban vendiendo sus propias acciones a precios inflados y comprando las de otras compañías. Ellos podían comprar las acciones de otras compañías a un valor más alto que el mercado porque las adquisiciones ayudaban a sostener la sobrevaluación de sus propias acciones. Por lo tanto el *boom* de los conglomerados era esencialmente un fenómeno de sobrevaluación con títulos inflados sirviendo de medios de cambio".[71]

"Lejos están los días, continúa Soros, en los que las corporaciones buscaban el crecimiento por sí mismo; el dinero en efectivo disponible y los beneficios adquirieron una importancia que antes tenían sólo en los libros de texto. Los gerentes han comenzado a mirar a sus negocios como un gerente de fondo de inversión mira a su cartera. Esto ha creado una atmósfera conveniente a la reestructuración de corporaciones."[72]

Uno de los objetivos de las estrategias de expansión es ampliar la participación en determinados mercados y tener la capacidad de actuar en forma oligopólica, imponiendo precios y condiciones superiores a las que serían posibles en un mercado de competencia perfecta. En otros términos, el propósito de la firma es capturar rentas que generan un flujo de ingresos superior a las necesidades derivadas del giro de los negocios o la amortización de los activos físicos y que, por lo tanto, son de libre disponibilidad para el financiamiento de otras estrategias o para el negocio financiero.

---

71 George Soros, *The Alchemy of Finance*, John Wiley & Sons Inc, New York, s. a., p.129.

72 George Soros, op. cit., p.131

Otra línea de actividad preferencial es incurrir en mercados con demandas ascendentes que permiten obtener rápidas ganancias, como en el mercado de teléfonos celulares o de fondos de pensión privados.

El caso de Enron es sintomático de esta cultura. La empresa se expandió endeudándose y la "garantía" de los créditos era el valor futuro de las acciones, que aumentaban empujadas por el ascenso generalizado del mercado accionario. Antes de que el mercado comenzara a caer los ejecutivos de la firma vendieron acciones obteniendo ganancias millonarias y cuando el mercado cayó el esquema montado se desmoronó como un mazo de cartas.

En el funcionamiento basado en la valorización financiera se privilegia el cortoplacismo por encima de la inversión de largo plazo, indispensable para la acumulación de capital físico y el desarrollo tecnológico. Se trata de una lógica de funcionamiento improductiva y rentística del capitalismo moderno que contribuye a explicar que las tasas de crecimiento de las economías maduras sean menores que en las décadas del cincuenta y sesenta y que la desocupación y las diferencias de ingresos entre capas sociales sean mayores que las imperantes en esa época.

En los mercados periféricos, relativamente menores que los de países industrializados, la base de acumulación se aleja del consumo local y se vincula a los mercados externos, por eso disminuye el interés del capital nacional más concentrado por las políticas de desarrollo doméstico.

Indudablemente, los grupos vinculados a la producción y los servicios siguen vinculados al nivel de ingresos de la población y/o a su capacidad exportadora. Incluso el sistema financiero depende de la evolución de las variables reales de la economía todo lo cual crea tensiones entre las diferentes fracciones de poder. Pero el atractivo de la renta inmediata de la valorización financiera prevalece sobre las perspectivas del desarrollo productivo de más largo plazo. Por otra parte, la posibilidad de trasladar el capital al exterior, en forma líquida o como inversión física, garantizada por la liberalización de los regímenes de inversión externa y de los sistemas financieros, permite que la suerte del capital no dependa completamente de la situación del mercado en el cual está asentado en un momento dado.

La Argentina entró tempranamente a la lógica financiera, ayudada seguramente por la cultura rentística originada en las viejas oligarquías camperas, continuada por los grupos acostumbrados a acumular con las prebendas del Estado y alimentada por la experiencia que brinda una historia de continuos movimientos de precios relativos y tipo de cambio.

En la etapa de sustitución de importaciones la proporción de activos financieros en relación a activos físicos en las grandes empresas argentinas era casi nula. En los años ochenta los activos financieros eran más de la mitad de los activos totales de las grandes firmas. Es decir que, en la franja de empresas más concentrada y con más capacidad de determinar la dinámica del mercado local, los activos financieros eran mayores que sus activos físicos.

Entre una y otra punta transcurrió el período de apertura y desregulación financiera durante el cual las oportunidades de renta financiera fueron, muchas veces, mayores que las obtenibles en las actividades productivas o en los servicios.

A finales de los años noventa, según el INDEC, la proporción de activos financieros de las grandes empresas en relación a los activos físicos era del 30%. Esto a pesar de que en esos años las empresas que operaban en el país, nacionales o extranjeras, se habían apropiado de la enorme masa de activos físicos que en la década del ochenta todavía pertenecían a la sociedad, es decir, las empresas de servicios públicos.

El sistema impositivo argentino promueve un interesante juego de valorización financiera accesible principalmente a las grandes empresas. En la Argentina las empresas pueden hacer deducciones de sus impuestos por los intereses que pagan. Por el contrario, si una empresa capitaliza sus utilidades y dispone del dinero capitalizado para financiarse, paga impuestos por las ganancias declaradas.

En este esquema, para las empresas puede ser más rentable endeudarse que capitalizar utilidades.

Por otra parte, los intereses ganados por tener títulos de la deuda emitidos por empresas no pagan impuestos, lo cual estimula a destinar ganancias a la inversión financiera.

Para los particulares es, a su vez, más rentable prestar dinero a una empresa que comprar acciones que se incorporan al activo y generan pagos de impuestos al patrimonio.

En resumen, el sistema impositivo promueve el endeudamiento y la inversión financiera, en lugar de la capitalización de utilidades, y estimula a las empresas a distribuir utilidades, no en forma abierta, sino mediante la entrega de títulos de deuda.

El ministro de Economía Roque Fernández encontró que este sistema permitía un nivel de elusión en el pago de impuestos muy costoso para el Estado y lo penalizó con un impuesto del 15% a los pagos de intereses por endeudamiento externo. Pero su sucesor, el ministro José Luis Machinea anuló el impuesto, restaurando la posibilidad de elusión impositiva.

El caso quizá más significativo de las prácticas de valorización financiera y de la cultura empresaria de la época menemista es el del Grupo Exxel.[73]

---

[73] Silvia Naishtat y Pablo Maas, "Una investigación sobre el caso Exxel", en *El cazador*, Planeta, Buenos Aires, 2000.

Exxel reunió dinero de diversos inversores externos y compró empresas por 4.500 millones de dólares entre 1993 y 2000, convirtiéndose en el segundo inversionista local después del grupo Repsol, dueño de YPF. Es, además, el mayor grupo en su tipo en América Latina. Muchos de los capitales utilizados por el Exxel provienen de paraísos fiscales cuyas regulaciones impiden conocer la identidad de los propietarios.

La abundancia del dinero manejado, los vínculos de Juan Navarro con el Gobierno y el entorno de Alfredo Yabrán, generaron grandes sospechas de que el dinero provenía de actividades *non sanctas*.

La práctica habitual del Exxel y de otros grupos similares es comprar empresas con créditos y cubrirlos con nuevos créditos tomados, dando en garantía los activos comprados. Esta operatoria es estimulada por la legislación local que permite deducir los pagos de intereses de las ganancias.

El sistema permitió, en suma, que Exxel, como tantas otras empresas concretaran su ambición expansionista y sus sueños de especulación con activos empresarios. El juego de los inversores no terminó bien, porque muchas de las empresas compradas dejaron de ser rentables y algunas fueron revendidas.

Capítulo 7

La cuestión fiscal*

* Las fuentes de este capítulo son informaciones oficiales del Instituto de Estudios Fiscales y Económicos (IEFE) y de FIDE.

La evolución de los gastos y egresos del Estado constituye uno de los nudos de distribución de cargas y beneficios sociales y una de las explicaciones de la crisis del modelo.

Como se planteó más arriba, si el Gobierno hubiera seguido la ortodoxia fiscal y no se hubiera endeudado el sector privado no hubiera contado con las divisas necesarias para financiar el déficit de cuenta corriente. Además, una política fiscal restrictiva hubiera agravado las tendencias recesivas aparecidas en 1999.

Aun así, la tendencia deficitaria del Estado no puede considerarse un elemento virtuoso de la política por varias razones: en primer lugar, el gasto no se utilizó para promover el crecimiento ni para aumentar la capacidad de la economía para conseguir divisas en el exterior. En segundo lugar, la distribución de costos y beneficios que se realizó a través de la política de gasto y de la política impositiva, estuvo destinada a favorecer a los sectores más concentrados del mundo empresario y a los de más altos ingresos dentro de la sociedad.

En el primer momento de la convertibilidad el Gobierno pudo mantener la disciplina fiscal por los ingresos de las privatizaciones y porque la detención de la inflación redujo la licuación de los ingresos impositivos: en 1992 el Estado Nacional tuvo un superávit operativo (ingresos corrientes menos gastos corrientes) del 0,9% del PBI. Pero a partir de 1994, el Estado comenzó a ser deficitario y en 2000 ya tenía un déficit cercano al 3% del PBI.

¿A qué se debió el aumento del déficit? ¿Qué significado económico y social tuvo? Para responder esas preguntas hay que mirar qué sucedió con los gastos y los ingresos.

La verdad sobre el gasto público

La ortodoxia económica protesta incesantemente sobre el desborde del gasto público y sobre la necesidad de reducirlo. Sin embargo, si bien el gasto aumentó en términos nominales, en términos reales, medido en relación a la evolución del Producto o de la población, se mantuvo constante.

• En la década del noventa el gasto público aumentó un 50%, lo mismo que el PBI.

• El aumento en los gastos en los primeros años noventa debe ponderarse teniendo en cuenta que, en 1989 y 1990 se produjo una fuerte caída en las erogaciones como consecuencia de la fuerte contracción de los ingresos causada por la recesión y la inflación.

• En los últimos años de la década el gasto aumentó unos puntos en relación al PBI porque, mientras las erogaciones se mantuvieron, el Producto se contrajo: en 1991 el gasto fue el 18% del PBI y en 2000, el 21%, un nivel notablemente bajo en relación al de otros países: en los EE.UU. el gasto público es el 30% del PBI y en la Unión Europea el 45%.

Los números del Ministerio de Economía muestran, además, que:

• En las décadas del ochenta y el noventa el gasto consolidado medido en pesos constantes aumentó a un 2% anual, un ritmo similar al aumento de la población. El aumento de la población incrementa también la necesidad de gastos en servicios públicos como educación, salud o seguridad.[74]

¿En qué se gastó? El rubro de mayor crecimiento en el gasto fue el de los intereses de la deuda externa. En 1993 la cuenta de intereses de la deuda externa llegó al punto más bajo de la década como consecuencia de la reducción de los compromisos lograda con el Plan Brady. Ese año se pagaron intereses por 3.200 millones de dólares equivalentes al 7% de los gastos totales.

Luego volvieron a subir y llegaron a 9.700 millones de dólares en 2000.

Es decir que en siete años:

• Los intereses pagados por el Estado se multiplicaron por tres, creciendo a una tasa del 20% anual, mientras el PBI creció a una tasa anual promedio de poco más del 3%.

• Pasaron de ser el 7% del gasto en 1993 y el 6,6% en 1993 al 16% en 2000, aumentando a una tasa anual acumulativa del 17%, mucho más que cualquier otro rubro del gasto. En 2001 llegaron a ser casi la cuarta parte de los gastos.

Hay que tener en cuenta, además, que los pagos de intereses crecieron aún en los años de fuerte reducción de intereses en el mercado internacional lo que pone de manifiesto que la espiral del pago de intereses había tomado un movimiento tan autónomo como imparable que conducía a la insolvencia.

---

74 Citado por Jorge Schvarzer, "El gasto público en la Argentina", en *La Gaceta de Económicas*, 24-2-2002.

El rubro que aumentó más, después de los intereses, fue el gasto en seguridad social con un 29% de incremento entre 1993 y 2000.

El gasto en seguridad social se debe a la creación del sistema privado de jubilación y la transferencia de aportantes a las AFJP. Esta transferencia generó una pérdida de ingresos de 4.500 millones de dólares anuales.

Sin tomar en cuenta los pagos de intereses y los recursos girados a la Seguridad Social, el gasto remanente se mantiene prácticamente estable: entre 1993 y 2000 creció sólo un 5%.

Los gastos de capital cayeron un 5% como consecuencia de la reducción de la inversión pública.

El gasto en remuneraciones de personal en la Administración Central creció menos que el gasto global y pasando de representar el 15% de las erogaciones en 1995, al 10% en 2001. Esto muestra que las reducciones de las remuneraciones no tienen un impacto importante en el ajuste del gasto: considerando las cifras del año 2000, reduciendo a la mitad las remuneraciones se logra una baja del gasto del 20%. Haciendo lo mismo con los intereses de la deuda, la baja es del 30%. Otra queja habitual de la ortodoxia es que el gasto provincial aumentó desmedidamente. Efectivamente el gasto provincial aumentó, pero ello se debió, más allá de los desvíos de fondos provocados por la corrupción o el clientelismo, a que durante el gobierno menemista se llevó a cabo una transferencia de prestaciones públicas, como salud, educación y asistencia social, desde el Gobierno central a las provincias y de las provincias a las municipalidades. Esto generó un aumento del gasto provincial y municipal. A principios de la década del noventa el gasto provincial era el 30% del gasto total. Al final era el 38%.

Injusticia impositiva

¿Cómo se financiaron los gastos? El financiamiento del gasto es una radiografía de la inequidad en la distribución de las cargas públicas que influye en la distribución del ingreso.

La estructura impositiva argentina es una de las más regresivas del mundo y la recaudación de impuestos es afectada, además, por la existencia de numerosas formas de eludir el pago de impuestos y una tolerancia de los gobiernos a la evasión.

• En la Argentina los impuestos sobre los ingresos y propiedades aportan poco más del 20% de la recaudación. En los EE.UU. ese porcentaje es del 60% y en Europa y Japón el 40%.

• Por el contrario, los impuestos al consumo son casi la mitad de los ingresos tributarios, mientras en Europa son el 30%, en Japón el 20% y en los EE.UU. el 15%.

• La tasa de imposición sobre la renta de sociedades y personas físicas es del 33% en Argentina, 45% en los EE.UU. y más del 50% en varios países de Europa.

Profundizando la regresión impositiva, en los primeros tramos del gobierno menemista, se redujeron las alícuotas del impuesto a la renta personal, se eliminó su alcance sobre los dividendos de acciones y se nivelaron las tasas máximas para personas y sociedades. También se derogaron varios impuestos a bienes consumidos por los sectores de mayores ingresos. Simultáneamente, se eliminaron tasas diferenciales y exenciones en el IVA.

De este modo, los bienes más prescindibles y suntuarios se abarataron en relación a los bienes imprescindibles en los cuales gastan la mayor parte de sus ingresos las personas de menores recursos. En este punto, la política impositiva menemista tiene el mismo espíritu que algunas leyes arancelarias del siglo XIX, diseñadas a medida de las oligarquías del momento, que imponían mayores gravámenes a bienes de consumo y utensilios de trabajo que a las joyas y bienes suntuarios.

El propio Vito Tanzi, que fuera responsable del área impositiva del FMI y luego funcionario del Gobierno de Silvio Berlusconi, sostiene que la Argentina debería ocuparse de cobrar más impuestos a las ganancias.[75]

Cuando las cuentas fiscales comenzaban a mostrar desequilibrios el Gobierno aumentó la alícuota del IVA desde el 15,6% original hasta un 21% y fue pasando la tasa de ganancias para sociedades del 18% al 35%. El impuesto a los capitales y al patrimonio neto de las personas físicas fue reemplazado por el impuesto a los activos para las sociedades y el impuesto a los bienes personales, este último evadido en forma masiva.

Al mismo tiempo que se aumentaron los impuestos al consumo, el Gobierno eliminó los derechos de exportación, lo cual aumentó inmediatamente la retribución de los exportadores agropecuarias y contribuyó al fuerte incremento en la producción y las ventas externas primarias.

En una de sus vueltas heterodoxas, en 1991 el ministro Domingo Cavallo intentó sustituir el impuesto a las ganancias y las contribuciones a la seguridad social mediante un impuesto al excedente de las empresas –llamado IEPE– cuya estructura se edificaba sobre la base del IVA y que tenía el propósito de reducir la carga impositiva sobre las empresas que ocupaban más personal. Pero las empresas más concentradas hicieron una fuerte presión sobre el Congreso y el proyecto sufrió numerosas modificaciones y fue finalmente archivado.

En un intento de disciplinamiento fiscal, el Gobierno promulgó una ley aprobada durante el período legislativo

---

75 Citado por José Sbatella, en *Le Monde Diplomatique*, Agosto 2001.

del Gobierno anterior que limitaba y reconvertía los beneficios de los regímenes de promoción industrial, cargados de sospechas y evidencias de malversaciones y que provocaban una reducción en la recaudación potencial. Pero en 1996, como parte de negociaciones políticas entre el Gobierno central y las provincias, se reinstauráron beneficios sin mejorar el deficitario sistema de control de los beneficiarios.

Finalmente, el Gobierno dispuso también reducciones a los aportes patronales al sistema previsional, lo que causó una pérdida de ingresos de 2.000 millones de pesos anuales.

Tanto el menemismo como el gobierno de la Alianza mantuvieron en la estructura impositiva todo lo que generalmente se considera un vicio del sistema: complejidad, superposición de tributos y cambios frecuentes y erráticos, respondiendo a las necesidades de la coyuntura.

A partir de 1989, una causa importante de pérdida de ingresos públicos es la recesión. Este fenómeno se agravó a partir de 2000 porque la política de ajuste de la Alianza, provocó una implosión de caída de actividad y caída de ingresos que condujo al colapso de las finanzas públicas.

Un delito tolerado

A principios del año 2002 el viceministro de Economía, Jorge Todesca sostuvo que "la evasión es monstruosa" por culpa de un sistema impositivo "caracterizado por distorsiones y castigo a los consumidores" mientras la Argentina tiene "la recaudación más baja del mundo del Impuesto a las Ganancias".[76]

El funcionario no decía nada nuevo. La evasión es un delito tan antiguo como conocido y tolerado. En agosto de 2001, en pleno proceso de reducción de presupuesto y

---

76 Diario *Clarín*, 8-1-2002.

de salarios en el organismo recaudador, la Asociación de Empleados de la DGI (AEDGI) propuso al Gobierno que los inspectores no cobren por tres meses los viáticos a cambio de que se les permita visitar "los bolsones de evasión, con absoluta libertad y sin restricciones políticas". Jorge Martínez, Secretario General de la Asociación, sostuvo, en la ocasión, que "no se controlan suficientemente los *countries*, los negocios bancarios y financieros, las cuotas de colegios privados superiores a 1500 pesos, los tomadores de abundantes créditos y los viajes frecuentes al extranjero".[77] El Gobierno nunca respondió al desafío. En el año 2001, incluso la Iglesia Católica argentina anatemizó a los evasores y recomendó pagar los impuestos.

La evasión es una de las principales causas de la crisis fiscal y es consecuencia de la tolerancia de los recaudadores a través de la historia. Esa tolerancia es, a su vez, uno de los signos más evidentes y costosos de la subordinación del Estado a los intereses económicos.

Una muestra: en 1990, en pleno proceso de reformas teóricamente destinadas a establecer una "disciplina de mercado" se sancionó la Ley Penal Tributaria que convierte en delito penal figuras que anteriormente eran consideradas faltas administrativas, pero durante la década nadie fue preso por delito de evasión.

¿Cuánto se evade?

A pesar de que muchos gobiernos, a través del tiempo, señalaron la evasión como un problema grave, existen pocas estimaciones sobre la evasión en el IVA y ninguna sobre la evasión en los impuestos a las ganancias y el patrimonio. Esta carencia revela, más que ineficiencia estatal,

---

[77] Diario *La Nación*, 4-8-2001.

falta de voluntad para combatir un delito porque, cualquier política en ese sentido requeriría una investigación que permita detectar la magnitud y las formas en que se practica el delito.

"Junto con la cuestión de la ineficiencia e inequidad del gasto público –sostiene un estudio sobre el tema– el incumplimiento tributario constituye el más grave problema fiscal de la Argentina. Resulta especialmente significativo que no existan estimaciones completas y actualizadas del incumplimiento consolidado. Sólo se dispone de una serie decenal (1989-98) de coeficientes de incumplimiento para el Impuesto al Valor Agregado Nacional, elaborada por la AFIP; de unas pocas estimaciones puntuales realizadas en el pasado para el Impuesto sobre los Ingresos Brutos y también para la Provincia de Buenos Aires y la Ciudad de Buenos Aires; de algunas estimaciones preliminares del actual coeficiente de cobrabilidad de los impuestos patrimoniales provinciales y de algunas estimaciones globales realizadas por altos funcionarios y ex funcionarios nacionales. Existen también aproximaciones razonables al coeficiente respectivo para los aportes y contribuciones del Sistema de Seguridad Social, que se estima en el orden del 50%. Por el contrario no se han realizado estudios sobre evasión en el Impuesto a las Ganancias ni para los tributos patrimoniales."[78]

En 1999, la AFIP estimó la evasión en 22% de lo recaudable y la mora en un 11%. El total de incumplimiento de la recaudación total se estima oficiosamente en 28%. Una evaluación realizada en 1999 por el Ministerio del Interior estimó el incumplimiento de los impuestos provinciales al patrimonio en el 30%.

---

[78] Jorge Gaggero y J.C. Gómez Sabaini, *El Sistema Tributario Federal*, Mímeo, Buenos Aires, Setiembre 1999.

Según evaluaciones realizadas por FIEL en 1997 la evasión en el impuesto a las Ganancias para las personas físicas estaría entre el 45% y el 50%. La diferencia entre el número de presentaciones realizadas a la AFIP y las que deberían haberse realizado, tomando en cuenta los datos del la Encuesta Permanente de Hogares del INdEC, llega al 35%.[79]

Cigarrillos y combustibles son dos rubros de abundante evasión. En el primer caso por contrabando (evasión de impuestos aduaneros) y en el segundo por diferentes formas de evasión de impuestos internos.

La evasión del impuesto a los bienes personales bordea lo escandaloso. Sólo en la provincia de Buenos Aires y en la capital están registradas más de un millón de propiedades de más de 100.000 pesos de valuación fiscal y deberían pagar un millón y medio de personas.

Pero en el año 2000 sólo 370.000 personas declararon activos por más de 102.000 pesos, a partir del cual se pagan bienes personales. En el sistema financiero había depositados 80.000 millones pero se declararon depósitos por sólo 6.000 millones.[80]

Evasión previsional

El sistema previsional tiene un déficit que es cubierto por gasto público. Ese gasto representa un 40% del gasto público total de los últimos años y es, junto con los intereses de la deuda pública, una de las principales causas del déficit fiscal. No obstante, la evasión previsional es un mal endémico que se agravó en los últimos años. Según el citado trabajo de FIEL, en la Argentina se elude el 24% de los aportes patronales.

---

79 FIEL, *La economía oculta*, VV. AA., Buenos Aires, 2000.

80 Suplemento "Cash", diario *Página/12*, 7-5-2000.

La evasión previsional puede tomarse como indicador del grado de economía negra. Desde este punto de vista, la economía negra en la Argentina sería del 24%. En México es del 33%, en Italia 24%, Canadá 13,5% y EE.UU. 8,2%.

Otro índice de evasión es el nivel de informalidad del trabajo, es decir la proporción de trabajadores que se mantienen ocultos para evadir las cargas tributarias sobre el trabajo y las regulaciones de empleo.

Nuevamente, de acuerdo al citado trabajo de FIEL, el nivel de informalidad tuvo un fuerte crecimiento en las últimas dos décadas. En 1980, eran el 20% del total, en 1990 aumentaron al 29% y en 1999 al 38%.

Si se incluye a los autónomos, el nivel de informalidad pasó del 38% en 1980, al 45% en 1990 para llegar al 49% en 1999.

Este aumento se produjo a pesar de la expansión y la estabilidad que reinaron hasta 1998 y, también, a pesar de que las cargas patronales se redujeron drásticamente a partir de 1994.

Es decir que, en este caso, no puede aplicarse el argumento ortodoxo de que la evasión se debe a la elevada presión impositiva o salarial. Por el contrario parece que la siempre presente ansia de no pagar aportes patronales se vio favorecida por la falta de control o, incluso, la complicidad de los gobiernos y las organizaciones sindicales en buena sintonía con la parte patronal.

¿Quién evade y cómo?

Un alto funcionario de la AFIP y un alto funcionario policial dedicado al combate del delito económico coinciden en dos cuestiones. La primera es que la Argentina tiene una cultura de la evasión cuyos orígenes se remonta virtualmente a la época de la colonia, que se encuentra en la mayoría de los países latinos y que difiere de una cultura del cumplimiento fiscal del mundo anglosajón.[81]

La segunda es que el sistema impositivo argentino es muy duro con las empresas chicas y que la evasión es para éstas una estrategia de sobrevivencia casi inevitable.

Este problema se agrava, por supuesto, en las coyunturas de inestabilidad o recesión, fenómenos que adornan la casi totalidad de la historia económica argentina.

Los especialistas coinciden, también, en la abundancia de impuestos y los diferentes regímenes dentro de cada uno contribuyen a facilitar las maniobras evasoras y a dificultar los controles.

La fuente de la evasión con relación al tamaño de la empresa es motivo de una polémica sin fin porque no hay estimaciones adecuadas que permitan develar el misterio. Para el imaginario popular y para algunos especialistas, las empresas grandes, los principales contribuyentes, son los principales responsables. Para otros, los chicos tienen mayores posibilidades de evadir y, aunque delinquen por montos menores, los delincuentes son multitud. Más aún, en el circuito de la producción y el comercio, los evasores forman cadenas de evasión del IVA que se extienden desde la chacra, la aduana o el taller, hasta el consumidor final.

También hay una distinción geográfica. Apenas saliendo de los centros urbanos, a poco de internarse en los pueblos, comenta el funcionario policial citado, ya no se emiten facturas y no existen o no funcionan los controladores fiscales (máquinas de facturar autorizadas y fiscalizadas).

En el llano, la forma de evasión más recurrida es la no emisión de facturas.

---

81 Los comentarios de los especialistas citados provienen de entrevistas realizadas por el autor y son *off the record*, salvo la afirmación de Leonel Massad sobre privatización de la AFIP.

A medida que se sube en la escala empresaria, las formas de evasión se complejizan.

Un procedimiento difundido es la compra de créditos fiscales. Una empresa o un negocio minorista compran mercaderías por las que pagan IVA y cobran el IVA cuando venden a un precio mayor. El IVA pagado constituye un crédito fiscal que se descuenta del impuesto cobrado al comprador. Para aumentar el crédito fiscal un contribuyente puede comprar facturas falsificadas con las que finge compras que no realizó.

Si es lo suficientemente grande, el contribuyente puede formar, legalmente, una segunda empresa cuyo único propósito es el de emitir facturas que simularán ventas realizadas a la primera. Estas segundas empresas "truchas" se mantienen por un corto tiempo para evitar que sean detectadas por la DGI.

El contribuyente puede, también, abrir una empresa en un paraíso fiscal, también con el propósito de simular ventas que sirvan para aumentar el crédito fiscal. Este recurso es más complejo y costoso, pero más duradero.

Algunos sectores son considerados como estrellas de la evasión.

Uno de ellos es el de combustibles. En este rubro la tentación proviene de las diferencias de impuestos entre las regiones promocionadas, como la Patagonia, donde el combustible paga menos impuestos, y el resto. Una maniobra evasora común es embarcar combustible con destino a una zona promocionada pero venderlo en otra o sacar combustible producido en la zona promocionada para venderlo afuera. En cualquier caso, el vendedor final cobra un impuesto que no se paga al proveedor y, que, por lo tanto, se evade al fisco.

Otro procedimiento, más directo, es mezclar nafta con otros combustibles que pagan menos impuestos como alcoholes o solventes.

Las petroleras aportan lo suyo inflando gastos de exploración, los cuales son deducibles del impuesto a las Ganancias.

Los frigoríficos son otro clásico de la evasión. El acuerdo mafioso entre dueños, proveedores de ganado, políticos y sindicatos, ha generado una fuente de evasión notoria que sólo se está desarticulando en años recientes. Los inspectores de la DGI se encuentran con una dificultad adicional: como comenta un abogado, alto funcionario del organismo, "no es fácil entrar a un frigorífico y pasar entre medio de obreros provistos de grandes cuchillos que temen que un inspector arruine la empresa en la que trabajan".

En el impuesto a las Ganancias las oportunidades de evasión están repartidas en forma desigual. Los asalariados pagan inevitablemente porque la contribución es retenida por el empleador. Las empresas pueden recurrir a las formas más diversas y sofisticadas para engrosar gastos deducibles u ocultar ganancias.

Uno de los recursos ampliamente utilizados en los últimos años es el auto préstamo. El capital operativo de una empresa se forma por el capital propio y el tomado a préstamo. Dado que en el sistema local las empresas pueden deducir los intereses pagados de lo imponible por Ganancias, las empresas envían dinero al exterior y lo reingresan como un préstamo.

Un procedimiento posible es integrar ese dinero a una empresa propia que luego lo presta a la local. Otro es depositarlo en un banco y tomar un préstamo de ese banco. Los intereses pagados son deducidos de Ganancias, al tiempo que la empresa gana intereses por el dinero depositado.

El gobierno menemista, con el monetarista Roque Fernández en el Ministerio de Economía, percibió la magnitud de este fenómeno y el costo impositivo que significaba por lo cual puso un impuesto al endeudamiento. El gobierno de la Alianza lo quitó reactivando el mecanismo evasor.

Gracias a la legislación argentina, las empresas tienen la posibilidad de evadir, haciendo pasar ingresos de actividades empresarias o profesionales por rentas financieras. Esto es porque, la Argentina, a diferencia de la mayoría de los países capitalistas líderes, no cobra impuestos por las rentas financieras de las empresas.

Al contribuyente personal, que tiene ganancias que no surgen del trabajo asalariado, el sistema legal le permite deducir de sus pagos por ganancias gastos de consumo como viajes, hoteles, juego, comidas, etc. Un especialista cita, desde una comprensible reserva, el caso de una popular animadora de televisión que, luego de una ingreso millonario declaró haber realizado gastos por 70.000 pesos por día. Otro caso es el de un empresario que obtuvo 400 millones de dólares por la venta de un canal de cable y declaró gastos millonarios cada mes.

Estos casos no son evasión propiamente dicha sino elusión de las obligaciones facilitada por las lagunas de la legislación.

En cualquier caso, el dinero no fue realmente gastado, sino puesto a buen recaudo en algún paraíso fiscal o cualquier otra colocación. Cuando el evasor quiera emplearlo legalmente en el país, deberá realizar alguna maniobra destinada a fraguar su origen, es decir, una operación de lavado de dinero.

En el caso de Ganancias, la evasión está favorecida por la existencia de una amplia gama de categorías de imposición que facilita la evasión.

Un capítulo aparte merecen las provincias. Aunque no hay evaluaciones, hay certeza de que muchas provincias no hacen esfuerzos para cobrar impuestos que le corresponden como el inmobiliario. Esto puede ser tanto desidia como confluencia de intereses entre los grandes propietarios locales y los gobiernos que apoyan o que muchas veces protagonizan.

La ayuda de la corrupción

Los evasores no cuentan sólo con su imaginación, su tecnología o sus conocimientos legales, sino también con la complicidad de los funcionarios corruptos.

Los hombres que están o estuvieron en organismos recaudadores nacionales o provinciales, afirman que para encarar a un gran sospechoso de evasión hay que contar con apoyo político. Relatan que no es rara la ocasión en la cual, en plena inspección, una llamada del Ministerio de Economía o de algún alto puesto del poder, les ordena retirarse prolijamente del terreno invadido.

Según un alto funcionario del área legal de la AFIP, en el organismo hay funcionarios jubilados que permanecen en su puesto como contratados porque son piezas claves del sistema que facilita la evasión.

Un consultor impositivo y profesor universitario en su especialidad explica, a su vez, que también se hacen inspecciones donde se sabe que no se va a encontrar delito.

Otra contribución del Estado corrupto a los evasores puede ser el cambio de carátula de alguna causa por evasión, para reducir la pena.

La Aduana "colador"

La evasión aduanera es un problema tan antiguo como tolerado porque, como afirmó uno de sus titulares "la Aduana está preparada para no controlar. La esencia del control es contrastar lo que se informa con la realidad y no están los elementos para hacerlo".[82] Por eso la Aduana

---

82 Eduardo Casullo, diario *Página/12*, 12-11-2000.

se ganó el adjetivo de "colador". Esto precisamente cuando la apertura de la economía incrementó la necesidad de controlar el tráfico aduanero y los precios a los cuales las empresas comercian con el exterior.

La Aduana argentina, ahora parte de la AFIP, es desde casi siempre famosa por su permeabilidad al contrabando y por la existencia de mafias integradas por funcionarios, despachantes de aduana y policías que lo facilitan.

El aumento de las transacciones externas refuerza, también, la importancia de los precios de transferencia, es decir los precios a los que se comercian los bienes y servicios.

Las empresas pueden evadir el pago de impuestos aduaneros, a las ventas o a las ganancias, mediante la manipulación de los precios de transferencia. Esa manipulación puede hacerse cuando la empresa hace transacciones con otra del exterior o, más directamente, mediante la adulteración de la documentación del comercio.

Una opción es la sobrefacturación de importaciones de la empresa local. De esta forma se remiten ganancias en forma disfrazada o se aumenta la cuenta de gastos para reducir las ganancias imponibles.

La subfacturación de importaciones sirve, a su vez, para pagar menos impuestos aduaneros.

La sobrefacturación de exportaciones se utiliza para ingresar dinero sucio del exterior o cobrar reintegros o crédito de IVA. La subfacturación de las ventas externas es útil para disminuir ingresos realmente obtenidos y achicar las ganancias sujetas a impuestos.

Una empresa que no es filial de una extranjera o no tiene socios en el exterior tiene formas de montar un sistema de evasión. Puede, por ejemplo, fundar una empresa de papel en un paraíso fiscal y triangular sus operaciones de comercio exterior a través de ella. Si la empresa de papel tiene ganancias no paga impuestos en el paraíso fiscal.

Teóricamente esas ganancias deberían ser gravadas por el sistema argentino por el principio de renta mundial. Pero la confidencialidad que ofrecen los paraísos permite un alto grado de manipulación de los balances de las empresas de papel para disminuir sus ganancias imponibles.

La extensión de los paraísos fiscales y la tecnología de información permiten crear operaciones de enorme complejidad que dificultan la evaluación y los controles.

Para hacer frente a la extensión de las operaciones de comercio exterior y la sofisticación de los sistemas informáticos que permiten ocultar información indispensable, las autoridades fiscales necesitan contar con un buen sistema de control de precios de transferencia. Esto supone contar con bases de datos adecuadas que permitan comparar los precios declarados por las empresas con los precios vigentes en el mercado internacional. Este tipo de comparación es más difícil cuando se trata de productos ofrecidos por una sola empresa o cuando provienen de mercados poco transparentes. También se requiere un sistema informático adecuado y una voluntad constante para investigar precios y costos en países de origen de exportaciones o la naturaleza de las empresas con las cuales comercian las empresas instaladas en el país.

Según Juan Carlos Gómez Sabaini, experto en precios de transferencia, el sistema argentino no está a la altura de las circunstancias por falta de bases de comparación y de recursos para controlar las transacciones. El contraste con los países capitalistas serios es notable: la OCDE cuenta con una gigantesca base de datos actualizada para controlar precios de transferencia y el sistema de los EE.UU. reúne 1.000 agentes especializados.

Debilitando al recaudador

Una de las mayores contribuciones del Gobierno anterior y del actual a la evasión es el debilitamiento de la AFIP. El deterioro del sistema recaudador comenzó en 1991, cuando se quitó la estabilidad al personal de la DGI. En la actualidad, un funcionario puede ser despedido a partir de un informe del Director General al Secretario de Hacienda, lo cual lo hace sumamente vulnerable a las presiones políticas.

En 1998 empezó el desfinanciamiento de la AFIP. En 1997 el Presupuesto consolidado DGI más Aduana llegaba a 1300 millones de pesos. En 2001 había bajado a 900 millones. De esos, 700 millones, se gastan en sueldos, por lo que sólo quedan 200 para financiar publicidad, inspecciones, renovación de equipos, etc.

En 2000 se fueron 2700 personas con años de actividad cobrando hasta 200.000 pesos de indemnización. En consecuencia la DGI debió reducir drásticamente sus inspecciones.

¿Cómo puede ser que gobiernos que quieren aumentar sus gastos para pagar campañas políticas o que están acosados por un déficit fiscal imposible de financiar desarmen el organismo recaudador, aun cuando existe una enorme evasión de cuya reducción podrían obtener recursos?

Leonel Massad, ex-director de la DGI, Director del Departamento Tributario de la Facultad de Ciencias Económicas de la UBA y consultor impositivo contesta: "Tengo derecho a pensar que las restricciones presupuestarias impuestas a la AFIP podrían obedecer a un plan siniestro para desarticular el funcionamiento de un organismo que toca intereses muy grandes, para luego privatizarlo".

En ningún país, informa el experto, están privatizadas la fiscalización y el control impositivo. En algunos casos se tercerizaron algunas funciones como la cobranza o funciones legales. Por otra parte, el organismo recaudador tiene atribuciones que deberían ser indelegables como hacer uso de la fuerza pública y hacer allanamientos.

El bocado es apetecible. La AFIP mueve 56.000 millones de dólares, tiene 18.000 empleados de alto nivel de capacitación, y maneja 15 millones de declaraciones juradas, cinco millones de contribuyentes inscriptos y tres activos. Realiza anualmente 300.000 fiscalizaciones y lleva 1700 causas penales.

Con una privatización, aun parcial, se corre el peligro de que la información de los contribuyentes, que está protegida por el secreto fiscal caiga en manos privadas y sea utilizada con fines particulares.

Recaudar más es posible

Las opiniones de los especialistas sobre cómo mejorar la eficiencia recaudadora son generalmente coincidentes: simplificar el sistema impositivo y reducir el ritmo de modificaciones que dificultan la liquidación y la fiscalización (en la Argentina se emiten 300 resoluciones por año. En Chile, cuyo sistema se considera bueno, 10).

También se recomienda mejorar la dotación humana y tecnológica y dar estabilidad al personal para alejarlo de presiones políticas.

La tarea de reducir la evasión no es imposible. Un experto relata el sistema aplicado en Francia. La autoridad fiscal sortea 4000 contribuyentes representativos de las diferentes profesiones, actividades y niveles de ingresos del total de contribuyentes. De esos se visitan 2.500 y se los somete a una inspección exhaustiva. Sobre la base del grado de evasión encontrado en la muestra se estima el nivel de evasión total en impuestos a la renta.

Otro propone suponer un nivel de ingreso promedio para un sector de la población. A partir de allí, se estima cuántas personas deberían declarar ingresos tributables en esa franja. Aun con una estimación moderada sobre niveles de ingresos, el número de personas que deberían pagar impuestos a los bienes personales es varias veces mayor a la de los que realmente pagan (unas 450.000 personas).

También se propone la creación de un sistema diferenciado para PyMEs que facilite el blanqueo impositivo y que no obligue a las firmas a evadir para sobrevivir. Esquemas de ese tipo existen en muchos países industrializados y en otros de la periferia con buen funcionamiento fiscal, como es el caso de Chile.

El recaudador debe ganar eficiencia. Pero, como sostiene un alto funcionario de la AFIP, el organismo impositivo no puede ser una isla en el mar de la ineficiencia estatal y, en consecuencia, para mejorar la recaudación se requiere de un mejor funcionamiento de otras áreas del Estado como la Justicia, fuerzas de seguridad encargadas del combate al delito económico y el control fronterizo y la burocracia del Ministerio de Economía.

Función económica del gasto público: la visión heterodoxa

El gasto y el déficit públicos no son perniciosos en cualquier tiempo y ocasión, como sostiene la ortodoxia.

Un estado puede decidir gastar más de lo que recauda para financiar programas de desarrollo. Existen muchas experiencias de países en crecimiento, en el centro y la periferia, en las cuales el Estado actuó como locomotora mediante inversiones públicas y gastos en educación y tecnología y, en el caso de países en desarrollo, financiando la formación de profesionales del sector público o privado en el exterior. Este último es un rasgo muy difundido en los países dinámicos de Asia.

El gasto público en las instituciones del Estado de Bienestar, que es muy elevado en los países industriales, juega un papel dual. La cobertura de necesidades materiales y culturales de la población tiene un fin social pero también contribuye a crear una demanda solvente y un mercado interno fuerte que permite el crecimiento de las empresas locales. La existencia de un "colchón" de ingresos a través del sistema de Estado de Bienestar limita la depresión en los momentos de caída de la economía y, por ese motivo, aporta a la creación de un horizonte más seguro para las inversiones.

En situaciones extremas el Estado puede incurrir en déficit para crear demanda en una economía estancada sin practicar aumentos de impuestos que reducirían el ingreso de los particulares o la capacidad de inversión de la economía.

La intervención del Estado para promover la demanda en momentos de depresión fue postulada durante la depresión de los años treinta por varios economistas. Uno de ellos, John Maynard Keynes formuló, a partir de esa situación, una profunda crítica de los postulados centrales de la economía neoclásica.

En los años de la depresión el pensamiento económico ortodoxo estaba dominado por la pasión del equilibrio presupuestario y la convertibilidad. En 1929 Winston Churchill se opuso a un plan de gastos públicos para aumentar el empleo y en 1930 hizo lo propio el secretario del laborismo. En 1931 y 1932 el presidente Hoover hizo grandes esfuerzos para balancear el presupuesto. No lo logró y fue severamente criticado por el candidato presidencial demócrata Franklin Roosevelt.

Como explica Blaug, a principios de los años treinta una serie de economistas destacados concentrados principalmente en las universidades de Chicago y Columbia, así como en Gran Bretaña, "se declararon públicamente a favor de un programa de obras públicas, y atacaron específicamente el mito de un presupuesto balanceado que obstruía las medidas de recuperación eficaces".[83]

En rigor, la recomendación de recurrir a las obras públicas para estimular la demanda había sido formulada con anterioridad por grandes economistas de la corriente principal pero con criterios más elásticos y sensibilidad social más fina que los fundamentalistas de mercado.

Uno de ellos fue, como relata Blaug, Arthur Pigou sucesor de Alfred Marshall en la Universidad de Cambridge. Pigou introdujo un cambio en la teoría clásica sosteniendo que la utilidad marginal del dinero es descendente, por lo cual un aumento en la tenencia de dinero de un rico proporciona un incremento de satisfacción relativamente menor al incremento de satisfacción experimentado por un pobre que recibe un aumento similar. De este modo, en condiciones de crecimiento estable, un aumento en el ingreso total genera un aumento de bienestar social mayor en la medida en que es percibido en mayor medida por los pobres. Esta proposición sentó las bases para justificar políticas de redistribución del ingreso.

Pigou consideraba, además, que los gastos públicos no debían causar déficit si se financiaban con impuestos a los mayores ingresos. La escuela tradicional sostenía que los impuestos a los ingresos reducían la inversión y la creación de puestos de trabajo, pero Pigou contra argumentaba que buena parte de los ingresos capturados por el Estado mediante impuestos no estaban destinados a convertirse en oferta de trabajo sino en gastos suntuarios.

---

83 Mark Blaug, *Teoría económica en retrospección*, FCE, México, 1985, p. 801.

Pero el impulso decisivo a la idea del gasto público se produjo en 1933. El 31 de diciembre de ese año el *New York Times* publicó una "Carta Abierta al Presidente" enviada por John Maynard Keynes. En la misma, el hombre de la Universidad de Cambridge recomendaba al gobierno estadounidense dedicar "una atención predominante en el más alto grado al incremento de la capacidad de compra nacional resultante de los gastos públicos, financiados mediante empréstitos".

Keynes sometía a la economía clásica y a sus recomendaciones frente a la depresión, a una profunda crítica. La economía clásica se basaba en el postulado de la Ley de Say según el cual toda producción genera su propia demanda, por lo que no se admite la posibilidad de una insuficiencia de demanda. También consideraba que el ahorro es igual a la inversión y que esa paridad se logra a través de las fluctuaciones de la tasa de interés: cuando existe una demanda de inversiones la tasa de interés sube hasta atraer la cantidad adecuada de ahorros. El dinero que se sustrae del consumo para destinarlo al ahorro se convierte en inversiones que agregan demanda a la economía. Este sistema se auto equilibra, no sufre crisis ni deja recursos ociosos. Cuando se produce una sobreabundancia de algún recurso, capital, bienes o trabajo, el precio del mismo baja y la demanda aumenta hasta "vaciar" el mercado, es decir, hacer desaparecer el excedente.

Preocupado por superar la depresión, Keynes cuestionó este esquema desde varias ópticas. Sostuvo, en primer lugar que el precio del trabajo no era flexible a la baja como suponía la escuela clásica basándose en la experiencia del siglo XIX. Por lo tanto, ante una excedencia de fuerza de trabajo, el salario no bajaría y el sistema permanecería en una situación de desequilibrio con desocupación. Debido a la rigidez del sistema de precios, ante una sobreproducción no se produce una caída de precios que estimula la demanda sino que se registra una caída en la producción.

Criticó especialmente el supuesto de la Ley de Say sosteniendo que las restricciones de la economía no se deben a restricciones de la oferta sino de la demanda, formada a su vez, por el consumo y la inversión. Otro de los mensajes centrales de Keynes, es que el mundo ya no se mueve en el terreno de la certidumbre y la predictibilidad implícita en el modelo y las recetas neoclásicas. La incertidumbre es un factor depresivo porque aumenta el deseo de ahorrar y reduce el consumo.

¿Cuáles son las recomendaciones del redivivo Keynes? Además de la ya citada petición de obras públicas, en su *Teoría general de la ocupación, el interés y el dinero* propone reducir la tasa de interés hasta que sea compatible con un rendimiento del capital productivo tal que conduzca a la ocupación plena. Para combatir la incertidumbre sostiene que "el Estado tendrá que ejercer una influencia orientadora sobre la propensión a consumir, a través de su sistema de impuestos, fijando la tasa de interés y, quizá, por otros medios. Por otra parte, parece improbable que la influencia de la política bancaria sobre la tasa de interés sea suficiente por sí misma para determinar otra de inversión óptima. Creo, por tanto, que una socialización bastante completa de las inversiones será el único medio de aproximarse a la ocupación plena; aunque esto no necesita excluir cualquier forma, transacción o medio por los cuales la autoridad pública coopera con la iniciativa privada fuera de la necesidad de controles centrales para lograr el ajuste entre la propensión a consumir y el aliciente a invertir no hay más razón para socializar la vida económica que la que existía antes".[84]

---

[84] John Maynard Keynes, *Teoría general de la ocupación, el interés y el dinero*, FCE, México, 1983, p. 333.

Una vez alcanzado el equilibrio con pleno empleo vuelven a cobrar vigencia los postulados de la teoría clásica, que Keynes consideraba no una teoría general sino una teoría válida para el caso particular de pleno empleo.

La contraofensiva neoliberal hizo retroceder las ideas del Estado activista. Pero la recesión de 2001 y el efecto causado por el atentado terrorista del 11 de septiembre en Nueva York hicieron renacer algunas ideas de intervención anticíclica. Un buen ejemplo es la campaña desplegada por Paul Krugman en esos días. En un artículo periodístico, el economista sostuvo que "al Estado le corresponde asegurar que el pesar y el nerviosismo de Estados Unidos no se conviertan en un desastre económico [...] una medida sería acelerar el flujo de gasto público en la economía [...]. En este momento corremos el riesgo de que el 'efecto riqueza' motivado por la caída del mercado de la semana pasada y los efectos adversos de las pérdidas accionarias sobre el gasto de los consumidores, sea un golpe para el estímulo fiscal. Por favor, que el Estado ponga el gasto en movimiento".[85]

Ante las recomendaciones de aumentar el gasto, hay que tener en cuenta que éste se financia con emisión sin respaldo de efectos inflacionarios o con endeudamiento. En este último caso hay que considerar, a su vez, que el endeudamiento, público o privado, sólo es sustentable en la medida que contribuya a generar los recursos para el pago de los compromisos.

Por ejemplo, en los años sesenta Corea se endeudó para capitalizarse sin recurrir a la inversión extranjera en forma masiva y luego pagó su deuda externa. En América Latina, Brasil también se convirtió en un deudor importante que lo llevó a más de una crisis externa y fiscal. Pero una

---

85 Diario *Clarín*, 24-9-2001.

buena parte del endeudamiento brasileño se destinó a financiar la inversión productiva y a ampliar la capacidad exportadora de la industria.

Por el contrario, en la Argentina el endeudamiento del Estado financió un déficit provocado por la privatización del sistema jubilatorio, las transferencias al gran capital local y extranjero, la evasión, al tiempo que redujo la inversión en infraestructura, en tecnología y en todos los rubros vinculados con el desarrollo económico.

El gasto no se dedicó a mejorar la actividad productiva y exportadora. Con las finanzas públicas en quiebra y sin capacidad de endeudamiento siquiera para pagar los intereses de la deuda, la dinámica de la economía pasó a depender en forma creciente de su propio ciclo y de las influencias externas.

CAPÍTULO 8

La entrega del patrimonio público

Con el programa de privatizaciones el menemismo persiguió un doble objetivo: reducir la deuda externa y reducir la presencia del Estado en la economía. Para varios de los principales grupos económicos las privatizaciones fueron, además, una nueva oportunidad de obtener rentas a través de la compra (y en algunos casos posterior venta) de activos o beneficios extraordinarios otorgados por el Estado. El proceso de privatizaciones fue, además, una instancia clave para la consolidación de relaciones y complicidades dentro del bloque dominante porque permitió profundizar los lazos y asociaciones entre miembros de las cúpulas económica, política y sindical.

El desarrollo de las empresas públicas comenzó en la década del treinta, cuando las clases dirigentes y los militares decidieron abandonar el liberalismo para contrarrestar los efectos de la crisis mundial. En esa dirección se crearon empresas para producir bienes o prestar servicios que el capital local no estaba en condiciones o en disposición de proporcionar. También se nacionalizaron empresas de servicios públicos extranjeras y montaron diversas instituciones de reguladoras. Frutos de esa época son el Banco Central, las Juntas reguladoras de granos y la acería Somisa. El proceso de intervención estatal se consolidó y amplió durante los dos primeros gobiernos peronistas.

A fines de los cincuenta el gobierno de Arturo Frondizi, promotor de la inversión externa, intentó dar un paso contra esta tendencia con un "Plan de Racionalización y Austeridad", cuyo objetivo era disminuir el tamaño del Estado y que generó un fuerte rechazo sindical.

Las empresas públicas siguieron cumpliendo un rol central en la vida económica en varios sentidos. Por una parte: proporcionaron servicios públicos básicos a la mayoría de la población y muchas de ellas fueron centros de investigación y desarrollo tecnológico. La Comisión Nacional de Energía Atómica, que fue debilitada pero que hasta el momento sobrevivió a la ola privatizadora, cumplió un papel fundamental en ese sentido. Las empresas públicas fueron, también, instrumentos de promoción social a través de sus obras sociales y sus aportes a las comunidades donde se asentaban. Muchas poblaciones del interior y sus instituciones civiles, desde bibliotecas a clubes deportivos, dependían de la actividad y las contribuciones de YPF, de los talleres ferroviarios y de las acerías y mineras estatales.

Pero, por otra parte, los sobreprecios que pagaban por sus abastecimientos fueron un instrumento de transferencia de recursos al sector privado y, también, una fuente de recursos para la burocracia sindical y la dirigencia administrativa.

Finalmente, las empresas y organismos públicos sufrieron de un progresivo declive de la inversión pública y de problemas de gerenciamiento que provocaron un notorio atraso tecnológico en muchos de los servicios públicos. En alguna medida, los déficit en servicios públicos e infraestructura se convirtieron en un handicap para el desarrollo del sector privado y en un motivo de irritación para la población. Estos problemas y sus efectos sobre el estado de ánimo de los usuarios fueron cuidadosamente manipulados por los privatizadores para justificar la dilapidación de los bienes públicos.

En 1976, la dictadura militar anunció su propósito de reducir el tamaño del Estado y privatizar empresas públicas, pero sólo entregó al sector privado actividades secundarias, como la provisión de bienes o servicios a las empresas constituidas, en lo que se denominó "privatizaciones periféricas". Este sistema permitió el surgimiento o crecimiento de empresas locales al amparo de la demanda de las empresas públicas.

El escaso alcance de las privatizaciones en este período puede haberse debido a la falta de disposición del capital local para hacerse cargo de las empresas existentes y, también, a que los militares que dirigían esas empresas no eran proclives a entregar posiciones que los dotaban de poder institucional y económico.

El gobierno de Raúl Alfonsín retomó, con moderación, la orientación privatizadora. Durante esa gestión se vendieron las acciones del Estado de las petroquímicas Atanor y Petroquímica Río Tercero y de la planta de tubos con costura de la ex-Siam, que después se llamaría SIAT-Commater. El Gobierno proyectó, además, asociar Aerolíneas Argentinas con una empresa que le permitiera ampliar su radio de acción. Con ese objetivo eligió a la aerolínea escandinava SAS, pero el intento sucumbió por la oposición del peronismo en el Congreso. También se quiso asociar a ENTel con Telefónica de España.

En 1989 el menemismo exigió como condición para hacerse cargo del poder con anticipación, que el radicalismo aprobara en el Congreso la concesión de poderes extraordinarios. Parte de esa negociación fue la aprobación de la Ley de Reforma del Estado 23.696, que otorgó al Ejecutivo la potestad de privatizar empresas sorteando, incluso, la aprobación del Congreso. El proyecto generó disensos dentro del propio partido oficial, pero fueron progresivamente superados. El Gobierno contó también con el apoyo de la Corte Suprema y de la cúpula sindical.

La Corte aprobó, mediante un recurso extraordinario la privatización de Aerolíneas y la concesión de peajes, cuyo trámite se encontraba trabado en el Congreso. Las privatizaciones permitieron que algunos dirigentes sindicales dieran un salto cualitativo en su situación social pasando de representantes del personal a patrones. En esa línea, el Sindicato Único de Petroleros del Estado formó una empresa para la explotación de barcos petroleros privatizados, el Sindicato Luz y Fuerza participó en la privatización de centrales eléctricas y la Unión Ferroviaria se hizo cargo del ferrocarril Belgrano.

En la mayoría de los casos el Gobierno dispuso que el 10% de las acciones quedara en manos de los sindicatos, bajo la forma de Programas de Propiedad Participada, lo que aparecía como una forma de participación de los trabajadores en el control de las empresas. Pero ese sistema nunca cumplió su función y el Estado terminó vendiendo gran parte de esas participaciones para cubrir urgencias fiscales.

Entre 1990 y 1991 se privatizó una multitud de empresas grandes y pequeñas y numerosos activos del Estado. Se privatizaron las telecomunicaciones, la generación y distribución de electricidad, la distribución de agua corriente, la línea de bandera Aerolíneas Argentinas y se vendieron acciones de la industria petroquímica que estaban en poder del Estado. Se concesionaron la explotación de áreas centrales y secundarias de explotación petrolífera y el peaje en un tercio de la red de rutas nacionales. También se privatizaron varios ramales ferroviarios, la red de subterráneos de Buenos Aires, refinerías, oleoductos, destilerías, empresas del área de Defensa, hipódromos, el Mercado de Hacienda de Liniers, el Correo Argentino, la red nacional de aeropuertos y miles de inmuebles. El Gobierno central vendió el Banco Hipotecario Nacional y los gobiernos provinciales vendieron bancos de su jurisdicción. Las provincias privatizaron, a su vez, servicios de provisión de electricidad y agua potable.

La empresa petrolera YPF fue desmembrada y progresivamente se vendieron yacimientos, flotas, y refinerías, lo que permitió a los grupos locales tomar posesión de activos del sector. El núcleo central de YPF, que tenía los principales yacimientos y la mayor red de distribución, fue finalmente vendido al grupo español Repsol, aunque el Estado conservó una participación que le permitía tener peso en las decisiones de la empresa. En 1999, el Estado vendió su parte al socio español.

Antes de que las empresas fueran entregadas, el Gobierno aumentó las tarifas de los servicios y redujo personal (90.000 personas) para hacerlas más atractivas a los oferentes.

El ritmo y la profundidad de la privatización colocaron a la Argentina, también en este aspecto, en la vanguardia mundial ya que, en la mayoría de los países, incluyendo los industriales y los realmente emergentes, los Estados conservan bajo su égida o influencia directa muchas actividades de las cuales el Estado argentino se desprendió.

Las condiciones establecidas para las privatizaciones variaron a lo largo del proceso. En la primera, la de la telefónica ENTel, el Gobierno aceptó que las concesionarias fijaran tarifas elevadas como forma de garantizar la rentabilidad. En las posteriores, como las del gas y la electricidad, se establecieron niveles tarifarios más bajos, porque ambos son insumos de las industrias.

Además, aunque la Ley de Convertibilidad prohibía la indexación, sucesivos decretos y resoluciones del Poder Ejecutivo hicieron interpretaciones forzadas de la Ley para autorizar la dolarización de las tarifas y aumentos en base a la evolución de los precios de los Estados Unidos.

A todo esto se suma, como se verá más adelante, la debilidad de los regímenes de regulación y su limitada aplicación.

El trámite de las privatizaciones fue tan rápido como oscuro y estuvo sembrado de sospechas de corrupción de funcionarios y legisladores que debían aprobar las condiciones de venta o concesión. Muchos de los funcionarios encargados de llevar a cabo las privatizaciones estaban vinculados con las empresas o los sectores beneficiados, otros pasaron del Estado a las empresas privatizadas o del sector privado a los entes encargados de controlar la prestación de los servicios.

Debido al apuro de los trámites y a la intención de los privatizadores, los contratos tienen numerosas zonas grises y falta de precisión que benefician a los prestadores. En muchos casos se establece que las empresas deben cumplir ciertos requisitos en condiciones "razonables" o "posibles", sin especificarse los límites de esa razonabilidad o posibilidad lo cual otorga a la empresa márgenes imprecisos para el cumplimiento de sus obligaciones y no fija con claridad los derechos de los usuarios.

Por otra parte, una vez formalizadas las privatizaciones, los concesionarios de los servicios pidieron y obtuvieron numerosas revisiones que les permitieron reducir inversiones, ampliar los plazos de la realización de obras y aumentar tarifas por encima de lo originalmente pactado. La manipulación de los contratos de privatización demostró públicamente que el principio de seguridad jurídica, generalmente invocado por el sector privado para cuestionar decisiones estatales contrarias a sus intereses, no rige para los usuarios de los servicios públicos.

Objetivos

Uno de los objetivos perseguidos por el Gobierno fue la reducción de la deuda externa y de los intereses a pagar. Con ese objetivo, el programa de privatizaciones incluyó la posibilidad de canjear títulos de la deuda por acciones de las empresas a privatizar.

Entre 1990 y 1998, el Estado obtuvo por las privatizaciones, alrededor de 23.000 millones de dólares en efectivo y en títulos de la deuda externa. El 60% de esa suma fue aportada por inversores extranjeros, un 30% por locales y el resto por inversores de origen no determinado pues son accionistas que compraron títulos en la Bolsa.

Otro objetivo fue reducir el déficit generado por las empresas públicas. En las condiciones en que se llevaron a cabo las privatizaciones esta propuesta escondía una falacia porque, en alguno casos, como en ferrocarriles o subterráneos, el Estado incluyó el pago de subsidios casi iguales al déficit que tenían las empresas cuando eran estatales.

La privatización contribuyó, en algunos casos, a mejorar los servicios y a modernizar las empresas prestadoras, aunque partiendo de los bajos niveles legados por las viejas empresas públicas y a un elevado costo tarifario.

Pero, por otra parte, al mismo tiempo que los contribuyentes redujeron sus pagos a las empresas en la forma de subsidios estatales, aumentaron sus pagos en forma directa a través de las tarifas más elevadas.

Algo similar sucede con el deterioro que causa el desfinanciamiento de los servicios públicos no privatizados como salud, educación y seguridad ya que, para compensar la reducción de prestaciones públicas, los usuarios deben recurrir a servicios privados. En otros términos, lo que el contribuyente ahorra en impuestos, lo gasta en pagos directos a empresas prestadoras. Con un agravante: que en este intercambio, las personas que no pueden pagar servicios privados quedan sometidas al deterioro de los públicos, lo cual es un elemento de diferenciación social.

Los beneficios empresarios

Las privatizaciones crearon una oportunidad para la obtención de rápidos beneficios para varios grupos locales.

Desde el inicio se establecieron incluso requisitos de patrimonios mínimos muy elevados que restringieron la participación a grandes grupos. Además, en la privatización de la mayoría de los servicios se estableció la exigencia de que participara una empresa extranjera experta en la operación de los mismos. Varios grupos locales intervinieron en los primeros tramos de las privatizaciones como asociados menores, aportando algo de capital, su conocimiento del mercado local y, presumiblemente, sus contactos con los funcionarios públicos y parlamentarios involucrados en la privatización. Algunos grupos compraron empresas para avanzar en la integración o complementación de sus actividades. Tal es el caso de la adquisición de la acería SOMISA por Techint y de la concesión del Ferrocarril Roca por el grupo Fortabat. Las empresas petroleras invirtieron, a su vez, en la privatización de áreas de explotación estatales.

Varios de los grandes grupos locales profundizaron, a su vez, su estrategia de diversificación interviniendo en privatizaciones no vinculadas con sus actividades principales, como es el caso de Pérez Companc (Petróleo y Banca) comprando acciones de ENTel o del grupo Macri (Construcciones e industria automotriz) en el Correo.

De este modo, un muy acotado número de grandes conglomerados económicos (y de asociaciones de capital con firmas extranjeras) pasó a controlar un muy amplio y diversificado grupo de ex-empresas públicas. Estos grupos lograron, gracias a la política oficial, a la inexistencia de medidas anti-trust y la falta de una protección efectiva para los usuarios, una enorme capacidad de influencia sobre los precios y otros resortes del mercado privado, así como sobre el sector público que es, también, un importante consumidor de servicios públicos.

Las privatizaciones influyeron también en el flujo de capitales. Para invertir en las mismas, los agentes locales debieron reingresar capitales que habían sacado al exterior los años previos. Poco después, la mayoría de los que habían participado en las empresas privatizadas vendió su parte, obteniendo fuertes ganancias. Coincidentemente, en ese momento se registra una fuerte salida de capitales del país, por lo que se supone que el producto de las ventas fue expatriado.

¿Por qué se retiraron los empresarios nacionales? Probablemente porque no estaban en condiciones o no estaban interesados en hacer nuevos aportes de capital o porque consideraron que el ciclo ascendente de la convertibilidad y de los negocios había ingresado en el declive. Los grupos vendedores obtuvieron ganancias de hasta el 80%. No se trató de una retribución a los elevados riesgos tomados ya que tuvieron una corta exposición como inversores en empresas monopólicas con mercado cautivo y rentabilidad asegurada.

Regulaciones, parte del negocio

Además de entregar sus activos en condiciones extremadamente ventajosas para los compradores o concesionarios, el Estado los benefició con un régimen regulatorio deficiente que les dio la posibilidad de imponer condiciones en el mercado y obtener beneficios extraordinarios.

Existen, básicamente, dos modelos de prestación de servicios públicos: en uno los servicios están a cargo de empresas estatales y en el otro de empresas privadas.

Cuando las prestadoras son empresas públicas se supone que los derechos de los ciudadanos están contemplados porque también se supone que el Estado es el representante de los intereses generales de la sociedad. Aunque, como muestra la experiencia Argentina, el Estado suele también desentenderse de los intereses de los usuarios, al tiempo que sirve los intereses de las empresas privadas proveedoras o clientas de las empresas públicas de servicios.

En el caso de los servicios prestados por agentes privados, la situación es más compleja porque se enfrentan a la lógica de obtención de beneficios privados de la empresa prestataria, con la lógica de prestación social que debería dominar en los servicios públicos.

Cuando los servicios públicos son ofrecidos por una empresa privada, el Estado debería asumir el resguardo del interés general estipulando las condiciones de prestación del servicio y controlando su ejecución.

La intervención pública es fundamental, especialmente cuando la empresa prestadora es monopólica u oligopólica. Esto sucede inevitablemente en los servicios cuya prestación requiere una gran infraestructura que no se puede compartir, como en los servicios de agua o transporte ferroviario.

En los casos de monopolio u oligopolio, la intervención pública está justificada también por la teoría económica ortodoxa ya que las empresas que actúan en esas condiciones tienen la capacidad de fijar precios por encima del nivel de competencia perfecta, obteniendo rentas derivadas de su posición dominante. La empresa tiene poderes especiales porque los servicios públicos no son de consumo optativo sino necesario, es decir que los usuarios no tienen la opción de no consumir en el caso de que no consideren convenientes los precios o las condiciones de las prestaciones.

El carácter monopólico u oligopólico puede también incidir negativamente sobre la renovación e incorporación de inversiones, ya que la o las empresas dominantes, alejadas de la competencia, pueden adoptar estrategias de inversión por debajo de lo indispensable para mantener la calidad o la actualización técnica de los servicios. Esta elección proporciona sobrebeneficios a las empresas en perjuicio de los usuarios.

Muchos servicios públicos, como la provisión de agua, gas o electricidad, están, además, aislados de la competencia externa.

Las conductas monopólicas en materia de fijación de precios o retraso de inversiones afectan, incluso, a las empresas privadas, en la forma de aumento de costos o deficiencia cuantitativa o cualitativa en los servicios, deteriorando la competitividad interna o externa de las firmas.

Por eso, ante la ausencia de mecanismos equilibradores de mercado, el Estado tiene la función de actuar como contrapeso, para evitar que los consumidores alimenten las rentas monopólicas de los prestadores y para que estos no sufran abusos en las negociaciones. La intervención pública es igualmente decisiva para que la prestación de servicios reúna condiciones que contribuyan a la competitividad de las empresas que los consumen.

Tanto la teoría como la experiencia señalan que para garantizar el interés público, los organismos de control del Estado deben reunir requisitos básicos tales como tener capacidad profesional y ser independientes de las empresas privadas que supervisan.

La capacidad técnica y profesional es decisiva para que el organismo estatal esté en condiciones de comprender el mercado que vigila y para negociar con las grandes empresas privadas de enormes recursos técnicos y legales.

La independencia del prestador privado está destinada a evitar que las decisiones de los organismos públicos no sean influidas por el prestador, lesionando los derechos de los ciudadanos usuarios que deben resguardar.

Casi ninguna de estas condiciones se cumplieron o se cumplen en las privatizaciones argentinas. Los entes de regulación están fuertemente ligados al Poder Ejecutivo, muchos de sus miembros están directamente vinculados a las empresas o las actividades que deben regular. Los organismos están financiados con los fondos de las empresas reguladas y tienen dificultades para acceder a la información de las empresas que vigilan. El sistema tiene, además, un déficit de participación de los usuarios.

Un requisito casi obvio de cualquier privatización de servicios es que el marco regulatorio se establezca antes de llevar adelante el traspaso para que tanto los postulantes como los usuarios sepan en qué condiciones deberán prestarse los futuros servicios.

Esto tampoco sucedió en la Argentina. En teléfonos y ferrocarriles el marco regulatorio se estableció después de la privatización y en algunos casos las normas regulatorias contuvieron diferencias con los contratos que ya habían sido firmados.

El establecimiento de las regulaciones fue realizado, además, con escasa participación de los representantes de los ciudadanos en el Congreso. Las regulaciones de ferrocarriles de transporte de pasajeros y agua se fijaron por decreto, no por ley.

Las empresas privatizadas no sólo obtuvieron todo tipo de condiciones favorables sino que incluso no las cumplieron. Desde el inicio del sistema incurrieron en incumplimientos de planes de inversión, calidad de servicios y pago de cánones acordados para lo cual contaron con la flexibilidad de los entes reguladores, los gobiernos y los poderes legislativo y judicial.

En suma, sostiene un estudioso del tema, "el reconocimiento implícito de las fuerzas de coerción del poder económico y político devino, naturalmente, en una amplia gama de aciones –y omisiones– en materia normativa y regulatoria, que no parecen ser meras consecuencias de las urgencias e improvisaciones sino, por el contrario, de una estrategia plenamente funcional a los intereses de las actuales fracciones hegemónicas del capital concentrado local".[86]

Ganancias fáciles

Las favorables condiciones establecidas en los contratos y en el sistema de regulación permitieron que las empresas privatizadas tuvieran ganancias extraordinarias, muy por encima de la media de las demás empresas.

Las empresas de servicios privatizados se beneficiaron también con el sistema de fijación de precios. A pesar de que la Ley de Convertibilidad prohibe las indexaciones, las empresas pudieron indexar sus tarifas por la evolución de los precios de los EE.UU., que aumentaron más que los nacionales. Entre 1995 y fines de 2001 los precios al consumidor disminuyeron levemente y los mayoristas aumentaron un 3%. En el mismo lapso los precios de los EE.UU., por los que se actualizan los precios de la mayor parte de los servicios públicos, aumentaron un 15%.

En el período 1991-1997 las ventas de las asociaciones que manejan empresas privatizadas aumentaron más que las ventas del resto. En ese mismo período la rentabilidad de las privatizadas fue del 10% y la del resto del 1,7%.[87]

---

[86] Daniel Aspiazu, "Las privatizaciones en la Argentina", en *Ciclos,* N° 21, 1er. Semestre de 2001.

[87] Eduardo Basualdo, op. cit.

Según una encuesta del INDEC sobre las primeras 500 empresas del país:

• Entre 1995 y 1999, las utilidades de las empresas a cargo de servicios públicos privatizados fueron el 18% del valor de producción, mientras para las empresas no privatizadas fueron el 6%.

• La rentabilidad en relación al valor agregado fue del 32% para las privatizadas y del 17% para el resto de las 500 más grandes.

• Un reducido número de empresas privatizadas captó el 64% de las ganancias logradas por las principales 200 firmas entre 1993 y 2000.[88]

Además:

• Las privatizadas muestran índices de productividad mucho más elevados que los del resto, pero esa mejora de productividad no se convirtió en reducciones de tarifas ni en mejoras salariales proporcionales.[89]

El colapso

Si bien algunas empresas obtuvieron enormes ganancias, otras terminaron en el colapso o se acercan a él.

El caso más importante es, sin duda, el de Aerolíneas Argentinas. El Gobierno traspasó la aerolínea sin pasivos y permitió que fuera comprada con fondos obtenidos dando en garantía los propios activos de la empresa adquirida. En el contrato de concesión se dejaron lagunas que permitieron que la privatizada hiciera posteriores reclamos al Gobierno. En el plan original de privatización figuraba el proyecto de no conceder el mercado de cabotaje para fomentar la

---

88 Martín Schorr, diario *Página/12*, 30-12-01 y 3-2-02.

89 Marisa Duarte, "Los efectos de las privatizaciones sobre la ocupación en las empresas de servicios públicos", en *Realidad Económica*, Nº182, 16 de agosto de 2001.

competencia. Pero luego se permitió que A.A. comparara la empresa privada Austral, adquiriendo una posición dominante en el mercado local.

Austral había seguido, a su vez, un periplo típico. Fue formada por empresarios privados que la cargaron de deudas, de las cuales se hizo cargo el Estado en 1980. En 1987 fue comprada por Enrique Pescarmona, de IMPSA, que pudo venderla cuatro años más tarde antes de tener que hacer frente a la competencia de una Aerolíneas Argentinas que, teóricamente, iba camino a la modernización.

El Gobierno, que había facilitado el ingreso de A.A.-Iberia al circuito interno con el propósito de mejorar su rentabilidad, no le otorgó el control de las rampas, depósitos y *free shops* de los aeropuertos, negocios sumamente rentables. Estos fueron adjudicados directamente a asociaciones en las cuales participa la Fuerza Aérea y empresas vinculadas al grupo Yabrán.

En 1994 el Gobierno vendió la mayor parte de sus acciones conservando sólo el 5%.

Iberia, por su parte, inició el vaciamiento de Aerolíneas Argentinas: cedió mercado a otras aerolíneas y levantó la infraestructura de sistemas de telecomunicaciones en beneficio de Iberia, vendió edificios, aeronaves y toda clase de activos de A.A.

A mediados de 2000 Iberia decidió un drástico achicamiento de la empresa, lo cual generó una fuerte respuesta sindical y ciudadana. El Gobierno emprendió negociaciones que se caracterizaron por su debilidad y por coincidir más frecuentemente con el gobierno español, dueño de la empresa, con los trabajadores nacionales. Más aún, el Gobierno acusó a éstos de las dificultades en las negociaciones. Éstas estaban, por otra parte, encabezadas por el ministro de Economía Domingo Cavallo, contrario a la adopción de una política aeronáutica nacional basada en la existencia de una aerolínea de bandera y partidario de la política de "cielos abiertos", es decir de la extranjerización del espacio aéreo argentino.[90]

Aerolíneas terminó en manos de un grupo privado español, en un proceso de ajuste y con un futuro incierto. En el trámite, el Gobierno, presionado por la situación de los trabajadores tuvo que pagar sueldos adeudados por Iberia, o sea, subsidiando esta vez no ya a un grupo nacional, sino a uno extranjero.

También llegó al colapso el Correo Argentino, administrado por el grupo Macri. El grupo sostiene que no puede competir con los privados y exige un mayor grado de oligopolio en el mercado y reducir personal. Desde hace años, la empresa adeuda cánones al Estado.

A su vez, Ferroexpreso Pampeano, gestionado por el grupo Techint tiene también deudas con el Estado y decidió cesar los servicios por falta de rentabilidad. Esto a pesar de que, como señala un experto en el tema ferroviario, "no realizó las inversiones comprometidas, no pagó los cánones pactados ni las escasas multas que se le aplicaron" y a pesar de haber recibido como regalo un taller ferroviario de los mas modernos del país y tomar menos personal que el comprometido por contrato.[91]

Final abierto

El proceso de privatizaciones todavía no ha concluido. Quedan por vender Central Hidroeléctrica Binacional Argentino-Paraguaya Yacyretá, tres centrales atómicas, Atucha I, Embalse Río Tercero y Atucha II en construcción.

---

90 Mabel Thwaites Rey, *Alas rotas. La política de privatización y quiebra de Aerolíneas*, Editorial Temas, Buenos Aires, 2001.

91 Elido Veschi, Suplemento "Cash", diario *Página/12*, 27-1-2002.

El sector financiero local y externo presiona por la venta, aunque sea parcial, del Banco Nación y los bancos provinciales oficiales que quedan. Estos bancos no fueron enajenados todavía por varias razones: la resistencia de sectores productivos, especialmente el agro, que reciben de esas entidades un financiamiento que no obtienen en otros bancos; la conciencia de los gobiernos de que una privatización semejante los despojaría de toda capacidad de control del sistema financiero y de fuentes de financiamiento para situaciones de emergencia; no hay que descartar, además, que la dirigencia política quiera preservar el control de estas entidades porque les sirven como herramientas de financiamiento del clientelismo político.

Una apuesta arriesgada: la privatización del sistema previsional

La idea de la privatización previsional fue crear un sistema jubilatorio privado que comenzaba a recibir aportes sin tener que pagar jubilaciones por un buen tiempo. En tanto, el sistema público seguía pagando al mismo tiempo que perdía aportantes. Con el tiempo, el sistema público se reducía o desaparecía y la administración previsional quedaba en manos de la eficiencia privada. Además, se evitaba que los gobiernos se apropiaran de fondos jubilatorios y se creaba una pileta de ahorro disponible para el financiamiento del sector privado y también del público. El plan fortalecía, además, la instauración de la cultura del individualismo, reemplazando un sistema basado en la solidaridad intergeneracional, por otro basado en la capitalización de los ingresos individuales.

Se trató de una apuesta arriesgada cuyo resultado está todavía por definirse, por varias razones. En primer lugar, porque la conversión del sistema implicó una fuerte pérdida de aportes en el sistema oficial que se convirtió en una de las principales causas del déficit fiscal. En segundo lugar, porque las condiciones creadas por la propia política oficial fueron conduciendo al desfinanciamiento de la jubilación privada y pública. La desocupación, la baja de aportes patronales y la voluntad de no combatir la evasión previsional afectaron los ingresos de ambos sistemas. Cuando el Estado entró en insolvencia, el Gobierno obligó a las AFJP a comprar "bonos basura" del Estado las cuales quedaron con una enorme masa de bonos depreciados, lo cual equivale a una licuación del ahorro de los aportantes y de sus jubilaciones futuras. Todo esto creó, en el país y en el exterior, grandes dudas sobre el futuro del sistema.

El origen

El sistema jubilatorio es una piedra fundadora del Estado de Bienestar. Los primeros antecedentes del sistema de jubilaciones y pensiones que en la actualidad funciona en casi todo el mundo aparecen a fines del siglo XIX en Alemania. A partir de 1884 el canciller prusiano Otto von Bismarck estableció seguros de ancianidad e invalidez con el propósito explícito de contrarrestar la creciente influencia del socialismo y contribuir a resguardar la paz social. En 1911 el ministro de Hacienda de Gran Bretaña, Lloyd George, siguió el camino disponiendo seguros de enfermedad, invalidez y desempleo.

El pago por jubilación y pensión es, además de una forma de solidaridad social, un método para sostener la demanda del mercado. Por eso es compatible con el modelo que comienza a generalizarse a partir de la segunda posguerra, apoyado en la producción masiva de bienes de consumo y el desarrollo de una demanda solvente capaz de absorber esa producción y contribuir a la ampliación de la economía.

Pero éste entró en crisis porque el número de trabajadores aportantes se redujo por el aumento de los empleos temporarios, la desocupación y la reducción de los años de actividad. Paralelamente, la población envejeció y creció la proporción de aportantes en retiro. En Francia, en los años treinta cuatro personas de veinte a sesenta años contribuían al ingreso de un retirado, a fines de los noventa la proporción se redujo a 3 activos por retirado y para el año 2050 puede llegar a 1,5 activos por retirado.[92]

En los años ochenta, como parte de su ofensiva privatizadora, el neoliberalismo inició una campaña a favor de la privatización de los sistemas previsionales, con el argumento de que reduciría la carga fiscal y en muchos países se desarrollaron planes de retiro privado. Pero la base de los sistemas jubilatorios sigue siendo estatal. Incluso en los EE.UU. existe un sistema público de reparto, creado como respuesta a la crisis de 1929, al que aportan más de 110 millones de personas y que paga a 40 millones de jubilados. Este sistema es complementado con fondos de pensión privados generalmente de grandes empresas o sindicatos.

En las últimas décadas, organismos internacionales como el FMI y Banco Mundial, comenzaron a interesarse por los sistemas de seguridad social, que se encontraban generalmente en el sector público. Como explica un experto en el tema, los estudios y recomendaciones de los organismos desviaron el foco de los objetivos sociales de los sistemas e introdujeron objetivos económico financieros "alegando que los sistemas de pensiones públicos adolecen de graves defectos como: altas contribuciones sobre los salarios, evasión y mora, asignación inadecuada de recursos fiscales, inversión ineficiente y pérdida de oportunidades para aumentar el ahorro, pesada y creciente deuda previsional, estímulo al déficit fiscal y a la inflación y, por todo ello,

---

92 Francois Charpentier, *Les fonds de pension*, Económica, París, 1996.

impacto negativo en el crecimiento económico, la productividad y el empleo. La sustitución de los sistemas públicos por privados eliminaría esos problemas e incrementaría el ahorro nacional, el mercado de valores, en rendimiento real de la inversión, el desarrollo económico y la creación de empleo, todo lo cual, a su vez, garantizaría pensiones adecuadas y equitativas".[93]

La privatización del sistema previsional formó también parte de la ofensiva empresaria liberal. El Consejo Empresario Argentino y FIEL en su trabajo "Argentina: hacia una economía de mercado" afirman que: "La privatización no se refiere únicamente al campo de las empresas públicas. También resulta ineludible la transferencia al sector privado de la mayor parte del sistema previsional, como en el caso de Chile. Esta solución tiene por objeto encarar la crisis de incentivos que presenta el sistema actual, a la vez de canalizar una masa de ahorro hacia la privatización en un marco de capitalismo popular".[94]

Uno de los argumentos más frecuentes de los promotores de la privatización previsional es que el desarrollo de fondos de inversión puede contribuir a mejorar el ahorro privado. Sin embargo, dado el escaso desarrollo de este tipo de sistemas en relación a los grandes sistemas públicos, su efecto sobre el ahorro es difícil de estimar. Un estudio realizado por un experto en el tema, B. Atkinson, admite que la provisión de una red de seguridad, como la que ofrecen los sistemas de seguridad social del Estado de Bienestar, puede desincentivar el ahorro. Pero, sostiene, los

---

93 Carmelo Mesa-Lago, *Las reformas de las pensiones en América Latina y la posición de los organismos internacionales*, en revista de la CEPAL, N°60, Diciembre, 1996, p. 72.

94 Citado por Jaime Fuchs y Jaime Vélez, en *La Argentina de rodillas*, Tribuna Latinoamericana, Buenos Aires, 2001, p.108.

fondos de inversión tienen objetivos de corto plazo y eso también puede desincentivar el ahorro. Por es no es claro si el cambio de un sistema público a uno privado puede incentivar el ahorro.[95]

La falta de pruebas sobre la efectividad del sistema es un índice de que el entusiasmo de los privatizadores está más motivado por el interés de abrir un campo de negocios para el sector privado y por la ideología que por un criterio científico.

Como sea, con la instauración de los sistema previsionales privados, los ingresos de todo el ciclo laboral de una persona y la remuneración de los jubilados ingresa plenamente en la lógica del individualismo y del mercado en la medida que la remuneración de los futuros jubilados pasa a depender de los vaivenes del mercado financiero nacional e internacional. Es lo que algunos autores denominan la "financiarización de los ingresos del ciclo de vida".

El experimento

La avanzada mundial de la privatización integral del sistema jubilatorio tiene lugar en un pequeño país de América del Sur, banco de prueba del modelo económico y social neoliberal desde los años setenta: Chile.

En 1980 Chile fundó el sistema de pensión privado basado en la capitalización de los fondos aportados individualmente que sigue puntillosamente las recomendaciones del Banco Mundial sobre el tema. La legislación estableció que quienes se trasladaran al nuevo sistema tendrían una jubilación superior a la esperable en el sistema público y quienes decidieran permanecer en éste sufrirían un aumento

---

95 B. Atkinson, *The economic consecuences of rolling back the Welfare State*, The MIT Press, Cambridge, 1999.

en sus aportes. A partir de 1983 los ingresantes al mercado de trabajo, es decir, nuevos aportantes, debieron integrarse al sistema privado. México realizó, también, una reforma siguiendo las pautas del Banco Mundial, cuyas características favorecen al capital financiero.[96]

En la Argentina el sistema jubilatorio público colocó al país en un lugar de privilegio en materia de prestaciones sociales. Pero el sistema fue ganando, a través de las décadas, un justificado desprestigio. En primer lugar porque los gobiernos echaban mano con frecuencia a los fondos formados por los aportes jubilatorios. En segundo lugar, porque la inflación minaba las remuneraciones reales de los jubilados y pensionados.

Este desprestigio fue utilizado por el gobierno menemista para promover la privatización del sistema jubilatorio. Pero una privatización que, siguiendo la línea de las otras realizadas, descargó todos los costos de transformación sobre el Estado y creó una fuente de beneficios gigantesca para las grandes corporaciones nacionales y extranjeras que entraron al negocio. La privatización del sistema previsional se convirtió, también, en una de las principales causas del desequilibrio fiscal.

En 1993 se sancionó la Ley 24.241 por la que se estableció el Sistema Integrado de Jubilaciones y Pensiones, que combina el sistema oficial o de reparto con un nuevo sistema privado o de capitalización. Con el nuevo régimen, cada trabajador tiene la opción de elegir entre el sistema privado o el público.

El sistema público o de reparto se financia mediante al aporte de trabajadores en relación de dependencia y autónomos y de los empleadores. La jubilación se establece

---

96 Héctor Guillén Romo, "Hacia la mundialización de los sistemas de jubilación", en *Realidad Económica*, N°169, 1° de enero de 2000.

tomando en cuenta los tres años de mayor remuneración en los últimos diez años de aporte.

Este sistema tiene un componente de solidaridad social porque el ingreso de los jubilados se financia con el aporte de los trabajadores activos al sistema de seguridad social y, en todo caso, con los impuestos pagados por el conjunto de los contribuyentes.

En el sistema privado, gerenciado por las Administradoras de Fondos de Pensión (AFJP), la retribución de los jubilados está vinculada al monto de los aportes realizados y a la rentabilidad que obtienen las empresas que lo administran.

En el año 2001, las AFJP habían reunido casi 23.000 millones de pesos, de casi nueve millones de afiliados que en sus siete primeros años tuvieron una rentabilidad promedio del 11%. El sistema de reparto retuvo algo más de dos millones de afiliados.

Las AFJP invierten los fondos de los aportantes en títulos de deuda públicos y privados y en acciones, en proporciones establecidas por la ley. De la rentabilidad que logre cada compañía, deducidas las comisiones que cobran por el servicio, dependerá la jubilación futura.

Antes de las colocaciones compulsivas de títulos que realizó Cavallo a fines de 2001, el 40% de los aportes estaba invertido en títulos públicos, el 23% en acciones de grandes empresas, 26% a depósitos en plazo fijo, el 4% en fondos comunes de inversión y el 2% en obligaciones de grandes empresas. El resto, figura en Otros Rubros.[97]

Es decir, la mayor parte de los fondos se dedican al financiamiento del Estado y de las grandes empresas o de los grandes bancos, incluyendo los extranjeros.

---

97 La información sobre el sistema privado está tomada de "El régimen de capitalización a siete años de reforma previsional", Superintendencia de AFJP.

La privatización del sistema no aisló a los aportantes de las manipulaciones del Estado porque, como vimos al tratar la crisis final de la convertibilidad, el propio privatizador del sistema echó mano de los fondos privados jubilatorios para financiar un Estado que no obtenía crédito en el exterior ni en el interior del país. En ese momento, el Gobierno colocó compulsivamente en las AFFP, bonos del Estado de baja rentabilidad y cobrabilidad más que dudosa para obtener fondos que compensaran la evasión impositiva impune y la fuga de los grandes capitales.

Como sucedió en la mayoría de las privatizaciones, el régimen de jubilación privada deja en desventaja a los usuarios, en este caso, aportantes. Por una parte, las comisiones cobradas por las Administradoras por el trabajo de gestionar los fondos son muy altas ya que llegan a representar el 3,4% de todo el ingreso sujeto a aportes jubilatorio. Una tercera parte de ese dinero se destina al financiamiento de un seguro de vida y el resto es ingreso neto de las administradoras.[98]

Por otro lado, la liquidación de las comisiones no es transparente. "La estructura de comisiones en dos partes y el hecho de que el aporte neto y la comisión se descuenten en bloque del salario, plantea una investigación sobre el tema, oscurecen la información sobre lo que el afiliado paga de comisiones. Esto contribuye a reducir la sensibilidad de la demanda a las comisiones en un mercado de demanda involuntaria, este es un problema, ya que el trabajador que no está dispuesto a pagar el precio que se le cobra no puede autoexcluirse y puede inducirse

---

[98] El aporte jubilatorio está formado por el 16% de contribución patronal sobre las remuneraciones pagadas y un aporte del trabajador por el 11% de sus ingresos.

una menor participación en el sistema en el largo plazo a través de la evasión."[99]

Además, debido al sistema de comisiones fijas, los afiliados de salarios más bajos pagan proporcionalmente más en comisión que los de salarios altos.

Finalmente, el 60% de los costos de la AFJP son gastos de promoción y publicidad, lo que indica que una porción sustancial de las comisiones pagadas no se destina a mejorar la gestión de la cartera sino a financiar estrategias de conquista de mercado por parte de las Administradoras.

La privatización del sistema previsional fue un campo más de operaciones para la obtención de rentas financieras de grupos empresarios y de reconversión de la cúpula sindical.

En los inicios del sistema varios grupos ingresaron con el objetivo de probar suerte o de tomar posiciones para luego venderla, lo que efectivamente hicieron. De ese modo, el sistema registró un fuerte proceso de concentración. Al inicio de su funcionamiento, las cuatro AFJP más grandes tenían el 47% de los afiliados y la mitad de los fondos. En 2001 reunían el 73% de los afiliados y de los fondos.

La dirigencia sindical se convirtió también en empresaria por su participación en las AFJP, siguiendo el ejemplo de algunos sindicatos de países industriales que formaron fondos de pensión, especialmente en los EE.UU.

Futuro incierto

La suerte del sistema jubilatorio todavía no se ha definido totalmente. En primer lugar porque los organismos

---

99 Daniel G. Braberman, Omar O. Chisari y Lucía Quesada, "La industria de las AFJP en la Argentina: costos, comisiones y alternativas para la regulación", en *Desarrollo Económico*, N°158, Julio-Septiembre, 2000, p. 282.

financieros internacionales hacen continuas presiones para la privatización completa del mismo.

Después porque la crisis laboral y fiscal argentina amenaza la salud del sistema privado.

En los inicios del sistema, en 1994, el 70% de los afiliados realizaban sus aportes y en 2001 es porcentaje se redujo al 40%. En rigor, durante ese período, aumentó el número de afiliados, pero el número de aportantes efectivos se mantuvo. Esto se debió a la desocupación, el aumento del trabajo en negro y de la difusión de trabajos que no están obligados a pagar aportes previsionales, modalidad permitida por la flexibilización laboral.

Ésta constituye una de las contradicciones internas más importantes de la política de Menem-Cavallo y sus sucesores ya que, mientras la privatización previsional reduce drásticamente los ingresos del Estado, las políticas de promoción de la desocupación y la precarización laboral, conspiran contra el financiamiento del sistema privado. Y, también, por supuesto contra el financiamiento del público.

Las turbulencias del mercado afectan no sólo a las AFJP locales sino también a los proyectos de privatización en otros países. A principios de 2002 la Federación Internacional de Administradoras de Fondos de Pensión (FIAP) hizo varias advertencias sobre las repercusiones que una crisis en el sistema argentino. En una de ellas, su presidente sostuvo que la decisión de rebajar del 11% al 15% los aportes previsionales y la disposición de que las AFJP deben invertir los fondos de plazos fijos que vencen en Letras del Tesoro, sientan "un precedente nefasto" para los sistemas previsionales de Latinoamérica, basados en la capitalización del ahorro individual. El caso argentino, sostiene la entidad, muestra que los gobiernos tienen la capacidad de intervenir en los sistemas cuando lo consideren conveniente. Si el sistema argentino colapsara "sería una situación desastrosa, ahora que Europa y los países asiáticos están pensando en copiar el modelo latinoamericano (de privatización de los sistemas jubilatorios)".[100]

100 Diario *El Cronista Comercial*, 25-1-2002.

CAPÍTULO 9

Las consecuencias sociales

◉

"Es verdad que si hay un peligro capaz de hacer estallar este sistema, es la pobreza y las diferencias enormes entre pobres y ricos que ha generado." Este diagnóstico no fue formulado por un crítico del sistema, sino por Michael Camdessus, poco después de alejarse de la dirección del FMI y es perfectamente aplicable a la Argentina de hoy.

¿En función de qué parámetros debe evaluarse un sistema o una política económica? Si se considera que el criterio debe ser el grado de trabajo y bienestar que proporciona a la población, el modelo neoliberal saca las peores calificaciones: durante su imperio la desocupación, la pobreza y la precarización laboral alcanzaron niveles gravísimos e inéditos en la historia del país.

Desocupación
(Octubre de cada año)

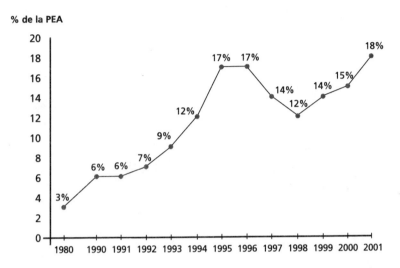

% de la PEA

Fuente: FIDE

Las transformaciones en el mercado de trabajo y en la sociedad no son un producto inesperado o indeseado del cambio de paradigma. Por el contrario, son objetivos buscados o tolerados con el propósito de minar las bases sobre las que se asentaba el anterior esquema de industrialización, golpear la organización sindical y laboral y reducir el costo de trabajo.

La victoria contra el mundo del trabajo abre, por otra parte, una serie de interrogantes a los cuales es difícil responder porque la desocupación y el empobrecimiento reducen la base de sustentación de la mayoría de las actividades económicas, han provocado un profundo desprestigio del sistema político y sindical tradicional y contribuye a crear problemas de seguridad que amenazan directamente a los impulsores y beneficiarios del modelo. Es decir que la política laboral y social del *establishment* no sólo confirma la crueldad del orden neoliberal sino, también, su grado de irracionalidad.

Un Informe del Instituto Internacional de Estudios Estratégicos sostiene, precisamente, que en América Latina las dificultades sociales, políticas y económicas están frustrando la transición del autoritarismo a la democracia y fomentando nuevas formas de autoritarismo. En un discurso pronunciado ante la Conferencia Anual del Consejo de las Américas, la Secretaria de Estado de los EE.UU., Madeleine Albright, afirmó que la corrupción y las crecientes desigualdades sociales son una amenaza para la democracia en América Latina y que, "demasiado a menudo los programas y las políticas de los gobiernos sirven para incrementar, en lugar de reducir, las desigualdades".[101]

Tiempos mejores
En la época de sustitución de importaciones, en la Argentina y en casi todo el mundo, industrial y periférico, el sistema económico garantizaba un alto nivel de empleo y, generalmente, una progresiva mejora en las retribuciones, así como un igualmente creciente acceso a servicios públicos esenciales. Existía, en rigor, un círculo virtuoso de mejoras en los ingresos, aumento de la demanda y expansión de las actividades económicas. La elevada oferta de puestos de trabajo creaba el escenario propicio para la organización y la reivindicación laboral.

Pero por otra parte, las economías en vías de industrialización consumían más divisas de las que producían, por lo cual sufrían continuas restricciones del sector externo que provocaban la detención de las economías y pujas por la distribución de los costos que eso generaba.

---

101 Diario *Clarín*, 2 y 5-5-2000.

Más aún, en las sociedades menos desarrolladas y en las cuales tuvieron lugar regímenes populistas, llegó a producirse un desbalance entre la fuerza de los trabajadores y la burguesía local que derivaba en una frecuente intervención conciliadora o represora del Estado. Es decir que, en el modelo industrialista y regulacionista, la fortaleza estatal no era solamente un factor de distribución social sino, también, de mantenimiento del orden y de resguardo de la propiedad.

En la Argentina, la disputa por la distribución del ingreso y por el establecimiento de condiciones laborales llegó a niveles críticos en la década del setenta, enfrentando a los trabajadores con el *establishment* económico y político y a fracciones sindicales entre sí. El gobierno peronista iniciado en 1973 trató de mantener el control laboral mediante los sindicatos adictos primero y el terrorismo de Estado después. Como no lo logró, los militares prosiguieron la tarea, esta vez con éxito.

En la década del sesenta y mediados de la del setenta, el salario aumentó un 20%. En 1976 el gobierno militar logró, en pocos meses, reducirlo un 40%, mediante la conjunción de liberación de precios, congelamiento de salarios y supresión de la actividad sindical. A partir de allí los ingresos experimentaron fuertes oscilaciones, recuperándose parcialmente hasta 1981 y volviendo a caer luego. Durante el gobierno de Raúl Alfonsín, la combinación de estancamiento económico con inflación elevada produjo una fuerte caída en los salarios reales.

A comienzos de los noventa los ingresos volvieron a recuperarse debido a la estabilización de precios y la reactivación. No obstante, a mediados de la década, según una estimación publicada por FIDE, el salario promedio real era la mitad del de los años setenta.[102]

---

102 FIDE, *Coyuntura y Desarrollo*, N°270.

Durante la dictadura comenzó también a ampliarse la diferencia entre los ingresos de las personas de ingresos bajos y altos. La reducción en el crecimiento y el retroceso de la industria, iniciado en segunda mitad de los setenta, provocó un salto de la desocupación del poco más del 2% al 6% y un aumento también en subocupación.

En un primer momento, parte de los expulsados de la industria fueron absorbidos por sectores de servicios y por el autoempleo o cuentapropismo, lo cual evitó un mayor aumento de la desocupación abierta.

En los años ochenta la desocupación siguió creciendo por el estancamiento económico y porque la capacidad de absorción de los servicios y de las actividades informales se redujo:

• La dictadura culminó con una desocupación del 6% y al fin del gobierno radical había llegado al 8%.

• En los primeros noventa la desocupación se redujo pero inmediatamente, a pesar del aumento de la actividad, volvió a trepar: a mediados de 1995 llegó al máximo histórico, para ese momento, del 18%.

• Luego cayó pero volvió a aumentar, y a principios de 2002 se acerca al 20% de la Población Económicamente Activa.

Según los cálculos de un especialista, en la década del noventa:

• El número de desocupados aumentó de 750.000 a más de dos millones.

• La cantidad de hogares con jefes sin empleo subió de 200.000 a 650.000.

• Los trabajadores en negro pasaron de 2,5 millones a 5 millones.

• Debido al desempleo o al empleo en negro, el 43% de las familias carece de seguridad social.[103]

---

103 Ernesto Kritz, suplemento "Económico", diario *Clarín*, 10-2-2002.

¿A qué se debe la pérdida de trabajo? Aquí confluyen varios fenómenos. Uno de ellos consistió en que, aprovechando el abaratamiento de bienes importados, las empresas incorporaron tecnologías de reemplazo de mano de obra lo que les permitió aumentar la producción con una menor dotación de personal. En la industria el número de obreros ocupados se redujo un 20% entre 1993 y 1999 y el número de horas trabajadas otro tanto. La productividad aumentó un 30%.[104]

La construcción, una actividad de mano de obra intensiva que tuvo un buen crecimiento en los primeros años de la convertibilidad, registró también un cambio tecnológico que redujo la demanda de trabajo humano.

El aumento de la productividad de las firmas más modernizadas provocó, además de la reducción de personal en las plantas propias, la salida del mercado de empresas más atrasadas y el desplazamiento de servicios de baja calidad.

Otro factor fueron las reducciones de personal que precedieron y siguieron a las privatizaciones. En 1985 las empresas estatales ocupaban 243.000 personas. En 1993 esas mismas empresas, ya privatizadas, habían reducido su personal a 76.000 empleados, menos de la tercera parte.[105] Los desplazados no fueron reentrenados para reinsertarse en el mercado de trabajo ni para crear emprendimientos sustentables, por lo cual, al cabo de un tiempo de autoempleo, muchos se convirtieron en desocupados. La racionalización o el cierre de empresas públicas privatizadas, así como el levantamiento de ramales ferroviarios,

---

104 Martín Schorr, "La industria manufacturera argentina en los noventa", en *Realidad Económica*, N°175, 1° octubre de 2000.

105 Marisa Duarte, "Los efectos de las privatizaciones sobre la ocupación en las empresas de servicios públicos", en *Realidad Económica,* N°182, 16 de agosto de 2001.

tuvo un impacto enorme en ciudades y pueblos cuya vida estaba centrada en esas actividades.

La especialización productiva y exportadora tuvo también efectos negativos sobre el trabajo por varias razones:

• La explotación agrícola orientada hacia la exportación es de carácter cada vez más intensivo en la utilización de capital por lo que tiene una escasa demanda de mano de obra.

• Este síntoma se agravó por el hecho de que la apertura facilitó la importación de insumos y bienes de capital, lo cual por una parte contribuyó al fuerte aumento de la productividad agrícola, pero también implicó la pérdida de industrias y puestos de trabajo locales.

• Las industrias que mejoraron su capacidad para exportar son generalmente intensivas en capital y de baja utilización de mano de obra en relación a su producción: tal es el caso de la industrial del aceite, el papel o la siderurgia,

• La apertura provocó el retroceso de industrias intensivas en la ocupación de mano de obra como la metalurgia.

• El retroceso de la industria de bienes de capital y el estímulo a la compra de tecnología extranjera, dejó sin trabajo a ingenieros, técnicos y mano de obra especializada.

La combinación de reducción de aranceles y abaratamiento del dólar creó, además, un ambiente poco propicio para el surgimiento de nuevas industrias en la medida que abarató la compra de bienes y tecnología extranjera.

Este fenómeno se produce también en el MERCOSUR. La Argentina tiene un saldo comercial favorable con el MERCOSUR, pero importa de Brasil productos de industrias intensivas en trabajo que sustituyen empleos argentinos. Paralelamente, exporta bienes producidos en industria de capital intensivo. Una estimación de Roiter y Mayoral sobre el comercio con el MERCOSUR entre 1995 y 1999, encuentra que el valor agregado exportado a Brasil creció mucho menos que el importado y que, como consecuencia, en ese lapso, la Argentina habría sufrido una pérdida de casi 25.000 puestos de trabajo.[106]

Por otra parte, en la última década no sólo se destruyeron empleos sino que aumentó la proporción de personas que se incorporan a la Población Económicamente Activa (PEA). La reducción de los ingresos de las familias afectadas por el desempleo o el subempleo hizo que un número creciente de mujeres y personas de edad salieran a buscar empleo, de este modo se amplió el número de personas pasibles de ser computadas como desempleadas por las encuestas de empleo. Por eso, en la década la población aumentó un 20% mientras la PEA aumentó 29%.

Sin compensación

A diferencia de lo que sucede en los países centrales, con los cuales se trataba de comparar a la Argentina en la década del noventa, en el país no existe un sistema de cobertura razonable para la desocupación.

El gobierno menemista dispuso un programa de compensación por desocupación y planes de creación de empleos de alcances muy reducidos. Los programas de empleo existentes dan acceso a empleos precarios de baja remuneración y tienen un escaso impacto sobre la desocupación. Por otra parte, los planes se fueron lanzando según las urgencias políticas de momento y no como producto de una política ordenada contra el desempleo. La superposición de programas configura, según un especialista, una "diversidad caótica" que conspira contra

---

106 Daniel Roiter y Alejandro Mayoral, "El comercio Argentina-Brasil: efectos sobre la ocupación y el ingreso", en *Boletín Informativo Techint*, N°303, Julio-Setiembre 2000.

su eficacia.[107] A su vez, la manipulación política en el otorgamiento de subsidios hace que una parte de sus beneficios no recaigan en las personas y zonas que más lo necesitan.

Precarización, pobreza y migración

Todos los gobiernos, desde mediados de 1975, procuraron, con diferentes métodos y resultados, debilitar la representación sindical y flexibilizar las condiciones de trabajo.

El menemismo hizo un gran avance en ese sentido. En 1991 se dictó la Ley Nacional de Empleo, que permite trabajo temporal y reduce o elimina la indemnización por despido. En 1993, mediante un decreto se descentralizó la negociación colectiva trasladándola al nivel de empresa.

Debido a los cambios en la legislación, las negociaciones por empresa pasaron del 19% del total en 1991, al 87% en 1999.[108]

El gobierno de la Alianza dio un nuevo paso con la aprobación de la Ley de Reforma Laboral en 2001.

Más allá de los efectos de la legislación en la pecarización "de jure" del mercado de trabajo, la desocupación impone una precarización de hecho ya que muchos trabajadores aceptan condiciones de trabajo inferiores a las estipuladas en la legislación. En muchos casos los cambios en la legislación sólo permitieron legalizar situaciones de trabajo precario o de incumplimento de normas laborales que existían de hecho.

---

107 Miguel Oliva, "Consecuencias de las políticas públicas sobre el mercado laboral en Argentina en el período 1989-1999", en *Crisis y metamorfosis del mercado de trabajo*, Javier Lindenboim (comp.), CEPED/IIE/FCE/ UBA, Buenos Aires, 2000.

108 Equipo Cambio Estructural y Desigualdad Social, "Reformas salariales y precarización del trabajo asalariado (Argentina 1990-2000)", en *Crisis y metamorfosis del mercado de trabajo*, Buenos Aires, 2001.

La desocupación se ha convertido en la principal causa de pobreza, como consecuencia de la pérdida de ingresos y de beneficios sociales.

Los hogares pobres pasaron de ser del 3% del total en 1974, al 25% en 1982.

A fines de 2001 la mitad de la población se encontraba en la pobreza.

La crisis de la convertibilidad agravó el problema. La parálisis de las actividades productivas y comerciales provocó una destrucción acelerada de empleos por lo cual a comienzos de 2002 la desocupación estaba cerca del 20%. A su vez, los aumentos de precios provocados por la devaluación provocaron una rápida licuación de salarios y un aumento en la pobreza.

Desde hace años, la pobreza ha dejado de ser un problema asistencial para convertirse en uno económico. En primer lugar, porque no es un fenómeno marginal sino la consecuencia directa de las políticas económicas. En segundo término porque, dada su magnitud, no existe la posibilidad técnica de paliarla mediante subsidios.

Como consecuencia de la falta de trabajo, el país registra una fuerte corriente de migraciones. Según las cifras de movimiento de personas en Ezeiza entre los años 2000 y 2001 se fueron del país 140.000 personas. Sólo en diciembre de 2001 se fueron 23.000.

Las cifras sirven sólo como una aproximación a la emigración permanente real, pero dan una muestra de que existe una salida importante de personas.

La migración de profesionales y técnicos es una transferencia de recursos hacia el exterior sin contrapartida. En la medida que la mayoría se van a los EE.UU. o Europa, implica que la Argentina está subsidiando economías de mayor desarrollo.

La visión ortodoxa de la desocupación[109]

De la teoría neoclásica surge que la desocupación se debe al elevado nivel de los costos salariales en relación a la productividad y a que la rigidez de los sistemas laborales impide la reducción de salarios o la reubicación de trabajadores. Desde esta perspectiva, la única forma de reducir la desocupación es colocar los salarios en un nivel que sean rentables para las empresas, las cuales, en ese caso, volverán a contratar personal.[110]

Por otra parte, según la ortodoxia, los desocupados tienden a acostumbrarse a su situación y son renuentes a reincorporarse al trabajo aun cuando tengan oportunidades de hacerlo; o no aceptan trabajos en condiciones y salarios inferiores a los perdidos porque esperan o desean recuperar su estatus.

Desde este punto de vista, los subsidios al desempleo fomentan la reticencia a aceptar salarios menores, retardando el ajuste del mercado de trabajo. Por el contrario, los sistemas de subsidios de menor duración o que tienen

---

109 Sobre este tema Julio Sevares, "La desocupación en la teoría económica y el debate contemporáneo", revista *Ciclos*, N°18, 1999.

110 La evolución de costos laborales y desocupación en los países industriales contradicen estos los supuestos. En la OCDE, entre 1970 y 1980 los costos laborales aumentaron a un 9,3% promedio anual, en 1981-90, a un 3,9% anual y en 1991-1997, un 1,7% anual. A pesar de esto la desocupación promedio aumentó. En el caso argentino de los últimos años, dado que los salarios reales cayeron y la productividad aumentó, la curva de Phillips se movió hacia la derecha, es decir la curva de puntos de equilibrio admite mayor desocupación para un mismo nivel de precios y salarios. Esto sucedió, también, en los países en los que la desocupación aumentó proporcionalmente más que la reducción de salarios o de inflación. La Curva también se utiliza para establecer cuando el nivel de empleo es tan alto (o la desocupación tan baja) que genera presiones inflacionarias. La Reserva Federal de los EE.UU. utiliza un indicador denominado NAIRU (*Non Acceleration of Inflation Rate of Unemployment*) basado en este criterio para decidir la política monetaria: cuando se observa una reducción de la desocupación por debajo de cierto nivel se estima que existen presiones inflacionarias y se decide aumentar la tasa de interés para enfriar la economía.

instrumentos que estimulan la búsqueda y aceptación de trabajos inducen un menor desempleo.

La teoría sostiene, a su vez, que en algunos casos existen desocupados que aceptarían volver a trabajar por menos salarios, pero los salarios no bajan porque los sindicatos, representando a los ocupados, pugnan por mantener el nivel de salarios por encima del equilibrio de plena ocupación. Por este motivo se recomienda flexibilizar la legislación sindical para reducir su capacidad de representación y negociación.

Recogiendo esta visión del mercado de trabajo, el Banco Mundial recomienda flexibilidad salarial, movilidad geográfica y de empleo (para esto último desvincular los servicios sociales de los contratos laborales pasándolos a la administración pública); información y formación profesional.

Desde este tipo de planteos se subraya la experiencia de los EE.UU. y en parte de Gran Bretaña, donde un mercado laboral más flexible habría permitido menores tasas de desocupación.

Sin embargo, la visión ortodoxa deja afuera varias realidades importantes de las relaciones laborales y del desarrollo de la productividad.

Una de ellas se vincula con la concepción sobre la flexibilización laboral. Ésta se presenta como una forma de optimizar la utilización de la mano de obra y reducir los costos de producción. Pero este tipo de conclusiones está basado el tipo de razonamiento neoclásico que considera que es posible sustituir mano de obra o capital, cuando alguno de los factores tiende a encarecerse o reubicar mano de obra en los puestos de trabajo dentro de un mismo lugar de empleo. El modelo incluye, también, la movilidad geográfica de factores dentro del mercado, lo que incluye la posibilidad de traslado de la mano de obra. Pero en la realidad, la sustituibilidad entre capital y trabajo no es absoluta por lo que el ajuste recomendado no es eficiente en todos los casos.

Por otra parte, algunos tipos de flexibilización puede resultar racional en producciones en serie que utilizan personal no calificado para tareas rutinarias. Pero cuando se utiliza personal especializado, la elevada rotación de personal o su movilidad en diferentes tareas dentro de la firma, no es fácilmente practicable o puede atentar contra la optimización de los gastos de formación de personal.

Este enfoque tampoco toma en cuenta particularidades tecnológicas, geográficas o idiosincráticas que determinan las elecciones laborales.

Finalmente, la precarización que implica la flexibilizaciòn puede deteriorar también la responsabilidad o la lealtad del personal empleado lo cual puede afectar la calidad, especialmente en las producciones de bienes sofisticados basados en la aplicación de habilidades o conocimientos especiales por parte del personal.

La visión ortodoxa es, en suma, un pensamiento simplificado que no se adapta a realidades complejas y cuya mejor función es servir de instrumento ideológico en las cruzadas de disciplinamiento del mundo del trabajo.

CAPÍTULO 10

Transformación y manipulación del Estado

◉

El neoliberalismo propone la reducción del Estado a un tamaño mínimo para dar libertad a las fuerzas económicas expresadas a través del mercado. Desde mediados de 1975, la política de sucesivos gobiernos se orientó en ese sentido pero fue mucho más allá: avanzó hasta el deterioro profundo de funciones estatales básicas que hasta el ultraliberalismo reconoce como imprescindibles para el normal funcionamiento de la economía de mercado. Desde este punto de vista, la política de las clases dirigentes argentinas no puede considerarse un modelo racional y sustentable sino como una carrera de rapiña que precipita la sociedad hacia un futuro sombrío. Pero, por otra parte, es evidente que el sostenimiento del orden en crisis requiere un Estado fuerte en lo que respecta a su capacidad de control y represión social. Por eso los guardianes del orden neoliberal no proponen, en rigor, la reducción del Estado, al estilo de los modernos anarco-liberales, sino un Estado que gestiona a favor de las cúpulas económicas y políticas y con capacidad para regular el conflicto que causa en la sociedad su retiro de prestaciones sociales básicas.

El liberalismo económico

En el siglo XVIII, la burguesía incipiente fomentó la difusión del individualismo y el liberalismo y la crítica de las regulaciones que operaban como trabas a su desarrollo. Producto de ese ambiente es Adam Smith. El filósofo, moralista y economista escocés sostuvo que la prosecución del interés individual derivaba en un beneficio colectivo y que la "mano invisible" del mercado tenía la capacidad de asignar eficientemente los recursos de la sociedad.

Sin embargo, Smith no era un apóstol del egoísmo despreocupado. En su *Teoría de los sentimientos morales* considera que el Estado tiene el deber de proveer bienes públicos y desempeñar actividades que contribuyen a la unión de los ciudadanos que comparten los mismos principios y las mismas reglas. En "La riqueza de las naciones" sostiene: "La economía política, considerada como una de las ramas de la ciencia del legislador o del estadista, se propone dos objetos distintos: el primero, suministrar al pueblo un abundante ingreso o subsistencia o, hablando con más propiedad, habilitar a sus individuos y ponerlos en condiciones de lograr por sí mismos ambas cosas; el segundo, proveer al Estado o República de rentas suficientes para los servicios públicos".[111]

Es decir que para Smith, el Estado debía cumplir funciones que los Estados orientados por políticas neoliberales están lejos de cumplimentar.

El liberalismo se impuso en Europa en el último tramo del siglo XIX con el apogeo de las burguesías y en una forma matizada en los EE.UU., donde el proteccionismo siguió teniendo peso. Por otra parte, en pleno liberalismo,

---

111 Adam Smith, *Investigación sobre la naturaleza y causa de la riqueza de las naciones*, FCE, México, 1987, p. 377.

las burguesías de los países adelantados apelaban a la fuerza de sus estados para su expansión imperialista. La crisis de la primera posguerra y de los años treinta puso en crisis la ideología liberal. En la segunda posguerra se configuró, finalmente, un modelo económico social con una importante intervención estatal: la pieza clave de ese modelo fue el Estado de Bienestar.

Pero la crisis fiscal de los países industriales, que comenzó a manifestarse en los sesenta, y las crisis productiva, monetaria y social de los setenta, alimentó la crítica al esquema estatista.

El liberalismo económico cobró una influencia creciente en la vida económica y política. Uno de los presupuestos básicos de esta corriente de opinión es que las regulaciones estatales, en los mercados domésticos o en el mercado internacional, impiden la asignación eficiente de los recursos y el despliegue de las energías creadoras y productivas de los agentes económicos. En sus versiones extremas el liberalismo se opone a los programas sociales o los seguros de desempleo porque considera que desalientan la iniciativa personal y el bienestar general. Esa iniciativa y ese bienestar son estimulados por la libre competencia individual por el pan y el trabajo.

Desde estos puntos de vista el Estado debe remitirse a fijar pautas jurídicas y vigilar su cumplimiento y garantizar las condiciones de orden y libertad para la expansión de las iniciativas privadas. Así está formulado en las recetas de los organismos internacionales para la periferia, compiladas en el documento "El Consenso de Washington", redactado por John Willamson. Estas posiciones se formulan sobre la base de supuestos falsos como la existencia de libre competencia e igualdad de oportunidades. En rigor, los argumentos del liberalismo son tan sólo una cobertura ideológica para justificar la libertad de los poderes económicos capaces de dominar los mercados y el enriquecimiento de quienes tienen mayores oportunidades o menores escrúpulos.

Por otra parte, la práctica concreta de esos poderes y de los gobiernos de los países centrales contradice abiertamente los postulados liberales ya que ambos toleran o propician regímenes antiliberales y hasta dictatoriales, cuando sirven a sus intereses.

Desde el punto de vista teórico, las posiciones ultraliberales afrontan, también, la crítica de una creciente corriente de opinión surgida del propio *establishment* académico e institucional, el mundo industrial y de los propios Estados Unidos. Esta corriente señala que los postulados del Consenso de Washington no cumplieron los objetivos que de ellos se esperaban, que los mercados, lejos de ser perfectos tienen fallas y que la intervención del Estado es indispensable para asegurar su buen funcionamiento.[112]

El propio Willamson escribió un nuevo documento, "El Consenso de Washington Revisado" en el cual agrega a la agenda liberalizante dos proposiciones de su cosecha: mejorar las instituciones y la educación.[113]

Una de las expresiones sobresalientes de la reacción contra la versión más cruda del neoliberalismo es la de Joseph Stiglitz, ex-Economista, Jefe y vicepresidente del Banco Mundial y reciente Premio Nobel por sus estudios sobre imperfecciones de mercado. Siendo miembro del Banco Mundial, Stiglitz escribió que "hacer funcionar bien los mercados requiere algo más que una baja inflación; requiere regulación fiscal, políticas para la competencia, políticas

---

112 Una interesante crítica al discurso neoliberal en *El universo neoliberal*, Alfredo Eric Calcagno y Alfredo Fernando Calcagno.

113 John Williamson, "The Washington Consensus Revisited", presentado en la conferencia *Development Thinking and Practice*, del IADB, Washington, Septiembre, 1996.

que faciliten la transmisión de tecnología y promuevan la transparencia, por sólo citar algunos aspectos no tratados por el Consenso de Washington". Comentando el desprecio de los ortodoxos por la importancia de la participación estatal en el proceso de desarrollo, Stiglitz comenta: "Al hacer esto se olvida rápidamente el éxito de las tres décadas precedentes, al cual el Gobierno, pese a yerros ocasionales ha contribuido ciertamente. Sin duda, estos logros, que no sólo incluyen grandes aumentos del PBI, sino también incrementos en la esperanza de vida, en el nivel de educación y en una gran reducción de la pobreza, son mejoras reales y más duraderas que la presente crisis financiera. Pero la raíz del problema actual en muchos casos no es que el Gobierno haya intervenido demasiado en muchas áreas, sino lo poco que lo ha hecho en otras".[114]

Uno de los factores que ha reducido la capacidad reguladora es la liberalización comercial y financiera internacional. Para autores como Kenichi Ohmae la desaparición del Estado Nación como entidad no sólo es evidente sino que los opositores a ese proceso serán penalizados por las fuerzas dominantes de la escena mundial. Afirma que "mientras los estados nación sigan concibiendo su papel como el de agentes principales de los asuntos económicos, mientras se opongan, en nombre del interés nacional, a cualquier erosión del control central, interpretándola como una amenaza a su soberanía, ni ellos ni sus pueblos serán capaces de aprovechar todos los recursos de la economía mundial. Esta no es la forma, continúa agresivamente, de alcanzar la prosperidad y la mejora de la calidad de vida. Es la admisión de que el cáncer de la protección, los subsidios y

---

114 Joseph Stiglitz, "Más instrumentos y metas más amplias para el desarrollo", en *Desarrollo Económico*, N°151, Octubre-Diciembre, 1998.

el mínimo socialmente garantizado es tan grande y está tan extendido que no hay forma de operarlo".[115]

Ciertamente la globalización ha erosionado el poder decisorio de Estados y gobiernos nacionales y, como puntualiza Gray, la apertura y la competencia entre naciones reducen la capacidad de llevar adelante políticas socialdemócratas y de sostener las instituciones del Estado de Bienestar.[116]

Sin embargo, y aún antes de la respuesta económica en resguardo del interés nacional que diera el conservador gobierno de los EE.UU., los Estados Nación y sus gobiernos conservaban un papel central en la determinación de los asuntos económicos.

Peter Evans subraya, a su vez, que "guste o no, el Estado tiene una función central en el proceso de cambio estructural [...]. Las expectativas optimistas, poco realistas que signaron la primera ola (teorías del desarrollo de los años cincuenta y sesenta) fueron exorcizadas, pero también lo fueron las concepciones utópicas según las cuales el Estado debería limitarse a realizar una suerte de patrullaje social con vistas a la prevención de las violaciones cometidas contra el derecho de propiedad".[117]

La reforma del Estado y su adaptación a las condiciones económicas, tecnológicas y culturales es indispensable para que pueda cumplir adecuadamente las funciones reguladoras indispensables. En esa línea, Evans considera que las políticas públicas requieren "la institucionalización duradera de un complejo conjunto de mecanismos políticos"

---

115 Kenichi Ohmae, *El fin del estado-nación*, editorial Andrés Bello, Santiago de Chile, 1997, p.183.

116 John Gray, *Falso amanecer*, Paidós, Barcelona, 2000.

117 Peter Evans, "El Estado como problema y como solución", en *Desarrollo Económico*, N°140, Enero-Marzo, 1996, p. 530.

y esa institucionalización no puede darse por descontada. Por eso, sostiene, "la respuesta no está en el desmantelamiento del Estado sin en su reconstrucción".[118]

Sin embargo los poderes no tienen el propósito de eficientizar el Estado sino de debilitarlo para reconvertirlo y manipularlo en función de sus propios intereses.

El Gobierno contra el Estado

Durante la dictadura iniciada en 1976 el poder puso en circulación el *slogan* "Achicar el Estado para agrandar la Nación", precisamente cuando el Estado ejercía con extrema crueldad una de sus funciones centrales, el ejercicio de la fuerza, para reformular el orden social y económico.

Con el menemismo la pasión liberal volvió a apoderarse del Gobierno por una oscura combinación de intereses de sectores económicos y apetencias de dirigentes políticos. Considerar las acciones del bloque de poder durante el menemismo como el producto de una toma de posición teórica es, simplemente, enaltecer los acontecimientos y sus protagonistas. La difusión de las ideas liberales por parte de los voceros del régimen fue tan sólo una operación de propaganda destinada a justificar y legitimar una política de rapiña sobre los bienes públicos.

Si bien la ortodoxia reclama la eficientización del sector público, el poder económico se beneficia regularmente con al manejo discrecional del mismo. A través de contratos y compras irregulares, sobreprecios y ausencia de fiscalización, el Estado transfirió a las grandes empresas, a través de décadas, una masa de recursos imposible de calcular pero sin duda inmensa. En rigor, el sector privado nunca tuvo un interés real en mejorar la transparencia o la ética del sector público.

---

118 Peter Evans, op. cit.

Por otra parte, aun una vez desaparecido el aparato del Estado Benefactor y las empresas públicas, el sector privado, nacional y extranjero, siguió aprovechando la debilidad del Estado y la accesibilidad de los funcionarios. Los beneficios obtenidos por los privados en el proceso de privatizaciones son la mejor manifestación de este fenómeno.

Además, en reiteradas oportunidades el Estado se hizo cargo del riesgo privado y asumió los costos de los fallidos provocados por errores empresarios o aventuras especulativas, funcionando como "prestamista de última instancia". Las operaciones salientes de esta conducta fueron el seguro de depósitos que respaldó la especulación financiera en los setenta, la estatización de la deuda externa privada en los primeros ochenta y la licuación de pasivos empresarios luego de la devaluación en 2002.

Durante el menemismo, lo que quedaba de las instituciones del Estado de Bienestar fue sometido a una destrucción premeditada y sistemática.

Debido a la política menemista, continuada por el Gobierno de la Alianza y confirmada por el interinato duhaldista, el Estado argentino se ha convertido en uno de los más pequeños del mundo, si su tamaño se mide por la relación entre gasto público y PBI.

Más aún, el Estado no sólo es chico en relación al gasto sino que una parte sustancial de ese gasto está destinado a pagar la deuda externa.

El retiro del Estado ha dejado en manos privadas el presente y el futuro de cuestiones básicas para el desarrollo nacional como la infraestructura, la investigación y desarrollo tecnológico y buena parte de la educación superior en manos del capital privado. Peor aún, buena parte de ese capital es extranjero y toma sus decisiones en base a estrategias que se formulan siguiendo intereses de corporaciones transnacionales o intereses de otras naciones. La crisis de Aerolíneas Argentinas o la desprotección ante el manejo del petróleo extraído en el país son ejemplos sobresalientes de este problema.

A partir del menemismo, no sólo se redujeron los presupuestos de prestaciones básicas sino que se toleró la persistencia y ampliación de prácticas de corrupción que desvían fondos de sus objetivos específicos. Los sobreprecios que paga el sistema de salud o el saqueo de la obra social de los jubilados, el PAMI, son dos datos relevantes. En el sistema educativo, donde las posibilidades de negocios son menores, se redujeron los fondos y se provincializó el servicio, trasladándolo a la égida de administraciones generalmente más deficientes que la central y más sometidas a la manipulación clientelista.

El deterioro de los sistemas de salud y educación son una forma de crear negocios para las empresas del sector porque promueven la contratación privada de esos servicios por parte de la población con recursos.

Lo mismo ha sucedido con una función que los gobiernos y los estados han desarrollado desde su aparición histórica, como es la recaudación de impuestos.

El sistema de Justicia ha sufrido una carga de tareas por encima de sus posibilidades reales, además de una corrupción extendida. Los gobiernos han manipulado la designación de jueces con el propósito de utilizar el sistema con fines políticos y procurar la impunidad futura para sus actos ilegales.

El sistema de seguridad se ha deteriorado porque los gobiernos, nacionales y provinciales, han tolerado conductas autónomas e ilegales de los miembros de las fuerzas de seguridad, el funcionamiento de mafias recaudadoras de tributos en diferentes sectores de la población.

La corrupción como sistema de poder

La corrupción en sus más diversas formas estuvo presente en el Estado argentino desde su fundación, pero en algunos períodos, como la presidencia de Juárez Celman o la de Carlos Menem el fenómeno adquirió una presencia dominante.

La corrupción tiene importancia económica para la población porque por ese motivo el Estado paga más de lo que debe y recibe menos de lo que paga, desviando los aportes impositivos de su destino específico. Cuando el dinero proviene de organismos internacionales, como los programas sociales financiados por el Banco Mundial, la corrupción provoca la utilización indebida de deuda externa.

Pero el fenómeno de la corrupción en la Argentina no se reduce a la existencia de algunos funcionarios deshonestos. Se trata del funcionamiento de una red de relaciones y complicidades entre agentes estatales, agentes privados y agentes políticos, destinada a usufructuar el patrimonio público, hacer negocios y financiar la actividad política. Se trata, en suma, de una corrupción sistémica que se ha convertido en una parte del funcionamiento del sistema estatal y en una forma de ejercicio del poder.

En los últimos años la corrupción se convirtió en una preocupación de los organismos financieros y asistenciales internacionales. Estos concluyeron que, en casos agudos, la corrupción tiene costos económicos y da lugar al mal empleo o la desaparición de fondos de ayuda proporcionados a los países.

En esta tendencia influyeron diversos factores estratégicos y puntuales, económicos, políticos y administrativos.

Como explica Rose-Ackerman: "La corrupción es una prioridad emergente para la comunidad internacional. El final de la Guerra Fría ha cambiado el equilibrio de fuerzas y elimina cualquier necesidad urgente de apoyar regímenes corruptos por razones de seguridad nacional. La corrupción generalizada y la influencia del crimen organizado en el antiguo bloque de los países del Este hizo que el problema fuera difícil de ignorar, como ha hecho difícil de ignorar problemas similares en otras partes del mundo. El movimiento global hacia la privatización y la desregulación exige que se vuelva a pensar la relación entre el mercado y el Estado, incluido un reconocimiento de las nuevas oportunidades de corrupción creadas por estos esfuerzos para fortalecer el papel del mercado privado".[119]

Ciertamente, organismos como el Banco Mundial, están financiando programas de investigación y prevención de la corrupción, el FMI incluye requisitos de transparencia en sus cláusulas de condicionalidad y la OCDE promueve reformas en los sistemas legales de los países miembros para penalizar el pago de coimas de las empresas.

Sin embargo, el cuadro que describe Rose-Ackerman no es totalmente ajustado. No es cierto que "la comunidad internacional" esté llevando a cabo una lucha contra la corrupción. Esa ofensiva es encabezada por los EE.UU. por motivos más prácticos que idealistas. El país del norte tiene una Ley de Prácticas Corruptas que no permite que las empresas estadounidenses paguen coimas. En otros países, incluidos los de Europa, las coimas pueden ser registradas como gastos especiales, por lo que las empresas de ese origen pueden operar con ventajas ante las estadounidenses.

Eso no impide que, como lo muestra el caso de la IBM en la Argentina, empresas estadounidenses participen en actos de corrupción en gran escala ni que esas empresas sean defendidas por el sistema político y judicial estadounidense. De hecho, una encuesta entre empresas multinacionales

---

119 Susan Rose-Ackerman, *La corrupción y los gobiernos*, Siglo XXI, Madrid, 2001, p. 244.

mostró que más del 70% de los participantes estaban dispuestos a pagar un soborno para conseguir una venta para sus empresas. Para muchos de los encuestados, los objetivos de la empresa están antes que la ética.[120]

Un aspecto generalmente poco señalado de la cuestión es que muchos de los funcionarios públicos que aparecen involucrados en irregularidades o hechos de corrupción, no son funcionarios de carrera o políticos profesionales, sino personas del sector privado que en algún momento, o en muchos momentos, a lo largo de su carrera, hacen su paso por el sector público. Así sucedió, por ejemplo, en los casos de sobreprecios pagados a IBM en la informatización del Banco Nación o la DGI.

La circulación de profesionales del sector privado por el Estado se debe, en buena medida, a la inexistencia de una carrera de formación de funcionarios públicos. La profesionalización del funcionariado público es una de las propuestas habituales de los organismos internacionales y en el país se pusieron en práctica varias iniciativas destinadas a crear una carrera de funcionarios. Pero esos intentos no prosperaron por desidia y porque ni el sector privado ni la dirigencia política tienen interés en la creación de una burocracia autónoma que reduciría su capacidad de presión y, en el caso de la dirigencia política, una fuente de empleo y un instrumento de clientelismo político.

De hecho la corrupción no sólo impone un costo adicional a los negocios sino que, en muchos casos, los viabiliza y permite a las empresas gozar de condiciones y beneficios excepcionales. Las privatizaciones son, sin duda, un ejemplo relevante de ese problema.

Por otra parte, el sistema de corrupción cumple la función de financiar la actividad de los agentes políticos y sus

---

120 Ackerman, op.cit.

organizaciones, como lo muestra la experiencia nacional e internacional. Esto explica la firme resistencia de las fuerzas políticas tradicionales a establecer normas de transparencia para la recepción y utilización de fondos.

Estado, mercado y democracia

La ortodoxia aboga por implantar las leyes del mercado en la vida social con el argumento de mejorar la asignación de los recursos comunitarios y personales y ofrecer igualdad de oportunidades a los individuos.

Este proyecto, conspira, en rigor, contra el alcance y la calidad de la democracia. La democracia supone la representación de la voluntad ciudadana sin diferencias de poder adquisitivo. Cumple, con todas sus limitaciones y distorsiones, una función igualadora de las diferencias naturales y sociales.

El mercado es, por el contrario, el campo a través del cual las diferencias de capacidades y poder puede manifestarse más ampliamente. Como sostiene Borón, "si la justicia es el valor orientador de una democracia, el mercado es –por su estructura tanto como por la lógica de su funcionamiento– completamente indiferente ante ella. Lo que reina en su territorio es la ganancia y no la justicia; el rédito y no la equidad".[121]

Pero la lógica del mercado no sólo se contrapone con la lógica de la justicia. Sucede, además, que los mercados modernos no son un terreno para la competencia egoísta pero igualitaria, sino campos dominados por enormes poderes capaces de imponer su ley al resto de los participantes, generando distorsiones reñidas con los principios de

---

[121] Atilio Borón, *Democracia y Estado en tiempos de crisis*, en revista *Encrucijadas*, UBA, Abril 2001.

la competencia perfecta. Es decir que los mercados no tienen, siquiera, la virtud de cumplir con los objetivos de equilibrio y optimización económica que la ortodoxia les atribuye ligeramente.

En un sistema democrático, aun en un régimen basado en la propiedad privada, una de las funciones del Estado es ser representante de los intereses generales de la población y el árbitro entre la ciudadanía dispersa y los poderes económicos o políticos concentrados. Por eso, en la medida que el Estado se subsume a la lógica del mercado, deja de cumplir incluso la función de paliativo en el sistema de dominación y deja el camino libre para que los más poderosos, los más audaces o los más inescrupulosos, impongan su arbitrio al resto de la sociedad.

Desintegración y función represiva

La erosión de las estructuras estatales, y el riesgo de ingobernabilidad que ello representa, se ha convertido en una preocupación de las potencias de los organismos internacionales y, en el campo de Latinoamérica, de los EE.UU.

La visión de desmembramientos territoriales, entronamiento de señores de la guerra o enfrentamientos intergrupales se hace cada vez más presente en las reflexiones sobre el futuro nacional.

Sin embargo, por más profunda que sea su desarticulación y castración, el Estado no va a desaparecer. Va a mantenerse en sus formas más crueles. El territorio nacional está capturado por gigantescas explotaciones agropecuarias y mineras y sobre el mismo se han construido instalaciones industriales, comerciales y de servicios. Sus dueños, capitales locales y extranjeros, no los van a abandonar y van a procurar el mantenimiento del orden indispensable para su explotación. Ese orden va a ser procurado, primordialmente, por la fuerza estatal. En suma, el Estado, en tanto esté dominado por los sostenedores del orden neoliberal, podrá despreocuparse de la prestación de servicios básicos, desatender sus deberes como mediador o regulador en los mercados y liquidar lo que resta del patrimonio público. Pero no va abandonar la función represora destinada a garantizar la continuidad del orden establecido. La experiencia argentina permite intuir hasta qué grado de violencia está dispuesto a llegar el bloque de poder para cumplir ese propósito.

CAPÍTULO 11

Las bases políticas del orden neoliberal

◉

El caos es el padre de todos los miedos y el miedo es el arma fundamental del "partido del orden" y de la ortodoxia económica. El miedo al caos fue un elemento decisivo en la formación de las coaliciones políticas y las tolerancias sociales que permitieron los dos formidables embates que se emprendieron, en 1975 y 1989, contra las conquistas sociales y los dispositivos estatales destinados a regular las fuerzas brutas del mercado.

Por muchas décadas, la sociedad argentina fue escenario de una denodada lucha de poder. Por una parte, el poder económico más concentrado y las fuerzas políticas más retrógradas embestían para mantener el orden en los puestos de trabajo y en las calles y para aumentar el albedrío del poder económico. Paradójicamente, muchas de las instituciones combatidas por la ortodoxia, habían sido creadas por el régimen conservador con el propósito de resguardar los beneficios de los poderes económicos dominantes. Paralelamente, las normas del Estado de Bienestar contribuían a sostener una masa de consumo sobre la cual crecían las industrias, los servicios y las ganancias de las empresas.

La población, a través de sus más diversas manifestaciones y procedimientos políticos, se oponía a ese proyecto. Una relativa paridad de fuerzas prolongó el enfrentamiento en un trayecto sembrado de golpes de Estado, gobiernos fugaces y planes económicos también fugaces en cada gobierno. Pero, aun en este marco de conflicto, la economía crecía; la protección aduanera permitía el desarrollo industrial; el Estado invertía, proporcionando tanto bienes sociales como oportunidades de rentas a los grandes grupos económicos; la legislación y la fuerza sindical garantizaban, finalmente, tanto el sostenimiento de beneficios laborales como el control político de la fuerza de trabajo.

Por otra parte, era innegable que la protección indiscriminada y el cortoplacismo determinado por la inestabilidad política y económica, conspiraba contra la modernización técnica y que las regulaciones tenían rigideces que no se adaptaban a los nuevos tiempos de la organización productiva y comercial.

Estos eran argumentos centrales sobre los cuales la ortodoxia económica pedía cambios.

En 1973, con el retorno de la democracia luego de una de las tantas dictaduras y con el retorno del peronismo al poder, el enfrentamiento político llegó a su clímax. Los trabajadores ejercían fuertes presiones para avanzar en la radicalización del gobierno; fracciones del peronismo y de izquierda integraban grupos guerrilleros y practicaban el terror urbano; las conducciones tradicionales de los sindicatos, muchas de ellas aliadas a la ultraderecha, exigían más poder en el gobierno defendiendo un proyecto de disciplina social pero basado en concesiones sociales y contrario al liberalismo económico; la derecha oficial y elementos de las fuerzas de seguridad ejercían el terrorismo de Estado contra trabajadores, la izquierda y los grupos rivales del peronismo.

En este cuadro, las fuerzas partidarias del orden y el liberalismo económico se coaligaron, primero para presionar al Gobierno y, cuando las condiciones estuvieron preparadas, para dar un golpe militar.

El gobierno de Isabel Perón intentó plegarse a las demandas del liberalismo y, a mediados de 1975, tomó medidas para flexibilizar el sistema de precios y reducir algunas regulaciones estatales. Pero el movimiento de trabajadores y los propios sindicatos oficiales de derecha respondieron con una huelga general y con la exigencia de expulsión del gobierno del ministro de Bienestar Social, José López Rega, organizador del terrorismo de Estado y señalado como responsable del giro adaptativo del gobierno.

Las medidas provocaron un caos económico y la respuesta de los sindicatos demostró que el gobierno peronista ya no estaba capacitado para disciplinar al movimiento de trabajadores, como lo había hecho por décadas. A principios de 1976 ya no se discutía si iba a producirse o no un golpe militar, sino cuándo llegaría.

El Gobierno trató de evitar su caída adoptando el programa militar. Decretó la guerra de exterminio al terrorismo (en un decreto que llevó la firma del entonces ministro del Interior y actual canciller Carlos Ruckauf) y negoció una suerte de "bordaberrización" del poder.[122]

Pero las fuerzas conservadoras consideraban que el gobierno no estaba en condiciones de restablecer el orden y el sistema de dominación ni, mucho menos, emprender el proceso de transformación estructural económica y social que el gran capital había proyectado. Por lo tanto, decidieron que había llegado el momento de tomar

---

122 En 1972 el presidente uruguayo Juan María Bordaberry disolvió el Parlamento, suprimió los partidos de izquierda y armó un gobierno con participación de militares y conservadores. En 1976 fue volteado por un golpe militar.

el control del Estado en sus propias manos. Comenzaron su tarea el 24 de marzo de 1976.

El golpe militar

El golpe contó con una red de apoyos, algunos explícitos, otros más difíciles de cuantificar. El apoyo más explícito provino del empresariado. Las grandes fuerzas económicas promotoras del golpe estaban nucleadas en entidades como la Asamblea Permanente de Entidades Gremiales Empresarias (APEGE) y el Consejo Económico Argentino (CEA).

APEGE se formó en 1975 como una fuerza de reclamo y de presión contra el gobierno y los sindicatos. Reunía a la UIA, a la Sociedad Rural y a la Cámara de Comercio.

El CEA, que todavía existe, nació en 1967, vinculado al *Council of The Americas* de los EE.UU., que reúne a grandes empresas del país del Norte. En 1976 estaba dirigido por José Alfredo Martínez de Hoz..

El Consejo no es una organización patronal sino una asociación de personas influyentes, dueños o miembros de los grandes grupos entre los que figuran Techint, Roberts, Boston, Irsa, Soldati, Bunge y Born y Loma Negra. Martínez de Hoz era en esa época presidente de Acindar, Química Estrella, Sol Petróleo, Mate Larangueira y vicepresidente de la Fundación de Investigaciones Económicas Latinoamericanas (FIEL). En FIEL participaban y participan otros empresarios miembros del CEA.

En los meses previos al golpe los empresarios nucleados en el CEA desplegaron una intensa actividad de presión sobre el Gobierno, vinculaciones con las Fuerzas Armadas e, inclusive, redactaron el plan económico que esperaban aplicar en algún momento.

En marzo de 1979 el CEA publicó una declaración en la que sostuvo que el Proceso salvó al país del marxismo y el estatismo y lo puso en la senda del cristianismo y los valores occidentales. En la misma recuerda que el golpe "generó en la órbita empresaria, al igual que en los demás sectores de la comunidad, positivas expectativas" y reitera su total adhesión a los principios fundamentales" del Proceso de Reorganización Nacional y a todas las manifestaciones posteriores de sus principales protagonistas en la reafirmación de su filosofía".[123]

La dictadura militar suprimió sindicatos, partidos y actividades políticas y libertades de expresión.

La existencia de fracciones del sindicalismo que apoyaban o incluso participaban en la guerrilla urbana fue utilizada por la dictadura para justificar la represión sobre el movimiento obrero y las detenciones y secuestros realizados en los lugares de trabajo. En la antesala del golpe y preparando el terreno para la represión, el jefe de la Unión Cívica Radical, Ricardo Balbín, había hablado de la existencia de una "guerrilla fabril". Una vez perpetrado el golpe, muchas empresas, nacionales y extranjeras, colaboraron con la tarea abriendo los portones de las fábricas a los represores y señalando a los activistas, que eran detenidos o secuestrados.

La represión era presentada como parte de la lucha contra el terrorismo, pero su objetivo era, también, acabar con la rebelión en el mundo del trabajo. Y esto no sólo para solucionar un desorden de la coyuntura sino para cortar un ciclo histórico durante el cual los trabajadores habían tenido un protagonismo y una capacidad de presión decisiva sobre empresas, gobiernos y fuerzas políticas.

La represión explícita, las restricciones a las libertades y la creciente percepción de que se estaba desarrollando

---

123 Jaime Fuchs y José Carlos Vélez, *Argentina de rodillas*, Tribuna Latinoamericana, Buenos Aires, 2001, p.104.

también una represión oculta, crearon el clima de miedo necesario para paralizar el movimiento popular y dar comienzo a la aplicación del modelo económico.

Argentina seguía el camino abierto por Chile de liberalización de los mercados y represión social. En un congreso de economía, el Premio Nobel Paul Samuelson había caracterizado ese modelo de la siguiente forma: se libera el sistema de precios y se controlan los sindicatos, se trata del "fascismo de mercado".

Pero la fuerza y el apoyo empresarial no fueron las únicas bases de sustentación de la dictadura. También tenía un grado de aceptación difícil de establecer en sectores sociales cansados del estado de convulsión política y crisis económica que había imperado en las últimas etapas del gobierno peronista y que anhelaban el restablecimiento del orden. Ese apoyo puede haberse ampliado con el auge del consumo de bienes importados y la posibilidad de los pequeños ahorristas de obtener migajas de renta financiera.

El programa neoliberal recibió, también, el apoyo de una creciente corriente de economistas ortodoxos que se incorporarían a la maquinaria de promoción de la ideología liberal. Un hecho significativo fue la fundación del Centro de Estudios Macroeconómicos de la Argentina (CEMA), en 1979. Esta institución fue formada por Carlos Rodríguez, Roque Fernández, Pedro Pou, Carlos Ávila, y otros economistas, doctorados en la Universidad de Chicago. Los jóvenes monetaristas se hicieron fuertes en el Banco Central y, a partir de ese momento participaron directa o indirectamente en casi todos los gobiernos, al tiempo que mantuvieron puestos claves en el BCRA.

La estabilidad de la dictadura se deterioró rápidamente en los años ochenta por varias razones: la crisis cambiaria y económica de 1981; la aparición de proyectos diferentes en la cúpula militar y un creciente movimiento de protesta.

En 1982, poco después de una importante movilización de protesta en la Plaza de Mayo, el gobierno del general Fortunato Galtieri lanzó una guerra contra Gran Bretaña por la recuperación de las Islas Malvinas, como un recurso desesperado en busca de consenso social y político. La derrota sufrida en la Guerra y la revelación de las ineficiencias de los militares, más que la resistencia popular, precipitaron el fin de la dictadura.

La adaptación radical

El gobierno radical ganó las elecciones apoyado en las aspiraciones democráticas de un sector de la sociedad y en el rechazo que despertaba un peronismo que, por los hombres que lo representaban y los gestos políticos que desplegaba, hacía recordar su pasado de prepotencia y violencia. Pero el gobierno de Raúl Alfonsín no se basaba en ningún bloque sólido. Desde el principio se vio cercado por los reclamos sindicales, porque los trabajadores esperaban que la democracia mejorara su situación y porque el gobierno intentó modificar la legislación para reducir el poder de los caciques sindicales. Por otra parte, sufría las presiones de los grupos locales y los acreedores para que se encarrilara en la senda de la ortodoxia económica y el cumplimiento de los compromisos externos. Finalmente, una parte de la ciudadanía que esperaba un embate a fondo contra los militares, quedó disconforme con los límites que se autoimpuso el gobierno para delimitar las responsabilidades de los militares en el terrorismo de Estado.

A partir de 1985 el Gobierno inició una progresiva retirada de sus promesas originales. Reemplazó un ministro de economía incómodo para el poder y la ortodoxia, por otro más potable. Paralelamente, inició intentos de concertación, sosteniendo encuentros con un grupo de grandes empresarios denominados "capitanes de la industria" mientras trataba de acordar con el sindicalismo peronista, que lo estaba sometiendo a una serie de medidas de fuerza.

En junio de ese año el presidente Alfonsín protagonizó un hecho que sorprendió a muchos y que marcó un quiebre en su relación con quienes lo apoyaban: convocó a la ciudadanía a la Plaza de Mayo y anunció el lanzamiento de un plan de economía de guerra, que incluía un fuerte recorte del gasto público, lo cual causó un inmediato rechazo entre los propios convocados. Pero, también ese mismo mes, se lanzó el Plan Austral, que logró reducir la inflación y dar oxígeno durante algunos meses al Gobierno. No obstante, muy pronto la inflación reapareció y la economía siguió estancada por lo cual la protesta sindical se multiplicó.

En 1987, el Gobierno buscó una recomposición de su alianza con el empresariado mediante un programa económico más aperturista que, además, abría el curso a la privatización parcial de empresas públicas. Procuró, también en vano, un pacto social entre la UIA y la CGT, para enfriar el conflicto social.

Pero el mal desempeño económico y una derrota en las elecciones legislativas de ese año redujeron su margen de acción y su capacidad negociadora. A ello se agregaron rebeliones de militares nacionalistas disconformes con el juzgamiento de los jefes de la dictadura y con lo que consideraban una política de agresión a las Fuerzas Armadas. Estos fueron denominados "carapintadas" porque aparecían con la cara tiznada al uso de los soldados en combate. Los rebeldes contaban con las simpatías del peronismo que, desde la oposición, difundía un discurso nacionalista.

Si con la política de firmeza de la primera etapa el Gobierno no había obtenido los resultados buscados, con la política de adaptación y retroceso, tampoco lo logró.

Las acciones del sindicalismo peronista no estaban destinadas a obtener reivindicaciones para sus representados sino a provocar el deterioro del Gobierno en vistas a recapturar el poder. Los empresarios y los acreedores externos querían, a su vez, un programa de transformaciones más profundas que el que estaba dispuesto a llevar a cabo, hasta ese momento, el radicalismo y no confiaban en él porque no manifestaba una adhesión plena y entusiasta a la línea ortodoxa. Uno de los límites del radicalismo para llevar a cabo un programa de esa naturaleza era, precisamente, la resistencia sindical y legislativa del peronismo, la cual desaparecería poco después, cuando Carlos Menem llevara a cabo su programa neoliberal en una versión salvaje.

La situación del Gobierno se complicó definitivamente cuando, a principios de 1989, el año de elecciones presidenciales, el FMI y el Banco Mundial, retiraron el apoyo financiero a la Argentina, por el incumplimiento de los acuerdos económicos.

En medio de la recesión y la inflación, el radicalismo perdió las elecciones presidenciales de mayo. Entre las elecciones y la asunción del nuevo gobierno mediaban siete meses, que en las condiciones imperantes era un período infinitamente largo. El Gobierno saliente intentó un pacto de gobernabilidad con el partido triunfante, sin lograrlo. La incertidumbre se convirtió en hiperinflación y el radicalismo se vio obligado a retirarse anticipadamente del gobierno.

La gran coalición

La configuración de las bases políticas durante el primer gobierno menemista tiene características complejas y contradictorias. Proveniente de un partido populista, Menem hizo su campaña prometiendo mejoras salariales y desplegando una imagen pintoresca alejada de las convenciones del género. Pero, paralelamente, acordaba su futura política económica con los grupos empresarios.

Ni bien ingresado al gobierno entregó el Ministerio de Economía a miembros de Bunge & Born, uno de los principales grupos económicos del país, incorporó exponentes del liberalismo tradicional antiperonista como Álvaro Alsogaray e inició una política clara y explícitamente liberal, opuesta a toda la tradición de su partido.

La entrega del Ministerio de Economía creó fricciones en el núcleo empresario e, incluso, dentro de la misma empresa beneficiaria. Sin embargo el gran capital tenía claro, seguramente por los acuerdos realizados con anterioridad a las elecciones o al inicio del mandato, que el nuevo gobierno venía a poner en práctica un programa acorde con sus intereses: el 16 de julio de 1989 el Consejo Empresario Argentino, cuyos miembros habían apoyado el programa y los métodos de la dictadura militar, publicó una solicitada dando su "decidido apoyo" al programa de gobierno de Menem y especialmente "en aquellos aspectos que apuntan a las reformas estructurales del sector público y la desregulación y apertura de la economía". El documento estaba firmado por veinticinco representantes de grandes grupos.

Años más tarde, uno de los miembros del Consejo, explicaría, en una entrevista periodística que "con Menem siempre nos llevamos bien. Nosotros al principio de su gobierno le presentamos un plan... y aplicó casi todo lo que le sugerimos".[124]

"En su forma más resumida, sostiene Schvarzer, puede decirse que la nueva alianza agrupaba a los sectores más tradicionales del poder económico local (donde predomina la lógica comercial y financiera), a los acreedores externos

---

[124] Enrique Ruete Aguirre, del grupo Roberts, entrevista para el diario *Clarín*, 4-12-98. Citado por Fuchs y Vélez, op.cit. p. 229.

(bancos e instituciones internacionales afines), a los tecnócratas y promotores de la nueva ortodoxia económica y, por último, a los dirigentes de origen populista. Los dos primeros grupos se apoyaban en su capacidad para influir sobre todo el sistema de poder apoyados en su hegemonía sobre el mercado financiero; el tercero ofrecía su capacidad y conocimientos de gestión, sus contactos externos y su capacidad de *lobby*; los últimos, por su parte, usufructuaban la legitimidad de gobierno derivada de su victoria electoral y su capacidad potencial para asegurar su permanencia en el poder y, con ella, el sustento de la nueva estrategia".[125]

Un aspecto importante de esa gran alianza con el *establishment* fue el restablecimiento de las relaciones entre el gobierno civil y los militares. El gobierno radical había puesto límites al juzgamiento de los crímenes de la dictadura y tratado con mano blanda a los militares sublevados, lo cual le valió la crítica de una parte de la sociedad. Pero el juzgamiento de los miembros de la Junta golpista y de otros uniformados, le ganó, al mismo tiempo, un fuerte resentimiento de la corporación armada y de los poderes civiles que la habían respaldado.

Menem cambió la posición gubernamental emitiendo señales de reivindicación de las Fuerzas Armadas e indultando a militares condenados por violaciones a los derechos humanos. Para hacer pasar su medida como un gesto de reconciliación más general, indultó también a ex-dirigentes guerrilleros.

No obstante, cuando llegó el momento, también dejó clara su decisión de mantener el liderazgo del proceso. En diciembre de 1990 se produjo un nuevo levantamiento

---

125 Jorge Schvarzer, *Implantación de un modelo económico*, A-Z Editora, Buenos Aires, 1998.

militar, que el gobierno respondió enérgicamente encarcelando a su cabecilla, el coronel fundamentalista "carapintada" Mohamed Seineldín, un antiguo aliado suyo, quien fue juzgado y condenado a cadena perpetua.

Las privatizaciones crearon un campo propicio para el tejido de alianzas entre miembros del gobierno, algunos de ellos políticos profesionales, otros provenientes del sector privado, y las empresas locales y extranjeras.

Algunos sindicalistas, por su parte, se asociaron con grupos locales y extranjeros y, en algunos casos, se convirtieron en empresarios. Muchos directivos del sector privado se convirtieron, provisoriamente, en funcionarios públicos encargados de llevar a cabo las privatizaciones o en miembros de los entes de control de las compañías privatizadas, con las cuales solían estar vinculados.

Este tejido de intereses y complicidades se constituyó en una fuente de negocios y enriquecimiento privado de empresarios y funcionarios y en uno de los sostenes más importantes del régimen menemista y de la imposición del orden neoliberal.

Como parte de la subsumisión de la Argentina en el orden dominante, el menemismo llevó adelante una política exterior de alineamiento sin fisuras con los EE.UU. que fue denominada, por el canciller Guido Di Tella, de "relaciones carnales" y que cambió algunos aspectos importantes de la tradición diplomática argentina. El alineamiento con los EE.UU. –y en especial algunos gestos concretos, como la solicitud de convertir a la Argentina en un asociado de la OTAN– entró en fricción con el proyecto de integración del MERCOSUR.

En 1993, en pleno auge económico y político, el menemismo realizó un pacto con el radicalismo, conocido como "Pacto de Olivos", para reformar la Constitución. La reforma acortó el mandato presidencial de seis a cuatro años y permitió la reelección. En junio de 1995 Menem accedió por segunda vez a la presidencia.

El radicalismo, encabezado por el ex-presidente Alfonsín aceptó el pacto argumentando que, de esta forma, evitaría una reelección amañada y recortaría el poder de Menem mediante la instauración de una Jefatura de Gabinete. Pero el Pacto de Olivos contribuyó al desprestigio del radicalismo entre quienes tenían una opinión crítica del menemismo, lo cual creó un espacio político para el surgimiento de una nueva corriente opositora.

El punto de inflexión

1995 es un punto de inflexión económico y político del régimen menemista. Ese año, el impacto de la crisis mexicana en la producción y el sistema financiero mostró la vulnerabilidad del andamiaje económico; el aumento de la desocupación, su costo social y las pujas internas del peronismo, los límites del liderazgo de Menem.

En el momento de las elecciones de 1995, la desocupación se acercaba a un pico histórico del 18%, en un país sin seguro de desempleo. No obstante el oficialismo pudo mantener la adhesión de un importante sector de los trabajadores, principalmente el de menores ingresos, quienes guardaron fidelidad al peronismo más por pertenencia a una cultura que por cálculo político o económico

Sin embargo las elecciones testificaron, también, las fracturas de la coalición peronista y la emergencia de un frente de oposición. El Frente País Solidario (FREPASO), con la fórmula Carlos "Chacho" Alvarez-Octavio Bordón, obtuvo el 30% de los votos, mientras el radicalismo obtuvo menos de un 17%.

En el Frente convergían dirigentes que habían roto con los partidos tradicionales, agrupaciones de orientación socialdemócrata y cristiana y una masa de activistas sin pertenencia partidaria. Esta corriente de opinión se iría fortaleciendo con el tiempo, reflejaría una serie de rechazos y aspiraciones. Uno punto central era el creciente repudio de la población a las prácticas corruptas del menemismo y el nacimiento de un reclamo de mejora ética. Otro era el malestar de sectores de trabajadores y de clase media empobrecidos por la política oficial.

El FREPASO tenía un programa de cambio moderado que no contemplaba la modificación de los pilares del orden imperante, como la convertibilidad, las privatizaciones o la apertura comercial e inversora indiscriminada al extranjero.

A su vez, dentro del peronismo se reflejaba tanto el descontento de una parte de la sociedad como la ambición de algunos líderes de ganar poder confrontando con el proyecto de perpetuación de Menem.

Sectores del oficialismo, entre los que se encontraba el del entonces gobernador de la provincia de Buenos Aires, Eduardo Duhalde, comenzaron a reclamar la "peronización" de gobierno. Esto significaba introducir algunas correcciones populistas al esquema neoliberal del ministro de Economía Domingo Cavallo.

Éste seguía, por otra parte, concitando el apoyo del *establishment* local y extranjero, que lo consideraba como una garantía para el mantenimiento del rumbo emprendido.

Poco después, el enfrentamiento se produciría entre el propio Presidente y su Ministro. Cavallo denunció la existencia de mafias vinculadas al gobierno y como mafioso al empresario Alfredo Yabrán.

A lo largo de ese enfrentamiento, que culminaría con la renuncia del Ministro en 1996, cada uno de los contendientes se arrogaba la paternidad y el carácter de garante del "modelo", en lo que constituía un mensaje dirigido al *establishment* y a los sectores medios que todavía tenían expectativas en el orden reinante.

Menem, por su parte, consideraba que no tenía herederos ni rivales dignos de mérito y aspiraba presentarse como candidato a un tercer período, en lo que se dio en llamar la "re-reelección". Para apoyar ese proyecto, el menemismo hacía una interpretación forzada de la Constitución según la cual la segunda presidencia debía computarse como la primera, por ser la primera después de la reforma constitucional. El argumento era insostenible, pero el poder de Menem en el peronismo y el predicamento que tenía en el *establishment* y una parte importante de la sociedad, hacían creer que el proyecto tenía alguna viabilidad y generaba no pocos temores en la oposición y entre sus antagonistas dentro del peronismo.

El principal oponente en ese campo era el ex-vicepresidente y gobernador de la provincia de Buenos Aires, Eduardo Duhalde, que mantenía un fiero enfrentamiento con el Presidente. Desde la gobernación, Duhalde desplegaba abiertamente una política de clientelismo político en la población y exponía ideas heterodoxas en materia económica, tratando de capitalizar el descontento de la política del gobierno nacional.

En la oposición se plantearon, al tiempo, diferencias sobre la estrategia a seguir. El radicalismo, golpeado por su experiencia en el gobierno y por su participación en el Pacto de Olivos tenía un escaso caudal electoral y afrontaba la posibilidad de hacer una elección desastrosa. Pensando en ese peligro, una fracción del partido, liderada por el ex-presidente Alfonsín proponía una alianza electoral con el FREPASO. Otra fracción, de la que participaba Fernando de la Rúa se inclinaba por mantener la identidad partidaria y no participar en asociaciones como la propuesta.

Dentro del FREPASO, una fracción era partidaria de una alianza que aumentara las chances de victoria. Otra se resistía a vincularse con un partido que consideraba parte del *establishment* y que, por lo tanto, estaba opuesto a las ideas de renovación del Frente. Finalmente triunfaron las fuerzas aliancistas y, paradójicamente, el dirigente opuesto a la alianza fue el candidato a presidente.

Crisis y reconversión sindical

La imposición del orden neoliberal cambió radicalmente el papel del sindicalismo y los trabajadores en la escena política y llevó a la crisis las estructuras sindicales tradicionales.

El sindicalismo fue una de las bases de sustentación del gobierno de Juan Domingo Perón y pudo desarrollarse en las condiciones creadas durante el período de proteccionismo y regulación estatal y en un contexto de crecimiento tendencial. El crecimiento de los ingresos permitía una dinámica de concesión de aumentos salariales y traslado a los precios que era uno de los motores de la inflación.

La crisis del viejo orden cambió sustancialmente ese cuadro. Primero, la desindustrialización redujo el peso de los trabajadores industriales quienes, por décadas, constituyeron el núcleo más organizado y combativo del movimiento de trabajadores. Luego la desocupación y la difusión de trabajos temporarios o en negro, redujeron el nivel de sindicalización.

Los dirigentes sindicales tradicionales se amoldaron a ese estado de cosas, negociando con los gobiernos de turno aunque, a lo largo del período tuvieron lugar varias divisiones y reunificaciones de la cúpula sindical por diferencias ante las políticas económicas del momento. En ocasiones, algunas fracciones recurrieron a estrategias confrontativas, como sucedió con la CGT-Azopardo liderada por Saúl Ubaldini durante el gobierno de Raúl Alfonsín, o cuando los gobiernos intentaron imponer cambios institucionales que afectaban sus intereses corporativos, como los programas de privatización de las obras sociales.

El sindicalismo apoyó el ingreso de Menem a su primer gobierno, pero se dividió cuando éste comenzó a desplegar su política. En 1991 tuvo lugar la creación de la Central de Trabajadores de la Argentina (CTA), en lo que constituye un intento de agrupamiento sindical con un funcionamiento más democrático que el sindicalismo tradicional y con una orientación de crítica al neoliberalismo.

En 1994 la CGT realizó su primer paro general en repudio a la política de Menem, pero en 1994 participó de un acuerdo con el Gobierno y los empresarios (Grupo de los 8) en el cual se firmó el Acuerdo Marco para el Empleo, la Productividad y la Equidad Social. En 1997 la Confederación aceptó la política de flexibilización laboral impulsada por el gobierno, que fue rechazada por la CTA, por un agrupamiento disidente denominado Movimiento de Trabajadores Argentino y por la Unión Obrera Metalúrgica, asociada a la CGT.

La aceptación de las políticas contrarias a los intereses de sus representados, las sospechas o evidencias de enriquecimiento y el burocratismo de las organizaciones, determinaron que la dirigencia sindical cayera en un profundo desprestigio, mayor, según numerosas encuestas, que las de la cúpula política.

La adaptación de la Alianza

A fines de los años noventa existía, en un sector de la dirigencia y en una importante franja de la población, la ilusión de modificar el rumbo económico, las formas de hacer política y la cultura social. Este estado de ánimo fue canalizado por la Alianza.

Algunos sectores del *establishment* tomaron en serio la posibilidad de una llegada de la Alianza al gobierno y la apoyaron con contribuciones. En 1997 Santiago Soldati, presidente del Consejo Empresario Argentino, hizo público su apoyo a la Alianza. También la familia Roca de Techint. El CEA aportó un plan de gobierno con orientaciones económicas y para educación y la justicia. Una vez iniciado el gobierno de De la Rúa, el CEA manifestó su conformidad con la designación de José Luis Machinea como Ministro de Economía.

Quizá el *establishment* consideraba más peligroso al candidato peronista, Eduardo Duhalde, el cual tenía un discurso populista que incluía el desconocimiento del pago de la deuda externa y que parecía capaz de reeditar las viejas prácticas del intervensionismo estatal, el proteccionismo o la confrontación con las potencias occidentales.

Las ilusiones de que la Alianza aportaría un cambio económico o político se diluyeron muy pronto. El gobierno nombró ministro de Economía a un radical con matices heterodoxos que puso en práctica un programa firmemente ortodoxo. El vicepresidente Carlos Álvarez, que había liderado la construcción de un frente de renovación económica y política, apoyó ese rumbo.

La orientación de la Alianza mostró que los lazos entre el poder económico y las cúpulas políticas consolidado durante el menemismo se mantenían y que el nuevo de gobierno traía, a lo sumo, un cambio de estilo y de detalles, pero no de estrategia. La Alianza continuó, incluso, la política exterior de alineamiento con los EE.UU., contradiciendo posiciones tradicionales del partido radical en la materia.

La política neoliberal del gobierno generó oposición en la propia coalición oficial y uno de los líderes de esa oposición fue el propio presidente del radicalismo.

El primer motivo de desencanto en relación a la Alianza fue el programa de ajuste fiscal, lanzado al comienzo de la administración, basado en aumentos de impuestos a la clase media y reducción de salarios públicos.

El segundo fue la votación de la Reforma Laboral en el Senado. En los primeros meses de gestión, el gobierno envió al Senado un proyecto de Reforma Laboral cuyo propósito era profundizar la desregulación del mercado de trabajo, lo cual significaba promover la precarización laboral y reducir el poder de las representaciones sindicales. Un sector del "progresismo" aliancista lo apoyaba argumentando que contribuiría a la democratización sindical.

El oficialismo no contaba con mayoría en el Senado, pero el proyecto fue aprobado porque recibió el voto de senadores peronistas.

Poco después del hecho, el senador justicialista Antonio Cafiero denunció que el Gobierno había comprado el voto de algunos de sus copartidarios. El vicepresidente Carlos Álvarez, presidente de la Cámara de Senadores, solicitó una investigación y lanzó una cruzada anticorrupción. Pero tanto los senadores opositores como los radicales y el propio Poder Ejecutivo se negaron a colaborar. La Justicia, por su parte, no hizo demasiados esfuerzos en la investigación y el caso se diluyó. El vicepresidente renunció y se retiró de la política.

La actitud de legisladores, Gobierno y Justicia creó la certeza de que los sobornos habían existido, de que la política era solidaria con sus elementos corruptos y de que no tenía interés en autopurificarse. La deserción de Álvarez fue vista como una renuncia a sostener la prometida lucha contra la corrupción.

Políticamente, la decisión del ex-vicepresidente recibió una doble lectura. Para el entorno presidencial y opiniones provenientes del *establishment*, era un hecho positivo porque indicaba una homogeneización del Gobierno tras un programa decididamente ortodoxo y continuista. Según otras opiniones, la fractura en la Alianza debilitaba el gobierno y reducía la gobernabilidad.

Esto es lo que finalmente sucedió. En la Alianza se desató una serie de pujas internas que llegaron al fraccionamientos del bloque oficialista en la Cámara de Diputados.

La crisis institucional y económica y la reiteración de la corrupción no sólo minaron las bases políticas del gobierno sino que generalizaron la decepción y el desprestigio de la clase política y de instituciones como el Congreso y la Justicia.

La crisis económica e institucional fue aprovechada por la derecha radical, encabezada por el presidente De la Rúa, para avanzar en la identificación de la política oficial con los intereses del *establishment* económico.

El paso más audaz en este sentido fue el nombramiento de Ricardo López Murphy, un baluarte de la ortodoxia y vinculado a los grandes grupos económicos, como ministro de Economía.

El nuevo Ministro recibió el inmediato apoyo de las empresas nacionales y extranjeras nucleadas en el CEA y en FIEL, a la cual pertenecía López Murphy.

En su presentación en la Bolsa de Comercio, el fugaz Ministro recibió el aplauso sostenido de los miembros de un nutrido grupo de grandes empresarios de la industria, la banca, el comercio y el agro. El embajador de los EE.UU., James Walsh opinó, por su parte, sobre el nuevo Ministro: "Es un economista sumamente capaz, un economista mundialmente conocido y comparte la filosofía de todas las democracias basadas en los mercados abiertos [...]. Es una persona muy conocida, favorablemente conocida en los Estados Unidos, por eso quería felicitar al Gobierno argentino sobre la selección brillante de este señor".[126]

---

126 Citado por Fuchs y Vélez, op.cit. p. 127.

El cambio contó, además, con el beneplácito de la cúpula militar. López Murphy había sido ministro de Defensa y durante su gestión hizo una firme reivindicación de las fuerzas armadas y, a pesar de sus habituales recomendaciones de reducción de gastos, solicitó aumentos en el presupuesto militar.

Pero en este momento tuvo lugar un fenómeno social cuya real importancia se podría apreciar sólo en los meses posteriores. Cuando el Ministro presentó su programa y su equipo públicamente, se produjo una explosión de rechazo popular que obligó al Presidente a retirarlo. Éste sería el primer episodio de una serie de manifestaciones populares que terminarían, meses más tarde, con el ministro Cavallo y con el propio Presidente y que continuaría en un movimiento ciudadano de crítica política y autoorganización a través de asambleas barriales y diversas formas de expresión.

Ante la profundización de la recesión y de la reafirmación neoliberal, un sector de la industria comenzó a tomar posiciones cada vez más discordantes con el gobierno de la Alianza y a criticar una política que estaba minando sus bases de sustentación materiales. Sin embargo, como generalmente ha sucedido, esos reclamos fueron muy limitados y de escaso vigor. Mostraron un disenso pero, ni lejanamente, se constituyeron en el germen de un movimiento burgués en defensa de la producción nacional. Esto puede haberse debido a que las principales empresas han tejido fuertes lazos económicos con el capital extranjero como proveedor o comprador o a través de asociaciones accionarias y que, por ese motivo, su suerte no está vinculada únicamente a la suerte del mercado local. Por otra parte, la liberalización financiera permite una movilidad internacional del capital que es una vía de escape para las crisis domésticas.

Pero, por otra parte, el empresariado local, a diferencia de lo que sucede en otros países, suele tener una ideología liberal que, en muchos aspectos, se contrapone con lo que debería ser una política industrial. De hecho, a través de décadas, los propios representantes de la Unión Industrial Argentina, han apoyado vigorosamente políticas anti industrialistas.[127] Este fenómeno, que tiene una profunda influencia en la determinación del orden económico, resulta generalmente difícil de explicar. Puede surgir de una conjunción de causas diversas como el largo antagonismo entre capital y trabajo que tuvo lugar en la historia de la Argentina industrial, del prestigio que conserva el pasado de gloria económica basada en la explotación primaria y, actualmente, de la recién mencionada vinculación del capital nacional con el exterior. Como sea, la ideología liberal del empresariado es, sin duda, uno de los principales obstáculos para la viabilización de una estrategia de desarrollo burgués nacional.

Cuando el más puro representante del liberalismo tuvo que dejar su puesto, Domingo Cavallo lo sucedió. El nuevo Ministro prometió una política heterodoxa de reactivación que tuvo poca vida. Pero ante los primeros problemas Cavallo retrocedió sobre sus promesas y volvió al camino de la ortodoxia económica con un programa de ajuste fiscal clásico.

Pero no pudo revivir la alianza con el gran capital de los primeros años del menemismo porque la situación económica estaba muy deteriorada y porque el gobierno no podía garantizar, como lo había logrado Menem, durante

---

127 En una mesa redonda, a la que asistía el autor, el ingeniero-economista y empresario Marcelo Diamant relató una anécdota significativa: en plena política de Martínez de Hoz, un industrial amigo le preguntó: "¿Decime Marcelo, por qué con una política tan buena a nosotros nos va tan mal?".

algunos años, la sujeción de las fuerzas sociales. Por otra parte el prestigio de Cavallo en el *establishment* local e internacional estaba mellado por los coqueteos del Ministro con la heterodoxia y por sus repetidos exabruptos con banqueros y acreedores, aun a pesar de que el Ministro les proporcionó enormes oportunidades de negocios.[128]

En octubre de 2001, en plena crisis económica, se realizaron elecciones para diputados, senadores y gobernadores provinciales en las cuales el oficialismo sufrió una severa derrota.

Las elecciones reflejaron el malestar popular con la situación económica, el Gobierno y, en general, con los políticos colaboracionistas del orden vigente. En el comicio aumentó sensiblemente el voto de agrupaciones de izquierda, el 22% de los votos fueron en blanco o autoimpugnados, lo que se denominó el "voto bronca" y el ausentismo llegó al 26% del electorado.

El poder contra la política

La crisis provocó un recrudecimiento de las críticas a la corrupción y a los políticos en general. Estas críticas son formuladas tanto por el ciudadano común como por el *establishment* económico, en lo que parece una campaña a favor de la transparencia y la mejora de la calidad de la democracia. Sobre esta base, plantea la necesidad de reducir el gasto de la política y el número de representantes de la ciudadanía en los cuerpos legislativos en sus diferentes niveles.

El hecho no es nuevo. La política es una forma de intervención de los ciudadanos en el orden social y un obstáculo para que los poderes económicos ejerzan su poder

---

128 Las licuaciones de pasivos, las comisiones pagadas en el megacanje de deuda o los programas de cancelación de impuestos con bonos públicos devaluados son buenos ejemplos de esa línea de conducta.

directamente. Por eso el *establishment* económico siempre vivió la política como una molestia y la presentó como una fuente de ineficiencia y de desorden y, en los casos extremos, de subversión. Con este argumento apoyó numerosos golpes de Estado que cancelaron la representación democrática de los ciudadanos y permitieron que los poderes económicos y las fuerzas militares ejercieran en forma directa de poder.

Por eso, la campaña contra la política, que se articula con la ofensiva contra el Estado, debe entenderse como un intento de lograr una reducción en las instancias de representación de los ciudadanos que aumentaría la capacidad del poder económico para controlar el Estado, al tiempo que reduciría la capacidad de las instituciones republicanas para controlar al poder económico.

Por otra parte, la ofensiva contra el gasto político no tiene bases sólidas desde el punto de vista económico porque el gasto político es una porción reducida del gasto total.

La campaña contra la política es protagonizada también, en una aparente paradoja, por parte de la dirigencia política. Con esta maniobra, un sector de la dirigencia procura acoplarse al discurso del poder dominante y aparecer identificada con los reclamos ciudadanos contra las malas prácticas políticas. Al mismo tiempo, impulsa reducciones en las formas de representación de los ciudadanos que le permitirán reforzar su poder en el manejo de las estructuras institucionales. El fenómeno de "los políticos contra la política" es, por lo tanto, una articulación racional entre lógicas de las cúpulas políticas y los intereses del poder económico en su búsqueda de un mayor control social.

Disgregación y recomposición del poder

A partir de las elecciones de octubre, la ingobernabilidad dejó de ser un fantasma para convertirse en una realidad. El país tenía la economía paralizada, el crédito interno y externo cortado, la Alianza gobernante desecha y parte del partido radical en posiciones críticas. Como consecuencia del resultado eleccionario, a partir de diciembre de 2001 el Gobierno perdería el control de ambas cámaras legislativas y tendría una abrumadora mayoría de gobernadores de la oposición, incluidos los de las provincias más grandes. Varios de esos gobernadores comenzarían, además, a hacer su campaña para convertirse en candidatos presidenciales en el año 2003, lo cual implicaba que mantendrían posiciones duras con el oficialismo. La relación del gobierno central con los gobernadores es crucial porque cada gobernador peronista controla fracciones en los cuerpos legislativos y porque la aprobación del Presupuesto depende del acuerdo entre gobierno central y provincias.

En el cuadro de un vertiginoso deterioro económico, el gobierno impuso restricciones al retiro de depósitos bancarios para impedir la caída del sistema bancario, lo cual se convirtió en un detonante que provocó una explosión de las protestas.

En ese momento se registraron también reclamos de comida en supermercados y de saqueos de negocios de todo tipo, protagonizados tanto por personas necesitadas como por activistas y delincuentes, ante la pasividad cómplice de la policía. Numerosas y consistentes versiones sostienen que parte de los saqueos, particularmente los de la provincia de Buenos Aires, fueron organizados por dirigentes justicialistas, con el propósito de desestabilizar al Gobierno. El entonces gobernador de Buenos Aires, Carlos Ruckauf, es uno de los más señalados por esas acusaciones.

Durante los saqueos murieron decenas de personas. Algunas como consecuencia de la represión y de la acción de grupos no identificados, presumiblemente miembros de fuerzas de seguridad de civil o personas movilizadas por grupos políticos. Otros fueron víctimas de civiles que defendieron sus propiedades a mano armada.

En diciembre tuvo lugar otro hecho significativo. El Frente Nacional Contra la Pobreza (FRENAPO), formado por la CTA y numerosas organizaciones sociales, convocó a una Consulta Popular por la instauración de un seguro de empleo, logrando el voto de más de tres millones de personas, un resultado sorprendente hasta para los organizadores.

El 19 de diciembre, ante la expectativa generalizada, el presidente De la Rúa pronunció un corto discurso en el cual no dio ninguna respuesta a los problemas que se estaban desarrollando creando una enorme frustración y malestar. El Gobierno decidió, además, imponer el Estado de Sitio, que incluye la prohibición de reuniones públicas.

En ese momento, en abierto desafío a la disposición oficial, se produjo una serie de manifestaciones espontáneas que culminaron en una gran concentración en la Plaza de Mayo.

A la una de la mañana del 20 de diciembre renunció el ministro Cavallo. A la noche tuvo lugar una nueva manifestación de protesta en la Plaza de Mayo que fue fieramente reprimida, con el saldo de seis personas muertas y decenas de heridos.

Esa misma noche renunció el Presidente, creando un vacío institucional debido a que no existía vicepresidente.

El reagrupamiento

El 21 de diciembre de 2001, asumió como Presidente provisional el senador justicialista Ramón Puerta, quien sólo aceptó administrar una rápida transición. Luego de febriles negociaciones en el justicialismo, el 22 de diciembre la Asamblea Legislativa nombra Presidente Interino al gobernador de San Luis Adolfo Rodríguez Saá, el cual debía organizar la convocatoria a elecciones en un tiempo prudencial.

Pero el nuevo Presidente sorprendió a propios y extraños anunciando un programa económico y político que implicaba su permanencia en el gobierno por un período más prolongado que el originalmente previsto, propósito que el mandatario se encargó de confirmar elípticamente. El Presidente nuevo mostró un estilo dinámico que contrastó con la opacidad de la figura de De la Rúa: inmediatamente declaró el *default* parcial de la deuda, anunció la creación de una nueva moneda y se reunió con personalidades de todos los sectores, empresarios y gremialistas, incluyendo las Madres de Plaza de Mayo, que tuvieron su primera reunión con un presidente desde el inicio de la democracia.

Las decisiones y actitudes del Presidente generaron inmediatas reacciones en el oficialismo y en la oposición y entre la población. El *establishment* rechazó enérgicamente las violaciones de la ortodoxia económica y sus pares del justicialismo reaccionaron contra sus intentos de prolongar su estadía en la Casa Rosada y le retiraron su apoyo. La población protestó por la reaparición de los personajes oscuros, muchos vinculados con la corrupción, en puestos públicos y en el entorno presidencial.

El 30 de diciembre Rodríguez Saá renunció, o más bien, mandó su renuncia desde su provincia sin trasladarse a Buenos Aires, creando una nueva situación de vacío institucional. Ante la situación la dirigencia política acordó que la presidencia fuera ocupada transitoriamente por el diputado Eduardo Caamaño y el 1° de enero de 2002 la Asamblea Legislativa designó como nuevo Presidente Interino al ex-vicepresidente de Menem, ex-gobernador de una provincia en crisis económica y senador Eduardo Duhalde.

En esos días de caos político y parálisis económica el país caminaba al borde del abismo de la disgregación. Pero el bloque de poder no se disgregó. Rápidamente expulsó, a través del aparato político justicialista, a Rodríguez Saá, que había declarado eufóricamente la moratoria parcial de pago de la deuda y anunciado una política reñida con la ortodoxia económica y monetaria.

El presidente Duhalde prometió, en sus discursos de apertura, romper la alianza del Estado con el capital, forjar otra con la producción y cambiar el rumbo económico. Pero, en pocos días comenzó a aplicar una política de impecable ortodoxia y seguir las exigencias del FMI. El gobierno se adaptó a las exigencias de los grupos económicos y los bancos y mantuvo reuniones de conciliación con banqueros e inversores extranjeros. El Gobierno confirmó, también, su alineamiento estratégico con los EE.UU. y se ofreció, incluso, para contribuir con ese país en su intervención en el conflicto colombiano.

La política oficial fue acompañada y apoyada por su partido, el radicalismo e, incluso, por representantes de la industria que, en un primer momento, manifestaron su satisfacción ante un hipotético cambio de política económica. El bloque dominante se reagrupó, en suma, para hacer frente a la crisis y reciclar, con otro sistema cambiario y en diferentes condiciones políticas y económicas, el orden neoliberal.

CAPÍTULO 12

2002, año del reciclaje: el mismo orden con otro tipo de cambio

Cuando asumió, el presidente Eduardo Duhalde anunció el fin de la economía de especulación y el inicio de una nueva alianza con la producción pero muy pronto demostró que su propósito era mantener el sistema imperante promoviendo, incluso, una reducción en los ingresos de la población tanto o más profunda que la realizada por Martínez de Hoz en el primer año de gestión.

El Gobierno, surgido en forma inesperada hasta para sus propios miembros, no tenía un equipo ni un programa armado. Reunió a los hombres más vinculados a Duhalde y a la provincia de Buenos Aires y comenzó a lanzar una serie de anuncios y medidas que se iban modificando y contradiciendo con el correr de los días. Un dato sintomático del grado de improvisación fue que el Ministro encargado de guiar la salida de la convertibilidad, Jorge Remes Lenicov, había sido, hasta semanas antes, un fervoroso opositor a modificarla.

Por otra parte, el gobierno comenzó a sufrir, inmediatamente, presiones de los grupos económicos, el gobierno estadounidense y el FMI, para que tomara medidas que respetaran la ortodoxia económica y descargaran el grueso de los costos de la crisis sobre el Estado y la población.

Los *lobbies* no tuvieron que ser muy insistentes. Muy rápidamente, el gobierno se fue adaptando a las exigencias. Siguiendo el pedido del FMI dejó flotar el tipo de cambio y diseñó un proyecto de presupuesto sumamente restrictivo. Aumentó las restricciones a los retiros a los depósitos, licuó los ahorros en dólares y otorgó a los grupos económicos un enorme beneficio mediante la pesificación de sus deudas. Anunció acuerdos con el sector exportador para que éste liquidara divisas para evitar el aumento del dólar, que no obligó a cumplir y permitió aumentos de precios al mismo tiempo que los salarios se mantenían congelados, dando lugar a un rápido y fuerte aumento de la pobreza y la indigencia. En marzo el Presidente se reunió con los banqueros en busca de un acuerdo enterrando oficialmente el discurso de la nueva alianza con la producción y el trabajo.

El gobierno impulsó también, a pedido del FMI, la modificación de la Ley de Quiebras, para facilitar la quiebra de empresas endeudadas y la derogación de la Ley de Subversión Económica, un instrumento que se estaba utilizando para investigar maniobras ilegales de banqueros. Para contrapesar el impacto de la devaluación sobre los precios y para recaudar impuestos, impuso retenciones a las exportaciones, pero, cediendo a las presiones de los exportadores, en un nivel extremadamente reducido.

El dilema cambiario

La primera decisión contundente del nuevo gobierno fue dar por finalizada la convertibilidad y devaluar. ¿Era indispensable devaluar? La fijación del tipo de cambio y la inflación de los primeros años de la convertibilidad produjeron un atraso del tipo de cambio nominal, aunque parcialmente corregido por reducciones impositivas y de cargas previsionales y por aumentos de la productividad laboral..

Las consecuencias de este esquema se agravaron por varios fenómenos cambiarios: la revalorización del dólar frente a las monedas europeas y el yen a partir de 1997; la desvalorización de las monedas asiáticas a partir de la crisis de 1998 y la desvaluación del real a partir de 1989.

La valorización del tipo de cambio local afectó las posibilidades de la exportación y aumentó el atractivo de las importaciones, lo cual contribuyó a reducir el ingreso de dólares a través del comercio. A partir del año 2000, debido a la recesión, la pérdida de competitividad exportadora y el agotamiento del proceso privatizador, el país tampoco atrajo capitales bajo la forma de inversiones externas de largo plazo.

A esto se sumó la pérdida de reservas, que demostró que la convertibilidad no alcanzaba para mantener la confianza en el peso. Este proceso reducía la liquidez interna y derivaba, lenta pero inevitablemente, a una dolarización de la economía. Sin mencionar que, en el camino, se produciría la quiebra de bancos por el retiro de depósitos en pesos (los cuales sólo parcialmente se transformaban en depósitos en dólares).

La devaluación aparecía, entonces, tanto necesaria como inevitable. De hecho, según un viejo apotegma del ambiente económico, los países no devalúan sino que la devaluación les es impuesta por el mercado.

¿Cuál debería haber sido el aumento del dólar para compensar el atraso cambiario y recomponer la capacidad exportadora? Los miembros de la escuela "devaluacioncita" disentían sobre el porcentaje, pero muchos pensaban que era necesaria una devaluación de alrededor del 50% y, en los casos más extremos, de hasta un 100%.

¿Qué sistema cambiario hubiera sido necesario? ¿Tipo de cambio flotante o controlado? Dado el temor de una escalada cambiaria y de la consecuente explosión inflacionaria, la mayoría de los devaluacionistas se inclinaban por una opción controlada.

Estaba, finalmente, la cuestión de las compensaciones a los deudores en dólares y a los acreedores que deberían sufrir la pesificación de sus acreencias, para amortiguar el impacto de la devaluación, la cual correría, inevitablemente, a cargo del Estado.

El proyecto de devaluación tenía, por otra parte, poderosos enemigos entre los grandes grupos económicos locales y extranjeros endeudados en dólares y entre una parte de la población también endeudada y temerosa del efecto que una devaluación podría tener sobre la inflación y los ingresos.

La gran devaluación

El Gobierno decidió establecer un sistema cambiario mixto, con un tipo de cambio comercial de un dólar a 1,4 pesos, para operaciones de comercio exterior, y un dólar libre para el resto. Se había estimado que la cantidad de reservas del Banco Central permitían sostener ese tipo de cambio. Pero antes de que el sistema se terminara de definir, se decidió unificar el sistema con un tipo de cambio libre, que sería regulado a través de las intervenciones del Banco Central. El Gobierno anunció que el dólar libre se ubicaría cerca de la cotización de 1,8 pesos por dólar que campeaba en el pequeño y fugaz mercado libre que coexistió con el tipo de cambio fijo. Pero el dólar trepó rápidamente a los 3 pesos y, un día caliente, a fines de marzo, tocó los 4 pesos para volver a bajar a 3. En suma, en los tres primeros meses del año el peso se devaluó un 200%.

Para tener una idea del shock devaluatorio es útil comparar la evolución del tipo de cambio local con los precios internos y con otras devaluaciones:

• Entre marzo de 1991 y diciembre de 2001 los precios minoristas aumentaron 56% y los mayoristas 18%. En tales condiciones la devaluación original, del 40%, corregía casi el atraso en precios minoristas y sobrepasaba los mayoristas.

• En las devaluaciones de México y Brasil, el dólar aumentó poco más del 50% en los primeros 180 días. En Corea y Tailandia aumentó 50% en un año. En la Argentina aumentó 150% en 90 días.

**Evolución de los tipos de cambio
(julio 1997/noviembre 2001)**

Fuente: FIDE

En un primer momento la devaluación apareció como una forma de revertir la valorización de la moneda local y crear un sistema de precios más favorable a la producción y la exportación. Pero la posterior trepada del dólar agravó los problemas de los productores vinculados con el mercado interno por la licuación de los ingresos de los consumidores y el aumento de los costos de insumos y partes importadas.

La creación de una franja cambiaria libre primero y la flotación después, crearon el temor de que una liberación de los depósitos capturados en el sistema financiero se dirigieran a la compra de dólares. En consecuencia, el gobierno también reforzó el *corralito* para evitar transferencias de fondos entre bancos, lo cual aumentó las obstrucciones en el sistema de pagos.

De este modo se planteó una enorme contradicción difícil de resolver: por una parte era recomendable reducir las restricciones a los depósitos bancarios para aumentar el poder de compra y estimular la recuperación de la economía. Por otra, las estimaciones oficiales mostraban que la mayoría del dinero que salía del *corralito* se dirigía a la compra de dólares, por lo cual una liberación hubiera provocado, al mismo tiempo, graves dificultades para muchos bancos y una fuerte presión de demanda sobre la divisa.

Por su rapidez y magnitud, la devaluación, lejos de solucionar el problema fiscal y productivo, lo agravó. La devaluación aumentó rápida y abruptamente la deuda externa en relación a los ingresos fiscales en pesos y agregó una enorme carga por los subsidios estatales a particulares y empresas afectados por la devaluación. El aumento del dólar provocó una inflación que licuó los ingresos de la población y redujo el mercado interno del cual dependen la mayor parte de la producción y los servicios y la recaudación fiscal. El efecto sobre las exportaciones es importante pero su impacto sobre la actividad económica en lo inmediato es reducido porque las ventas externas son poco más del 10% del PBI.

Entre los pocos resultados alentadores figura que el encarecimiento de los bienes y servicios importados va a permitir, en algunos casos rápidamente, una recuperación de actividades locales que, con el anterior tipo de cambio, no podían competir. Esta posibilidad se verá trabada, no obstante, por la falta de financiamiento y la reducción del mercado interno.

Salir del tipo de cambio fijo y la moneda convertible en forma más equitativa y ordenada hubiera requerido una devaluación más pausada y un sistema de compensaciones destinado a proteger los ingresos y la producción local, para lo cual hubiera sido necesario, a su vez, contar con el financiamiento adecuado.

Llevar adelante un plan semejante implicaba tener la voluntad política de arbitrar entre los intereses de los grandes poderes y los de la población más desprotegida a favor de esta última. Nada de eso existió.

¿Por qué se liberó el dólar?

La liberación del dólar no pareció responder a ninguna estrategia productiva o exportadora sino a la decisión de aceptar una exigencia del FMI esperando que de ese modo el organismo proveería financiamiento. Los técnicos del organismo consideran, como la mayoría de los analistas ortodoxos, que lo más correcto es dejar que la paridad sea fijada por el mercado sin discriminaciones cambiarias establecidas por el Estado.

De este modo, el gobierno de Duhalde-Remes Lenicov, se metió voluntariamente en una trampa: decidió devaluar, lo cual suponía inevitablemente establecer un sistema de compensaciones de elevado costo para el Estado, cuando el Estado estaba en quiebra. En tales condiciones la devaluación implicaba, necesariamente, recurrir a la ayuda extranjera, en primer lugar, del FMI; pero el FMI no acepta los sistemas de tipo de cambio múltiple, como lo hizo saber rápida y categóricamente.

El gobierno liberó el tipo de cambio, pero la ayuda esperada no se hizo presente. Hasta el momento en que esto se escribe, fines de marzo de 2002, es decir a tres meses de la devaluación, el FMI y el gobierno de los EE.UU. se negaron a proporcionar los fondos solicitados humilde e insistentemente por el gobierno argentino.

La negativa de los EE.UU. a auxiliar a la Argentina se explica por razones particulares y generales. Particulares porque el gobierno estadounidense considera que la Argentina va a seguir siendo insolvente aun en caso de ayuda y porque evalúa que la crisis local no afectará a otros países a los que atribuye mayor importancia estratégica. Por otra parte, la crisis argentina apareció en un momento en el cual el gobierno de los EE.UU. considera que es necesario cambiar el sistema de salvatajes implementado hasta el momento, generalmente gestionados por el FMI, reemplazándolo por otro esquema que desaliente los préstamos y el endeudamiento irresponsable. Anne Krueger, número dos del FMI y representante de los EE.UU. en el organismo, y otros economistas influyentes del gobierno, plantean la opción de una ley de quiebras por la cual los prestamistas cargarían con parte de los costos de las crisis y que reduciría los aportes de los EE.UU. y del FMI en esos casos.

Un beneficio gratuito

Ni bien comenzó su gestión, el Gobierno comenzó a recibir fuertes presiones del *establishment* económico para que el Estado se hiciera cargo totalmente de los costos de la devaluación, al mismo tiempo que rechazaban controles de precios, retenciones a las exportaciones, aumentos de sueldos o cualquier tipo de actitud heterodoxa. En un primer momento, el Gobierno denunció estas presiones, en lo que parecía una búsqueda de apoyo para una política de orientación productiva y social. Pero muy rápidamente fue cediendo a esas presiones.

Por otra parte, el Gobierno estaba presionado también por los ahorristas que recorrían las calles haciendo sonar sus cacerolas y se manifestaban delante de los bancos.

El Gobierno respondió a esa situación pesificando las deudas en dólares con los acreedores externos. En un primer momento se incluyeron las deudas de hasta 100.000 dólares, con lo cual se salvaguardaba a deudores particulares y empresas chicas. Pero, a principio de febrero decidió incorporar a todos los deudores del sistema con una conversión de las deudas en dólares a un peso el dólar.

Debido a la pesificación, el sistema bancario deberá devolver depósitos en pesos, pero a un tipo de cambio de 1,4 pesos el dólar depositado, al mismo tiempo que recibirá un peso por cada dólar prestado. Esto crea una diferencia o "descalce" que será cubierto por el Estado. La cobertura de esa diferencia implica una enorme transferencia de fondos hacia empresas y particulares beneficiados con la licuación de sus deudas, estimada en medios oficiales en 18.000 millones de dólares.

La pesificación benefició, principalmente, a un reducido grupo de grandes deudores que concentran la mayor parte de la deuda bancaria. Un estudio de Basualdo, Schorr y Lozano, realizado sobre 139 grandes empresas pertenecientes a 27 grupos económicos, muestra que los mismos fueron beneficiados con una reducción de sus deudas de 2.000 millones de dólares. En el año 2.000 esas empresas habían tenido una facturación de 23.500 millones de dólares y utilidades por 2.500 millones. El primer deudor es el grupo Pérez Companc y el segundo, Repsol-YPF, ambas exportadoras. El tercero es la empresa extranjera Telecom Argentina. Las tres pertenecen a sectores que en los años anteriores a la licuación tuvieron rentabilidades por encima del promedio de las demás empresas. Para varias de las empresas de la lista, el subsidio de la licuación fue mayor que las ganancias obtenidas durante 2000.[129]

---

129 Eduardo Basualdo; Martín Schorr y Claudio Lozano, "Las transferencias de recursos a la cúpula económica durante la administración Duhalde", Aporte presentado en la Asamblea Nacional del Frenapo, Instituto de Estudios y Formación de la Central de Trabajadores Argentinos, Buenos Aires, 2 de marzo de 2002.

El gran problema de la licuación de pasivos es que se realizó sin prácticamente ninguna exigencia de contrapartida. Como afirmó en su momento Héctor Valle, las decisiones del gobierno "consolidan un modelo de la economía que sigue siendo fuertemente inequitativo" porque a los grupos económicos que se benefician fuertemente con la devaluación o la pesificación no se les impuso contraprestaciones como retenciones a la exportación, gravámenes a las altas rentas o compromisos de exportación, de liquidación de divisas en el mercado o de creación de empleo.[130]

Uno de los instrumentos más adecuados para recolectar fondos para financiar la modificación cambiaria son las retenciones a las exportaciones con las cuales el Estado puede capturar parte o todo el beneficio que las empresas logran con la devaluación. Mucho más considerando la enorme amplitud y rapidez de la devaluación. Una retención reducida a las exportaciones puede cubrir fácilmente el costo de la licuación de pasivos.

Los impuestos a las exportaciones o retenciones tienen también un efecto sobre los precios. Ante una devaluación el exportador procura obtener en el mercado interno el mismo precio que obtiene exportando, por lo cual los bienes exportables tienden a aumentar de precio aunque la devaluación no les ocasione aumentos de costos. Si la rentabilidad de la exportación se reduce mediante retenciones también se reduce el propósito de los exportadores de aumentar los precios de sus productos en el mercado interno.

Hasta cierto porcentaje, las retenciones no agregan una carga impositiva sino simplemente evitan que el exportador obtenga un beneficio. En el caso de la devaluación de

---

130 Reportaje de Maximiliano Montenegro, diario *Página/12*, 24-2-2002.

principios de 2002 la medida era plenamente justificada por la magnitud de la devaluación practicada y por el costo de los aumentos de precios internos.

El gobierno anunció en un primer momento que impondría retenciones al sector petrolero y luego a otros sectores, pero luego retrocedió a medida que los grupos indicados presionaron sobre los funcionarios y, en algunos casos, amenazaron con retirar inversiones y despedir personal. El titular de la Sociedad Rural llegó a decir que si se imponían retenciones del 25% (la devaluación había sido para ese momento del 150%), los productores incendiarían todo.

El gobierno titubeó durante semanas y terminó disponiendo retenciones modestísimas: 20% al petróleo, 10% para productos primarios y 5% manufacturas industriales, gas y electricidad. En promedio equivalen al 6,7% del valor de las exportaciones. A fines de marzo, cuando el dólar se disparó a 4 pesos, decidió aumentar los porcentajes. No obstante, dada la magnitud de la devaluación, los exportadores obtuvieron un formidable beneficio, aún los sectores que utilizan un elevado porcentaje de insumos o partes importadas.[131]

Otra alternativa evaluada por el gobierno en sus primeros días fue exigir que las empresas endeudadas pagaran sus compromisos con anticipación.

La idea no era descabellada. Las 100 compañías que tienen los mayores pasivos con los bancos adeudan 9.400 millones de dólares. Eso equivale al 80% de los depósitos.

La mitad de las deudoras son compañías exportadoras y privatizadas, es decir con capitales afuera o con una

---

131 Con un tipo de cambio de 2,5 pesos por dólar, una retención generalizada del 20% hubiera dejado a los exportadores con una devaluación del 100%, superior al atraso cambiario y a las devaluaciones de los socios comerciales, y hubiera proporcionado al Gobierno 13.000 millones de dólares, 30% más que el déficit de 2001, según estimaciones oficiales.

perspectiva de ingreso de divisas que no depende de las condiciones del mercado interno.

Por otra parte, los argentinos tienen en el exterior más de 100.000 millones de dólares, parte de los cuales son, seguramente, de empresas locales endeudadas interna o externamente o de los dueños de esas empresas. Otras empresas, como las de los grupos Macri y Arcor, realizaron inversiones en el exterior, por lo cual disponen de activos que deberían servir de cobertura para los riesgos cambiarios que supone su endeudamiento.

Es decir que muchas grandes empresas tenían la posibilidad de cancelar deudas anticipadamente o soportar impuestos a las rentas extraordinarias o retenciones a las exportaciones.[132]

El gobierno concedió, además, un seguro de cambio a los bancos, para que cubrieran la diferencia de cambio entre las deudas que tenían con el exterior y los ingresos que recibirían por sus acreencias pesificadas. Este sistema aumentó el costo de la pesificación estimado en un primer momento.

Finalmente, en la evaluación del riesgo de los deudores en divisas ni el gobierno ni los expertos habitualmente consultados sacaron a la luz el tema de los seguros de cambio y otros instrumentos que habitualmente toman quienes se endeudan en el exterior o quienes dan créditos en divisas por los cuales reciben compensaciones por variaciones cambiarias adversas.

Un sector que cayó bajo la lupa del Gobierno y de la sociedad luego de la devaluación fue el petrolero. Las petroleras se encuentran entre las principales beneficiadas

---

132 Hay que recordar, en este punto, la cuestión de la deuda externa en los años ochenta, cuando las empresas cancelaban sus deudas y tenían capitales depositados en el exterior, pero seguían declarando un endeudamiento a la espera de un eventual salvataje que efectivamente se produjo.

por la pesificación de las deudas. El petróleo es uno de los rubros de exportación que más aumentó en los últimos años, las empresas están disfrutando precios mundiales del petróleo en alza y pagan en la Argentina menos regalías que en otros países latinoamericanos. En los últimos años la rentabilidad de las petroleras fue muy superior a la del resto de las empresas.

Las firmas hicieron una fuerte y ostensible presión sobre el gobierno y anunciaron que, de imponerse retenciones, suspenderían inversiones y despedirían personal. Más aún las petroleras comenzaron a aumentar el precio de los combustibles, con el consiguiente impacto de costos e inflación sobre todo el sistema económico.

En su cruzada contaron con el apoyo de gobernadores de provincias petroleras y del sindicato del sector. Incluso se sospecha que una serie de comentarios críticos sobre el gobierno de Duhalde que profirió desde el exterior el ex-presidente Carlos Menem obedeció a una gestión de la petrolera española Repsol.

La vulnerabilidad de la economía ante las decisiones de las empresas petroleras es una expresión del costo de privatizar YPF cediendo todo el control al sector privado. Por el contrario si el Estado participara de la empresa podría recibir parte de los beneficios de la devaluación y tener un elemento de presión sobre el crucial mercado de combustibles.

Depósitos acorralados

En los primeros días de su mandato, tratando de calmar los ánimos de los ahorristas, el Presidente prometió que los depósitos en dólares serían devueltos en dólares. Luego anunció que serían convertidos en pesos y no al tipo de cambio libre sino a 1,4 pesos. El ministro Remes Lenicov sostuvo, más crudamente, que esos dólares no existían.

Evidentemente, los bancos tienen sólo una parte de los pesos o divisas con los que operan y el resto lo tienen prestado. También es cierto que los plazos fijos en dólares se originaron, en su mayor parte, en pesos que los depositantes llevaron a los bancos. Pero en algunos casos, imposibles de determinar, los depositantes llevaron billetes de dólar y en el resto el banco, al tomar los pesos hizo una operación de venta de divisas por la cual incluso cobró una comisión. Es decir que los depositantes en dólares sufrieron una violación de contrato inadmisible según los preceptos jurídicos del sistema de propiedad privada.

La suerte de los depositantes dependió, en definitiva, de la relación entre sus activos reducidos y sus pasivos licuados. Para un agente económico con una deuda igual a un depósito a plazo fijo, la pesificación le aportó un beneficio de un 40%. El beneficio es mayor, cuando mayor es el monto en el cual el depósito y la deuda se igualan.

Por eso, la conversión de depósitos en dólares a pesos a 1,4 pesos el dólar, perjudicó relativamente menos a los grandes depositantes que son, también, grandes deudores.[133]

133 En tiempos de crisis el humor suele representar mejor la situación imperante y las expectativas sobre el futuro que muchos análisis. Un texto de Rep, parodia el vértigo de anuncios oficiales y la confusión generalizada y prevé, incluso, intuitivamente una dolarización que algunos pronósticos consideran inevitable si la pesificación fracasa. Se trata de un "Plan para ampliar el *corralito*" que reza: "Primero, al asumir, hay que prometer devolver dólares y luego confirmar que sólo hay pesos. Luego decir que será al cambio oficial ($1,40), tras lo cual imponer el 1 a 1 más un bono de 40 centavos a 10 años. Al día siguiente cambiar por un bono de 10 centavos a 40 años (este cambio diario, permanente, descolocará al ahorrista, quien va perdiendo concentración, y desorientado y clase media como es, se desmoviliza ¿le gusta, Sr. Presidente?). Luego decidir que en vez de dólares (porque seguirá sin haber billetes) se hará una canasta de monedas, primero con euros y yenes y luego soles y bolívares. Lo próximo es contarle al ahorrista que la canasta de monedas será de 1 centavo, de esas amarillitas que te dan de vuelto en los McDonald's, y después cambiar la devolución de los ahorros en *big macs*. Ahí llegamos a una cantidad de *big macs* por ahorrista, que serán canjeados por lecops siempre y cuando McDonald trabaje aún en el país. Entonces el ahorrista recuperará una cantidad de lecops, que no se aceptarán porque el país estará definitivamente dolarizado" (revista *Veintitrés*, 24-1-2001).

Sobre el sistema bancario, la retención de los depósitos, tuvo un efecto dual. Por una parte evitó el colapso de muchas entidades, por otra, generó una dosis de desconfianza entre ahorristas e inversores, que tratarán de buscar alternativas más confiables para colocar su dinero. Si, además, el dólar tiende a aumentar, como inevitablemente sucede en un sistema de cambio flotante en una economía en crisis, el dinero será mucho más remiso a volver al sistema bancario y, en ese caso, exigirá tasas de interés excepcionalmente elevadas y plazos cortos de imposición. Aun en el mejor de los casos, la economía afronta un período seguramente importante de desconfianza sobre el sistema bancario, reducción de depósitos y de capacidad crediticia del sistema. Esto provocará, previsiblemente, una nueva ronda de concentración bancaria y reducciones de personal y una nueva época de falta de financiamiento para los agentes económicos mas chicos.

El costo de la inflación

Si bien era evidente que la devaluación provocaría aumentos de precios no se contempló ningún sistema de control o acuerdo de precios ni de indexación de salarios, por lo cual los principales pagadores del costo de la devaluación serán los asalariados y aquellos cuyos ingresos dependen directamente del poder adquisitivo de los asalariados. El gobierno anunció sistemas de controles y acuerdos con formadores de precios que nunca se concretaron.

La evolución de los precios es un aspecto crucial de cualquier devaluación. El encarecimiento de las divisas provoca aumentos de precios y esos aumentos reducen proporcionalmente los efectos de la devaluación. En los casos extremos, como sucedió por mucho tiempo en la Argentina, se produce una carrera entre precios y tipo de cambio que puede terminar en hiperinflación.

Ante esta perspectiva el Gobierno se mantuvo dentro de los cánones ortodoxos rechazando cualquier posibilidad de controles o acuerdos formales de precios.

En los dos primeros meses de la devaluación, los precios al consumidor aumentaron sólo un 6%, lo que se debió, en buena medida a la profunda retracción de la demanda pero también a que la década de estabilidad parece haber cortado la inercia inflacionaria que provocaba la carrera entre precios y tipo de cambio y la competencia de remarcaciones. Pero en marzo la carrera de remarcaciones se lanzó con aumentos en los alimentos y medicamentos de entre el 25% y 35%. Los alimentos aumentan porque son bienes exportables y los productores tratan de cobrar en el mercado local el mismo precio que cobran cuando lo exportan. Por eso las retenciones a las exportaciones, al retirar toda o parte de la ganancia que se obtiene con una devaluación, reduce la tendencia al aumento de los precios de bienes exportables. En otros términos, los aumentos en los precios de alimentos se producen porque el Gobierno renunció a imponer retenciones, siquiera parciales, a las exportaciones desde el primer momento.

El encarecimiento de los alimentos tiene un efecto proporcionalmente más importante en los pobres, que dedican la mayor parte de sus ingresos a la alimentación. Pero en marzo comenzaron a aumentar, también, los precios de los servicios, alcanzando a la clase media.

En general, los aumentos de precios tendrán un efecto deletéreo sobre los ingresos. Según evaluaciones del INdEC un aumento de los precios del 10% aumentaría el porcentaje de personas por debajo de la línea de pobreza del 40% al 44%, agregando 1.200.000 de pobres a la sociedad. Si el aumento de precios es del 30% la mitad de las personas quedarían por debajo de la línea de pobreza.

La reducción de los ingresos afectará, a su vez, las perspectivas de las actividades dirigidas al mercado interno.

A esto se agrega el peligro del sistema de indexación de deudas. Las deudas pesificadas fueron indexadas por un Coeficiente de Estabilización de Referencia (CER), elaborado en base a los índices de precios que, de aplicarse estrictamente, puede generar un fuerte aumento de las deudas. Esta situación recuerda a la creada por la Circular 1050, durante la gestión de Martínez de Hoz. La 1050 dispuso la actualización de los saldos adeudados por créditos hipotecarios en función de la tasa de interés vigente y, dado el elevado nivel de las tasas, las deudas aumentaban a pesar de las cancelaciones realizadas y llegaban a ser mayores que el valor de las viviendas que le servían de garantía.

Discusión sobre el tipo de cambio

¿Cuál es el mejor sistema cambiario? En los últimos años se desarrolló, en la Argentina y en el mundo una fuerte discusión sobre cuál tipo de cambio es más conveniente. En el mundo, por la inestabilidad cambiaria instalada desde el fin del sistema de tipo de cambio fijo en los setenta, y por las sucesivas crisis cambiarias que tuvieron lugar desde entonces, tanto en Europa como en la periferia. En la Argentina, la discusión sobre el régimen cambiario fue cobrando vigor a medida que se hacía evidente la crisis del sistema de tipo de cambio fijo y que se diluyó el temor, que dominó por varios años la escena económica, de mencionar siquiera la posibilidad de una devaluación.

En este momento las posiciones se dividieron entre la defensa de la convertibilidad, la dolarización y la devaluación, en cada caso con diferentes variantes. Y según Max Corden, de la Universidad John Hopkins de Washington: "Ningún régimen tiene sólo ventajas o desventajas: siempre hay transacciones. Más aún, las políticas que terminan en crisis no son necesariamente erróneas, dado el conocimiento disponible para los encargados de tomar decisiones en el momento y las expectativas razonables. Se deduce que las recomendaciones simples, tales como "todas las tasas de cambio deberían flotar" o "todos los países en desarrollo deberían adoptar la junta monetaria (tipo de cambio fijo)", deben ser miradas con escepticismo. La visión actual más de moda es que, debido a la alta movilidad del capital internacional, los regímenes de tipo de cambio fijo ajustable ya no son funcionales o deseables. Desde esta perspectiva, la opción se da entre sistemas de tasa firmemente fija, como la junta monetaria o las uniones monetarias, por un lado, y regímenes flotantes, tal vez con cierto manejo, por el otro. [...] Uno puede llegar a la conclusión de que todos los regímenes de tasa de cambio son viables cuando los principios fundamentales son satisfactorios".[134]

El autor señala que la experiencia recogida desde Bretton Wood hasta ahora muestra que los regímenes de tipo de cambio fijo ajustable son proclives a la crisis pero no obstante considera que pueden ser sustentables en la medida que se realicen ajustes cambiarios en función de la evolución de los indicadores fundamentales. Pero la experiencia muestra, también, que los gobiernos no hacen este tipo de ajuste, por diversas razones.

Una puede ser la confianza en que las salidas de capital o las presiones sobre el tipo de cambio son pasajeras; los gobiernos suelen, también, tratar de convencer a los mercados sobre la sustentabilidad del tipo de cambio, desechando públicamente la necesidad de modificarlo. Puede ser, también, finalmente, que la sobrevaloración cambiaria esté facilitando negocios de sectores de poder (por ejemplo manteniendo los activos locales baratos en términos de divisas)

---

134 Max Corden, W, "Régimen y política de tasa de cambio: un panorama", en *Política de tasa de cambio en América Latina*, Carol Wise/Riordan Roett, (comp.), GEL, Buenos Aires, 2001, p. 54.

o que los sectores económicos endeudados o los bancos con fuertes acreencias en divisas, logren que el gobierno no produzca una devaluación que los perjudicaría.

Efectos de la devaluación

¿La devaluación traerá la esperada recuperación de las exportaciones? Si es así, ¿qué exportaciones serán más beneficiadas y qué efecto tendrá sobre la economía?

Para las actividades que ya exportan, la devaluación aumenta los ingresos en moneda local y muchas empresas podrán comenzar a exportar. En todos los casos, la rentabilidad estará relativizada por el grado de utilización de importados en la producción, que en algunos casos es muy elevada.

Sin embargo, la devaluación no cambia factores cruciales para la competitividad como la productividad de las plantas ni la eficiencia de los sistemas de distribución o de promoción de los productos locales en el exterior.

En otros términos, la modificación de precios relativos debe considerarse una medida destinada a cambiar el rumbo de la distribución factorial y la especialización exportadora, pero no de la coyuntura de los sectores productivos que venden al exterior.

La devaluación tiene importantes efectos no sólo sobre el flujo de bienes y de divisas sino también sobre los activos ya existentes. El aumento del dólar reduce el valor de los activos invertidos en el país en términos de divisas. La reducción del valor de los activos de una filial de empresa extranjera reduce el patrimonio de la empresa global. Además encarece la compra de divisas para la remisión de utilidades. Las empresas cobran en moneda nacional y deben convertirla para remitirla al exterior. Encarece los pagos de tecnología o insumos comprados a las empresas asociadas del exterior.

Si hay tipo de cambio múltiple o un mercado oficial y mercado libre, aumenta el incentivo de falsificar los precios de las operaciones realizadas con empresas vinculadas, para justificar compras de dólares a precio menor en el mercado oficial.

Pero, por otra parte, la devaluación revaloriza, en términos de moneda nacional, el poder de compra de los grupos extranjeros y de los capitales depositados en el exterior por agentes locales. Por eso la devaluación puede dar curso a una concentración y extranjerización del sistema económico si no se regula la capacidad de apropiación de los capitales externos.

Sobre agendas y proyectos

A fines de los noventa era ya evidente que la Argentina no atravesaba sólo una crisis económica o política, sino una mucho más profunda, que incluye a todo el sistema institucional y al cuerpo de creencias e identidades sobre el cual se sostuvo durante décadas el sistema político.

Desde hace años, la población manifiesta su desconfianza en el valor de la moneda nacional, una de las instituciones básicas de la economía, buscando refugio en una moneda extranjera: el dólar. En los noventa comenzó a exponer su disconformidad con el funcionamiento de instituciones básicas del sistema republicano, como los partidos políticos, los sindicatos, los órganos legislativos y judiciales y, por supuesto, las fuerzas de seguridad. También los empresarios, sujetos modélicos y protagonistas de la cultura neoliberal de las últimas décadas, cayeron en depreciación.

Una de las razones de este fenómeno es, indudablemente, la situación económica. El aumento de la desocupación y la pobreza provocaron un desmejoramiento de las condiciones de vida de una parte importante de la población. Pero crearon, también, la conciencia de que la Argentina cambió profundamente, que dejó de ser un lugar de empleo o autoempleo seguro. Grandes sectores de la clase media supieron que las oportunidades, de las que sus familias disfrutaron por generaciones, desaparecieron. Los hijos comenzaron a ser más pobres que los padres, incluso que sus abuelos, y la expectativa de progreso que formaba parte de la cultura de los sectores mayoritarios del país se diluyó.

La emigración de jóvenes y personas de edad intermedia sin calificaciones especiales, un fenómeno novedoso en la Argentina, es uno de los síntomas de esa desesperanza.

La frustración política fue alimentada, en sucesivas etapas, por dirigentes y gobiernos. El radicalismo sembró fuertes expectativas en que el retorno de la democracia proporcionaría alimento, salud y educación, además de justicia para los crímenes de Estado. Los desastrosos resultados económicos y las debilidades en el juzgamiento del terror, dieron paso a un primer desencanto con la institucionalidad recuperada. El menemismo prometió, además de mejoras materiales, una restauración simbólica, con el tránsito de la Argentina hacia el mundo de los poderosos. El país recibió, en cambio, empobrecimiento, aumento de las desigualdades sociales, corrupción y especulación desembozadas, y manipulación política de todas y cada una de las instituciones de la República.

La Alianza volvió a revivir expectativas de renovación política y cambio económico, pero su gobierno reiteró las prácticas de su antecesor y precipitó al país en la peor crisis económica de su historia. El equipo Duhalde-Remes Lenicov, una vez instalado en el gobierno, formuló sus promesas de cambio que no tardó en incumplir.

De este modo, quedó claro que, con diferencias de estilos o detalles, las cúpulas políticas, en asociación con los grandes poderes económicos, están empeñadas en mantener el orden imperante. La dirigencia política lo hace al privilegiar sus lazos con el poder económico sobre los que mantiene con su base popular; las empresas se despreocupan del mercado interno priorizando la obtención de rentas inmediatas y cuentan además con la posibilidad de emigrar con sus capitales a territorios más rentables.

Por otra parte, se ha formado un sistema de relaciones, negocios, lealtades y complicidades entre las cúpulas del poder político, empresarial, sindical, judicial y de fuerzas de seguridad, cuyo propósito es transformar y manipular el aparato del Estado en función de sus propios intereses inmediatos y de la perpetuación de su poder, dejando al ciudadano común ante la arbitrariedad y el desamparo.

Hasta el momento, el malestar y la crítica popular no fueron canalizados ni capitalizados por organizaciones políticas de carácter tradicional, como partidos o sindicatos de izquierda, lo cual ha creado una suerte de vacío de representación en el sistema institucional formal. La protesta se ha expresado, por el contrario, en organizaciones generalmente espontáneas, al margen de los aparatos políticos tradicionales y en muchos casos explícitamente opuestos a los mismos, como las manifestaciones de *cacerolazos* o las asambleas barriales.

Estas organizaciones se caracterizan por un alto grado de democratismo y se han demostrado eficaces para ejercer presiones sobre el poder, pero no han generado cuerpos capaces de capturarlo y ejercerlo.

De este modo, se ha creado un escenario que puede dar lugar, tanto a la formación de nuevas alternativas políticas renovadoras, como al surgimiento de líderes carismáticos oportunistas o a una lenta y frustrante disolución de energías.

En esta incertidumbre existe certeza de que la realidad plantea una agenda de transformaciones que abarca todo el espectro de la vida económica y social, que incluye la búsqueda de crecimiento con equidad, la reconstrucción de las funciones reguladoras y mediadoras del Estado, y la renovación de las formas de representación política.

A esta agenda se enfrenta, con vigor y decisión para la violencia, el proyecto de reciclaje y continuidad del orden neoliberal.

BIBLIOGRAFÍA

Ablin, Eduardo y Lucángeli, Jorge: "La política comercial argentina: evolución reciente y limitaciones de los instrumentos futuros", *Boletín Informativo Techint*, N°304, Octubre-Diciembre, 2000.

Arias, Xosé Carlos: "Reformas financieras en América Latina, 1990-1998", en *Desarrollo Económico*, N°155, Octubre-diciembre, 1999.

Aspiazu, Daniel: "Las privatizaciones en la Argentina", en *Ciclos*, N°21, 1er. semestre de 2001.

Atkinson, B.: *The economic consecuences of rolling back the Welfare State*, The MIT Press, Cambridge, 1999.

Banco Mundial: *El milagro de Asia Oriental* (resumen), Banco Mundial, Washington, 1993.

Basualdo, Eduardo y Kulfas, Matías: "Fuga de capitales y endeudamiento externo en la Argentina", en *Realidad Económica*, N°173, julio, 2000.

Basualdo, Eduardo: *Concentración y centralización del capital en la Argentina durante la década del noventa*, UNQ/FLACSO/IDEP, Buenos Aires, 2000, (y de informaciones del Ministerio de Economía).

Basualdo, Eduardo; Schorr, Martín y Lozano, Claudio: "Las transferencias de recursos a la cúpula económica durante la administración Duhalde", aporte presentado en la Asamblea Nacional del Frenapo, Instituto de Estudios y Formación de la Central de Trabajadores Argentinos, Buenos Aires, 2 de marzo, 2002.

Bekerman, Marta y Sirlin, Pablo: "Nuevos enfoques sobre política comercial y sus implicancias para los países periféricos", en *Desarrollo Económico*, N°134, Julio-Septiembre, 1994.

Bekerman, Marta y Sirlin, Pablo: "Efectos del proceso de apertura y de integración sobre el patrón de especialización de la economía argentina", CENES/FCE/UBA, Documento de Trabajo, N°4, 1996.

Bisang, Roberto y Kosacoff, Bernardo: "Las exportaciones industriales en una economía en transición: las sorpresas del caso argentino", en *El desafío de la competitividad*, Bernardo Kosacoff y otros, CEPAL/Alianza, Buenos Aires, 1993.

Blaug, Mark: *Teoría económica en retrospección*, FCE, México, 1985.

Blejer, Leonardo: "El proceso de concentración y extranjerización del sistema bancario argentino durante los noventa", *Boletín Informativo Techint*, N°301, Enero-Marzo, 2000.

Blejer, Leonardo y Rozenwurcel, Guillermo: "Financiamiento a las PyMEs y cambio estructural en la Argentina", en *Desarrollo Económico*, N°157, Abril-Junio, 2000.

Borón, Atilio: "Democracia y Estado en tiempos de crisis", en revista *Encrucijadas*, UBA, Abril, 2001.

Braberman, Daniel; Chisari, Omar y Quesada, Lucía: "La industria de las AFJP en la Argentina: costos, comisiones y alternativas para la regulación", en *Desarrollo Económico*, N°158, Julio-Septiembre, 2000.

Calcagno, Alfredo y Calcagno, Eric: *La deuda externa explicada a todos*, Catálogos, Buenos Aires, 1999.

Charpentier, Francois: *Les fonds de pension*, Económica, París, 1996.

Chudnovsky, Daniel y López, Andrés: *La transnacionalización de la economía argentina*, Eudeba/Cenit, Buenos Aires, 2001.

Damill, Mario: "El balance de pagos y la deuda externa pública", en *Boletín Informativo Techint*, N°303, Julio-Septiembre, 2000.

D´Andrea Tyson, Laura: *Trade Conflict in High-Technology Industries*, IIE, Washington, 1992.

Duarte, Marisa: "Los efectos de las privatizaciones sobre la ocupación en las empresas de servicios públicos", en *Realidad Económica,* N°182, 16 de agosto, 2001.

Equipo Cambio Estructural y Desigualdad Social: "Reformas salariales y precarización del trabajo asalariado (Argentina 1990-2000)", en *Crisis y metamorfosis del mercado de trabajo,* Buenos Aires, 2001.

Evans, Peter: "El Estado como problema y como solución", en *Desarrollo Económico*, N°140, Enero-Marzo 1996.

Fanelli, José María: "Liberalización financiera y cuenta de capital: observaciones sobre la experiencia de los países en desarrollo", en *Desarrollo Económico*, N°149, Abril-Junio 1998.

Feldman, Ernesto y Sommer, Juan: *Crisis financiera y endeudamiento externo en la Argentina*, CEAL/CET, Buenos Aires, 1986.

Ferrer, Aldo: *Historia de la globalización II*, FCE, Buenos Aires, 1999.

FIDE: *Coyuntura y Desarrollo*, varios números.

FIDE: *Informe Económico Mensual*, varios números.

FIEL: *La economía oculta*, VV. AA., Buenos Aires, 2000.

Frydman, Felipe: "Los problemas del MERCOSUR con franqueza", en *Boletín Informativo Techint*, N°301, Enero-Marzo, 2000.

Fuchs, Jaime y Vélez, José Carlos: *Argentina de rodillas*, Tribuna Latinoamericana, Buenos Aires, 2001.

Furtado, Celso: *La nueva dependencia*, CEAL, Buenos Aires, 1985.

Gaggero, Jorge y Gómez Sabaini, J. C.: *El Sistema Tributario Federal*, Mímeo, Buenos Aires, Setiembre, 1999.

Garcia, Alfredo T.: "El megacanje de los acreedores", en *Realidad Económica*, N°180, 16 de mayo, 2001.

Gray, John: *Falso amanecer*, Paidós, Barcelona, 2000.

Guillén Romo, Héctor: "Hacia la mundialización de los sistemas de jubilación", en *Realidad Económica*, N°169, 1° de enero, 2000.

Horowicz, Alejandro: *Los Cuatro Peronismos*, Legasa, Buenos Aires, 1985.

IMA: "Salida de la convertibilidad", Documento de trabajo, N°3, Enero, 2002.

Keynes, John Maynard: *Teoría general de la ocupación, el interés y el dinero*, FCE, México, 1983.

Lozano, Claudio y Schorr, Martín: "Estado Nacional, gasto público y deuda externa", Instituto de Estudio y Formación de la CTA, Julio, 2001.

Macedo Cintra, Marcos Antonio: "La dinámica financiera internacional y la tendencia a la dolarización en las economías latinoamericanas", en *Realidad Económica*, Nº175, 1º de octubre, 2000.

Maia, José Luis: "El ingreso argentino al Plan Brady", en *Boletín Informativo Techint*, Abril-Junio, 1993.

Mesa-Lago, Carmelo: "Las reformas de las pensiones en América Latina y la posición de los organismos internacionales", en revista de la CEPAL, Nº60, Diciembre, 1996.

Naishtat, Silvia y Maas, Pablo: *El cazador*, Planeta, Buenos Aires, 2000.

Nelson, Clarence W.: *Rational Expectations-Fresh ideas that challenge some established views of police making*, Federal Reserve Bank of Minneapolis, 1977, Annual Report.

OECD: *Agricultural Policies in OECD Countries, Monitoring and Evaluation*, París, 2000.

Ohmae, Kenichi: *El fin del estado-nación*, editorial Andrés Bello, Santiago de Chile, 1997.

Oliva, Miguel: "Consecuencias de las políticas públicas sobre el mercado laboral en Argentina en el período 1989-1999", en *Crisis y metamorfosis del mercado de trabajo*, Javier Lindenboim (comp.), CEPED/IIE/FCE/ UBA, Buenos Aires, 2000.

Porter, Michel: *La ventaja competitiva de las naciones*, Javier Vergara, Buenos Aires, 1991.

Ramos, Adrián: "Evolución del comercio exterior de la industria manufacturera argentina: de la economía semicerrada a la apertura comercial (1974-1997)", en *El desempeño industrial argentino*, Bernardo Kosakoff, editor, CEPAL, Buenos Aires, 2000.

Rapoport, Mario y colaboradores: *Historia económica, política y social de la Argentina (1880-2000)*, Ediciones Macchi, Buenos Aires, 2000.

Rodrik, Dani: "Política comercial e industrial en los países en desarrollo: una revisión de las teorías y datos recientes", en *Desarrollo Económico*, N°138, Julio-Setiembre 1995.

Rodrik, Dani: "Gobernar la economía global: ¿Un único estilo arquitectónico adecuado para todos?", en *Desarrollo Económico*, N°157, Abril-Junio 2000.

Roiter, Daniel y Mayoral, Alejandro: "El comercio Argentina-Brasil: efectos sobre la ocupación y el ingreso", en *Boletín Informativo Techint*, N° 303, Julio- Setiembre, 2000.

Rose-Ackerman, Susan: *La corrupción y los gobiernos*, Siglo XXI, Madrid, 2001.

Schorr, Martín: "La industria manufacturera argentina en los noventa", en *Realidad Económica*, N°175, 1° octubre, 2000.

Schvarzer, Jorge: *Martínez de Hoz: la lógica política de la política económica*, CISEA, Buenos Aires, 1983.

Schvarzer, Jorge: *Implantación de un modelo económico*, A-Z Editora, Buenos Aires, 1998.

Sevares, Julio: "La desocupación en la teoría económica y el debate contemporáneo", revista *Ciclos*, N°18, año 1999.

Smith, Adam: *Investigación sobre la naturaleza y causa de la riqueza de las naciones*, FCE, México, 1987.

Soros, George: *The Alchemy of Finance*, John Wiley & Sons Inc, New York, (s. a.).

Sotelsek, Daniel: "Crisis bancaria en un esquema de *currency board*: La experiencia argentina", en *Desarrollo Económico*, N°154, Julio-Septiembre, 1999.

Stiglitz, Joseph: "Más instrumentos y metas más amplias para el desarrollo", en *Desarrollo Económico*, N°151, Octubre-Diciembre 1998.

Stiglitz, Joseph: Nota publicada en *El grano de arena*, www.ATTAC.org.ar

Thwaites Rey, Mabel: *Alas rotas: la política de privatización y quiebra de Aerolíneas Argentinas*, Editorial Temas, Buenos Aires, 2001.

Williamson, John: "The Washington Consensus Revisited", presentado en la conferencia *Development Thinking and Practice*, del IADB, Washington, Septiembre, 1996.

W. Max Corden: "Régimen y política de tasa de cambio: un panorama", en *Política de tasa de cambio en América Latina*, Carol Wise/Riordan Roett, compiladores, GEL, Buenos Aires, 2001.

World Bank: *"World Development Report 2000/2001"*, Washington, 2001.

Este libro se terminó de imprimir
en junio de 2002 en Indugraf S.A.